A
PROVÍNCIA
DOS
DIAMANTES

PANO DE BOCA EXECUTADO PARA A REPRESENTAÇÃO EXTRAORDINÁRIA NO TEATRO DA CORTE, POR OCASIÃO DA COROAÇÃO DO IMPERADOR D. PEDRO I, EM 1822, DE JEAN-BAPTISTE DEBRET. LITOGRAFIA. *VOYAGE PITTORESQUE ET HISTORIQUE AU BRÉSIL* (1839). DOMÍNIO PÚBLICO.

A PROVÍNCIA
DOS DIAMANTES
ENSAIOS SOBRE TEATRO

FERNANDO MARQUES

autêntica   **siglaviva**

© Fernando Marques, 2016
© Autêntica Editora, 2016
© Siglaviva, 2016

Edição, pesquisa iconográfica e design gráfico
Renato Cunha

Dados internacionais de catalogação na publicação [CIP]

MARQUES, Fernando [1958]
   A província dos diamantes: ensaios sobre teatro
   Belo Horizonte: Autêntica; Brasília: Siglaviva, 2016
   352 p., 22 ilustr.

ISBN 978-85-513-0018-3 [Autêntica]
ISBN 978-85-66342-18-5 [Siglaviva]

1. Teatro: história e crítica. 2. Ensaios sobre teatro. I. Título.

CDD 792

Índice para catálogo sistemático
1. Teatro: história e crítica   792

Autêntica Editora
www.grupoautentica.com.br
www.facebook.com/editora.autentica

Siglaviva Comunicação e Design
www.siglaviva.com.br
www.facebook.com/siglaviva

[2016]
Impresso no Brasil

A Sábato Magaldi, mestre a distância.

SUMÁRIO

Nota, 9

Prefácio, 11

INTRODUÇÃO

A eterna arte do efêmero [resenha de *História mundial do teatro*, de Margot Berthold], 17

GREGOS E LATINOS

Leituras de *Agamenon* e *Antígona*, 33

De avareza e avarentos: o tema da sovinice em Plauto, Molière e Suassuna, 40

DE SHAKESPEARE A BÜCHNER, SÉCULOS XVI A XIX

Shakespeare songs [resenha do disco], 59

Em torno do inevitável [sobre *Hamlet*, de Shakespeare], 62

Duas mulheres: condição feminina e destino trágico nas peças *Castro* e *Leonor de Mendonça*, 65

Teatros de mulher, 78

Séria paródia [resenha de *A ópera do mendigo*, de John Gay], 83

Mulheres, nudez e crítica [sobre teatro de revista brasileiro], 89

O testamento do jovem Goethe, 93

Fundamentos da encenação [sobre Lenz e Goethe], 98

Tragédia romântica [resenha de *A noiva de Messina*, de Schiller], 102
O olhar pioneiro [sobre Gonçalves de Magalhães], 105
Martins Pena completa 150 anos de ingênua malícia, 108
Um brinde a Georg Büchner, 114

TEATRO MODERNO, SÉCULOS XIX A XXI: O TEXTO TEATRAL

O legado dos monstros sagrados [sobre Ibsen e Beckett], 123
Os dois lados do palco [sobre Arthur Azevedo], 131
150 anos de pândega [sobre teatro cômico e musical], 136
Teatro profético [sobre Tchekhov], 138
A fantasia da transformação [sobre expressionismo], 143
Um autor em busca de grandes personagens [sobre Pirandello], 148
Brecht e o Brasil, 152
No ofício de fazer rir [sobre Oduvaldo Vianna e Woody Allen], 158
O visionário e a farsa [sobre Oswald de Andrade], 163
Momento de decisão [sobre *Vestido de noiva*, de Nelson Rodrigues], 167
Um teatro hiperbólico [sobre Nelson Rodrigues], 174
Polêmicas em folhetim [sobre Nelson Rodrigues], 190
A ética no palco [sobre Arthur Miller], 197
O animal que pensa [sobre Eugène Ionesco], 201
Poesia do real: *Black-tie* 50 anos [sobre *Eles não usam black-tie*, de Gianfrancesco Guarnieri], 206
Teatro e paixão em Oduvaldo Vianna Filho, 214
Textos vigorosos e engajados de Plínio Marcos são reunidos em livro, 219
Difícil equilíbrio [sobre Domingos Oliveira], 222
O teatro de Chico Buarque e parceiros, 225
Reis da vela e de Ramos engoliriam rei Leão [sobre musical dos anos 1960], 232
Paraísos íntimos: teatro e subjetividade em Caio Fernando Abreu, 237
Palco na penumbra [sobre José Saramago], 249

Consciência crítica [sobre a Companhia do Latão], 255
Releitura da cena moderna [sobre Matéi Visniec], 259

TEATRO MODERNO, SÉCULOS XIX A XXI: INTERPRETAÇÃO E ENCENAÇÃO

Época rica alimenta debate até hoje [resenha de *Stanislávski, Meierhold & cia.*, de J. Guinsburg], 267

Caminhos da encenação russa [resenha de *Teatro russo: literatura e espetáculo*], 270

O reino do corpo [resenha de *A arte do teatro*, de Béatrice Picon-Vallin], 274

Capricho espanhol [sobre García Lorca], 278

A dolorosa lucidez de Artaud, 284

Interpretar não é tão misterioso assim [resenha de *A arte secreta do ator*, de Eugenio Barba e Nicola Savarese], 286

A província dos diamantes [resenha de *A terra de cinzas e diamantes*, de Eugenio Barba], 291

Encontro com homem notável [sobre Peter Brook], 296

No centro do palco [resenha de *Procópio Ferreira: o mágico da expressão*, de Jalusa Barcellos], 301

Livro revela papel de Kusnet em dilema da interpretação, 306

A eterna peleja de Apolo com Dioniso [sobre Antunes Filho e Zé Celso Martinez Corrêa], 309

A vida no palco [sobre Augusto Boal], 313

Servidor de inquietações [sobre Hugo Rodas], 318

Edições refletem sobre a arte do intérprete [resenha de *O ator-compositor*, de Matteo Bonfitto], 320

O jovem centenário Woyzeck, 324

Pela reintegração de política e teatro, 330

O teatro musical (e político) no Brasil, 334

Impressões portuguesas, 338

Os *Meninos da guerra* falam por si mesmos, 342

A matéria dos sonhos [comentário sobre *O naufrágio*, de Silvia Davini], 347

NOTA

Este livro reúne 59 artigos originalmente publicados, entre 1996 e 2015, nos jornais *Correio Braziliense, O Estado de S. Paulo, Jornal da Tarde, Folha de S. Paulo* e *O Globo*; nas revistas *Cult, Folhetim, Palavra* e *Correio do Livro da UnB*; nas revistas eletrônicas *Moringa* e *Diversos Afins*; no *site* Teatrojornal e no *blog* Cartografias da Voz. Os títulos foram dados quase sempre pelos editores, aos quais agradeço. Sem a sua cumplicidade, a maioria desses artigos nem sequer teria sido escrita. Fizemos pequenas correções ou alterações em alguns dos textos, sem modificá-los substancialmente.

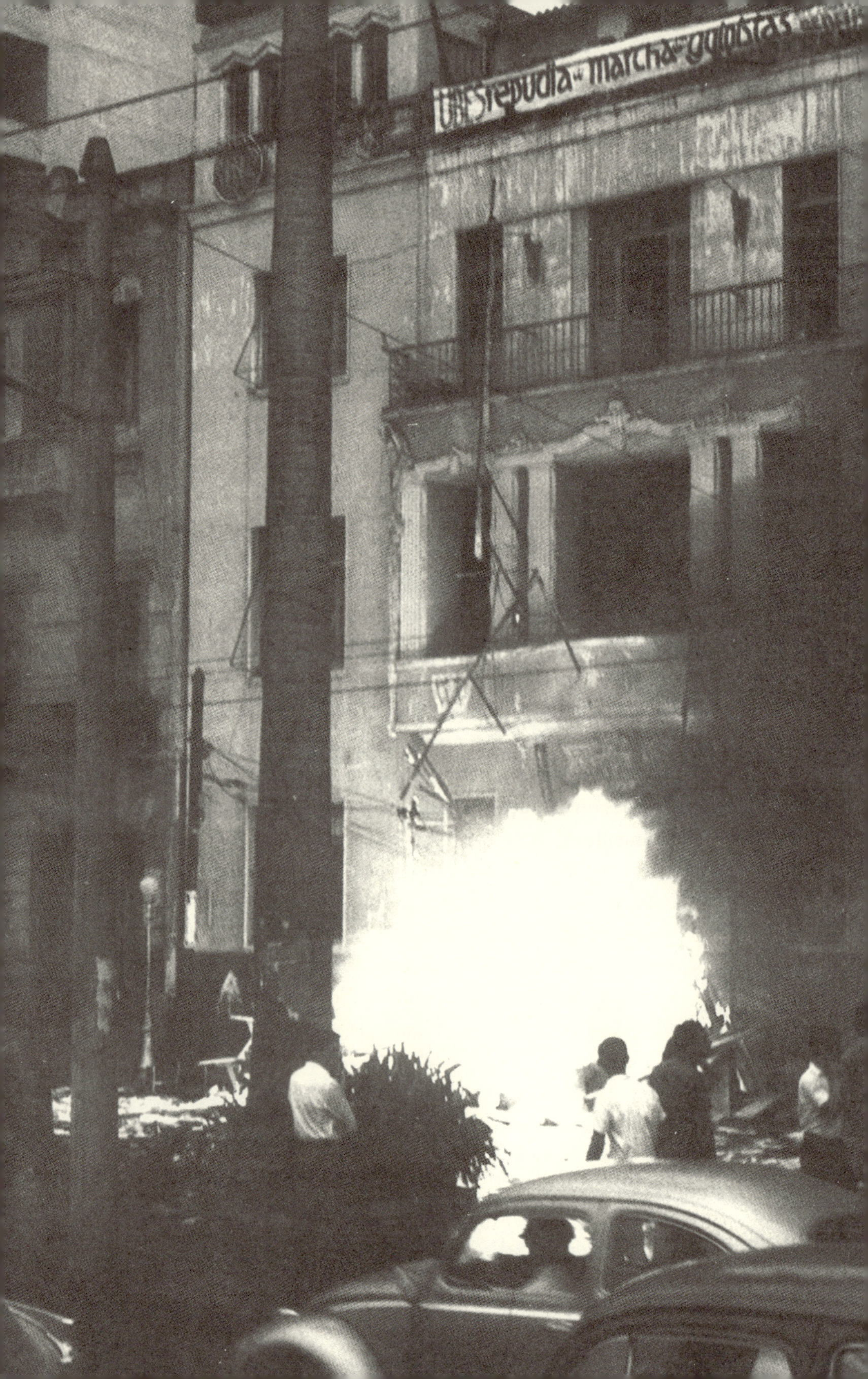
repudia marcha golpistas

PREFÁCIO

A vida intelectual depende, em grande parte, de determinadas condições objetivas para se tornar significativa. Autores precisam de meios em que possam publicar suas reflexões, fazendo-as chegar aos leitores. Esse processo, que no caso do teatro é intermediado pelas companhias e suas peças, pelos dramaturgos e suas obras, forma uma tradição, um sistema que se alimenta de forma cíclica, com a vida teatral forjando seu público, seus autores e sua crítica.

A elevação do nível estético da produção teatral de uma época depende, portanto, da existência de trabalhadores empenhados em fazer a justa crítica aos trabalhos de seu tempo, e anteriores. Essa dinâmica existiu no Brasil décadas atrás e forjou grandes críticos de arte, como Décio de Almeida Prado, Sábato Magaldi, Paulo Emílio Salles Gomes, Antonio Candido, Gilda de Mello e Souza, entre tantos outros, que puderam aperfeiçoar sua carpintaria publicando cotidianamente nos suplementos literários de jornais impressos que tinham, à época, grande circulação.

Todavia, a vida intelectual brasileira sofreu interrupções brutais, tendo a última durado 21 anos (1964-1985). Esse sistema foi fortemente abalado pela progressiva mercantilização da cultura e da arte. Uma das consequências foi a quase extinção da crítica teatral de jornal, que deu lugar a breves e despretensiosas sinopses das peças. Outra marca foi o enclausuramento do debate sobre estética no universo acadêmico, sendo democratizados às grandes massas apenas as formas e os estímulos provenientes da indústria cultural.

Feita essa digressão, cabe justificá-la para explicar o sentido e o valor do trabalho de Fernando Marques. O leitor está diante de um intelectual empenhado que busca forjar, por meio de seu trabalho, uma tradição formativa para seus leitores, comemorando datas relativas a dramaturgos brasileiros e estrangeiros, como procede ao comentar os 150 anos de Martins Pena propondo um ângulo que nos permite notar sua modernidade, por meio da explicação do sentido épico do recurso do aparte. Esse recurso, frequente nas comédias, supera a imagem de simples ingenuidade maliciosa, presente na crítica à obra de Pena.

Marques debate com rigor a fortuna crítica de cada autor, considerando a carpintaria teatral e a eficácia estética de artistas nacionais e estrangeiros, como na resenha de *A ópera do mendigo*, de John Gay, em que propõe comparações com as versões de Bertolt Brecht e Chico Buarque.

O crítico identifica e confronta linhas de interpretação, explicando ao leitor a distinção e função de procedimentos teatrais dos universos da dramaturgia, da encenação ou da interpretação, e se lançando ao debate com seu tempo presente, por meio das análises dos trabalhos das companhias ou da resenha de obras ensaísticas e teses contemporâneas.

A resenha "Consciência crítica", do livro *Companhia do Latão: 7 peças*, exemplifica um traço marcante do autor, a conciliação produtiva entre a análise rigorosa do texto teatral, a explicação sobre os efeitos das opções estéticas da peça enquanto texto e montagem e a crítica social e política. A forma estética interpela a vida tal como a matéria social tensiona a forma teatral.

O trabalho é de fôlego e recoloca em debate o papel do intelectual, no sentido do empenho formativo em construir uma tradição civilizatória, mediante a consolidação de sistemas que conjuguem a produção, a circulação e a fruição de obras artísticas. Por essa via cabe destacar a atenção para os filtros, as mediações, a recepção das influências estrangeiras sobre o trabalho teatral no Brasil: mesmo quando essa ênfase não se manifesta diretamente, é notável a singularidade do ponto de vista, atento ao meio, às condições, aos leitores, ciente do papel de mediação inerente ao crítico.

As homenagens a homens e mulheres de teatro perseguem a dialética do particular e universal, identificando influências, pontos de partida, condições de produção, contextualizando as propostas, com claro intuito de fornecer ao leitor o conhecimento ao mesmo tempo mais abrangente e profundo sobre o trabalho daqueles que dedicaram sua vida ao teatro. Em "A vida no palco", bela homenagem a Augusto Boal, as contradições entre arte e política são analisadas pela perspectiva da eficácia da pesquisa do real por meio da forma teatral, nas diversas fases do Teatro de Arena e após, com o Teatro do Oprimido.

Com textos distribuídos em quatro blocos, que abrangem dos primórdios do teatro até o teatro moderno dos séculos XX e XXI, *A província dos diamantes* se configura como uma obra com múltiplos percursos de leitura, que abre um amplo leque de questões para o debate dos grupos, para o trabalho em sala de aula.

O livro pode inspirar nova geração de críticos, ensaístas, dramaturgos, artistas de modo geral, que surja à contracorrente da tendência de neutralizar as dimensões emancipatórias da estética teatral — evitando restringir o teatro ao universo da mercadoria.

Rafael Litvin Villas Bôas
*Professor do Programa de Pós-Graduação
em Literatura da Universidade de Brasília*

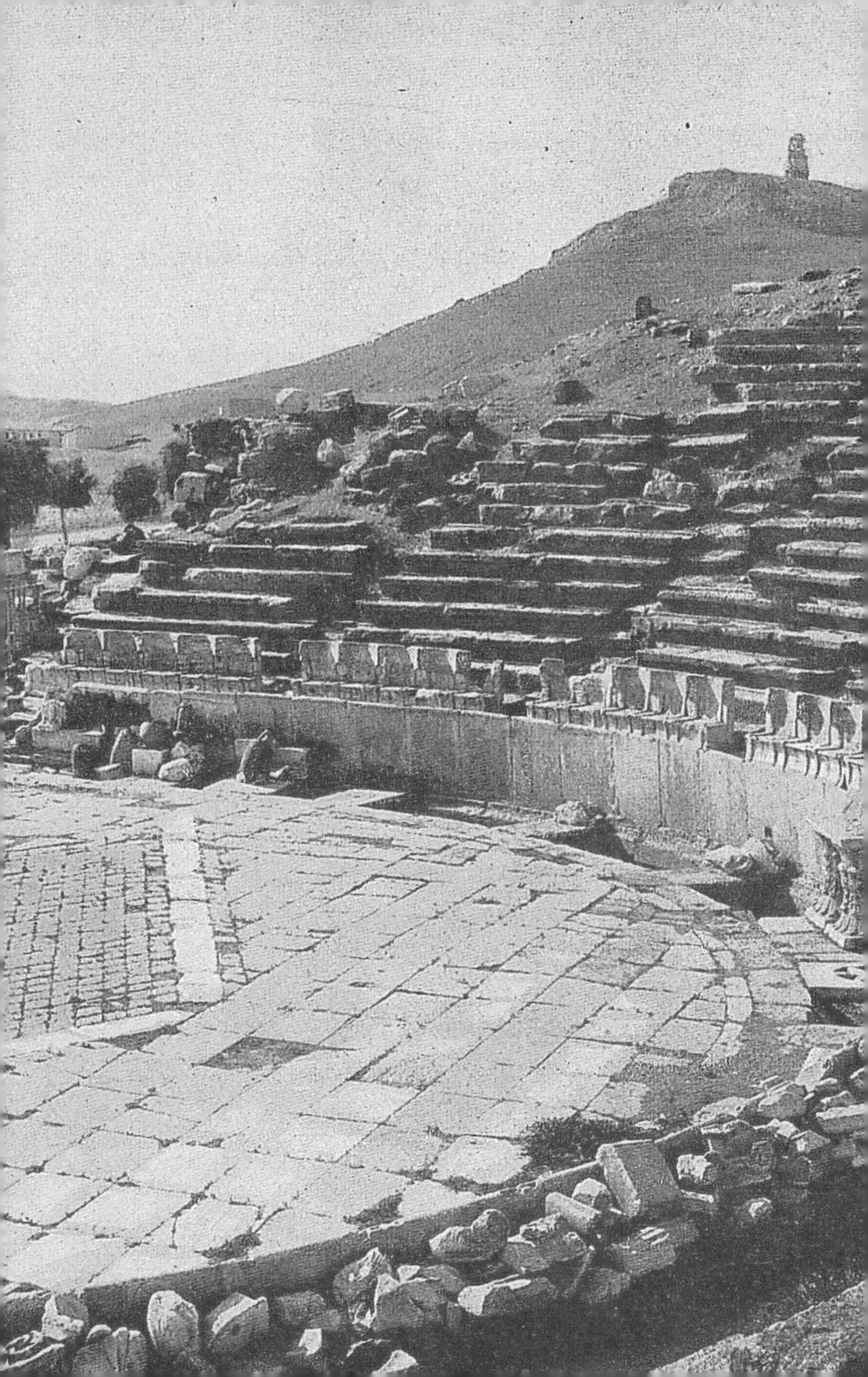

INTRODUÇÃO

p. 10
INCÊNDIO QUE DESTRUIU A SEDE DA UNIÃO
NACIONAL DE ESTUDANTES (1964), ONDE
OCORRIAM AS REUNIÕES DO CENTRO
POPULAR DE CULTURA. PRAIA DO FLAMENGO,
RIO DE JANEIRO. © ARQUIVO UNE.

p. 14
TEATRO DE DIONISO (1896). ATENAS, GRÉCIA.
DEUTSCHES ARCHÄOLOGISCHES INSTITUT.
DOMÍNIO PÚBLICO.

A ETERNA ARTE DO EFÊMERO[1]

TEATRO DO EGITO À GRÉCIA

No princípio, era o rito. Os livros que contam a história do teatro costumam começar pela admissão de que o fenômeno cênico foi, na origem, cerimônia mística. Há quem lembre, também, o parentesco essencial entre teatro e jogo. Para os que ressaltam o papel do sentimento religioso na gênese do espetáculo, nos primeiros tempos não havia espectadores, mas fiéis; tampouco existiam atores, e sim sacerdotes. Os eventos apresentaram esses traços no Egito, na Índia, na Grécia pré-socrática.

Autora da monumental, embora não exaustiva, *História mundial do teatro*, a alemã Margot Berthold inicia seu livro com afirmação semelhante. Para haver teatro, diz, o ocupante do palco deve situar-se além das leis cotidianas — que definem identidade e alteridade, por exemplo — e tem de contar com público disposto a ouvir "a mensagem desse vislumbre".

---

1 Resenha publicada em duas partes na revista eletrônica *Diversos Afins* (ago./set. 2013).
Ver *História mundial do teatro*, de Margot Berthold, com tradução de Maria Paula V. Zurawski, J. Guinsburg, Sérgio Coelho e Clóvis Garcia (São Paulo: Perspectiva, 2000).

Pode-se supor, com Berthold, que a divisa entre rito e espetáculo, ou entre religião e teatro, se encontre no momento em que o fiel perde a inocência, a fé, quando já não crê estar diante do próprio deus, mas percebe que se trata de simples representação, ainda que impressiva, da divindade. O crente transforma-se, a essa altura, em espectador — mudança que, sob certas circunstâncias históricas, deve ter demandado séculos. O teatro, menos rito do que jogo, procede por metáfora, por fingimento consentido, e o ator, na sua capacidade de criar a ilusão da metamorfose, é seu elemento básico, sugere a autora.

Em todo caso, a ideia de que o teatro nasce do rito e do mito parece aplicar-se melhor ao gênero trágico, ligado à morte e à perda inevitáveis. Já a comédia, embora se origine em festas de caráter fálico, igualmente religiosas, relaciona-se menos ao momento ritual de exceção e mais à vida cotidiana (pensamos aqui na tradição de origem grega).

Naturalmente, o livro de Berthold privilegia a história, não a teoria — não pretende especular em torno do teatro, mas descrever e comentar suas manifestações. O longo passeio, fartamente ilustrado, pelas inúmeras formas assumidas pela cena nos leva, nos primeiros capítulos, ao Egito e à Mesopotâmia, às regiões islâmicas, à Índia, à China e ao Japão. Depois, a estudiosa retorna à Grécia e retoma o curso ocidental em ordem cronológica, tratando de Roma, Idade Média, Renascimento, até a modernidade — as datas mais recentes, entre as citadas no volume, giram em torno de 1965. Nota-se, no enorme esforço de síntese, traduzido em claro e elegante português, a ausência do teatro africano — já algo documentado, presume-se, quando da redação do livro (o Egito de que trata a autora é o arcaico). Faltam ainda referências à América Latina. Para informações sobre atividades cênicas na África, o leitor curioso pode recorrer a *História do teatro*, do baiano Nélson de Araújo, que fala sucintamente do assunto.

Os espetáculos que celebravam a paixão de Osíris, em Abidos, no Egito, estão entre as primeiras manifestações teatrais de que se tem notícia. Realizados ao ar livre e destinados a envolver toda a comunidade, aqueles festivais se assemelhavam aos que foram praticados na

Mesopotâmia: "No reino de Nabucodonosor, o famoso festival do Ano Novo, em homenagem ao deus da cidade da Babilônia, Marduk, era celebrado com pompa espetacular", anota Berthold. O poder de Estado fundava-se na religião, e todo o povo era periodicamente chamado a festejá-lo.

Entre povos islâmicos, a proibição de se representar a figura divina sob forma humana terá inibido o teatro. Artistas turcos, valendo-se de personagens cômicas — os bonecos Karagöz e Hadjeivat —, contornaram a interdição disfarçando os traços humanos de suas criaturas. A lenda sobre a origem da dupla de bonecos lembra a intolerância que tantas vezes atingiu, em diversas épocas e países, os artistas do palco. Karagöz e Hadjeivat teriam existido realmente: eram operários-atores que, com anedotas e palhaçadas, distraíam os demais trabalhadores de seus deveres na construção de certo templo. O sultão da hora, por isso, mandou matá-los. Depois, arrependido, o chefe político procurou compensar o crime permitindo que os humoristas mortos revivessem, simbolicamente, na forma de bonecos. Confúcio, na China, também iria punir com a morte a irreverência dos atores cômicos.

Motivações religiosas estiveram na base do teatro na Índia, onde a arte do ator recebeu atenção especial. Ao contrário do que se deu entre povos islâmicos, "a conceituação antropomórfica dos deuses proporcionou o primeiro impulso para o drama". O *Natyasastra*, livro escrito há cerca de dois mil anos pelo sábio Bharata, registra os princípios da atividade cênica, no que é um manual das artes da dança e do teatro.[2]

O *Natyasastra* requer, "tanto do dançarino quanto do ator, concentração extrema até as pontas dos dedos, de acordo com uma lista

---

2   "Seria inútil procurar por detrás desse nome, que sugere relações simbólicas com algumas divindades, uma individualidade sobre a qual pudéssemos ter um conhecimento histórico. Bharata não é mais que o sábio mítico a quem os deuses ordenaram que criasse o teatro", anotam Monique Borie, Martine de Rougemont e Jacques Scherer em *Estética teatral*: textos de Platão a Brecht (Lisboa: Fundação Calouste Gulbenkian, 1996).

precisamente detalhada". Aqui não se leva em conta a espontaneidade intuitiva, não se improvisa: as regras assemelham-se "a uma soma de valores matemáticos". As maneiras de andar, por exemplo, são convencionais: "Uma cortesã caminha com passo ondulante, uma dama da corte com passinhos miúdos; um bobo caminha com os dedões dos pés apontados para cima, um cortesão com passos solenes, e um mendigo, arrastando os pés".

Os cinco mil anos de história chinesa contam que o teatro pôde ser útil na resistência ao invasor mongol, não em representações públicas, mas em livros que circulavam restritamente. Nesse caso, "os dramaturgos eram eruditos, médicos, literatos, cujos discípulos se reuniam em torno do mestre ao abrigo das salas particulares de recitais". O aplauso popular, por outro lado, dirigia-se aos malabaristas, acrobatas e mimos. A herança desses artistas conserva-se no repertório da Ópera de Pequim, na qual a habilidade dos acrobatas "possui seu lugar de honra".

A China também oferece bons exemplos de literatura dramática. Entre eles, estão os textos que aproveitaram a história do imperador Ming Huang e de sua amante Yang Kuei-fei. Lances da trajetória do casal, que viveu no século VIII, dão mote a várias peças, como o drama *O palácio da vida eterna*, do final do século XVII. Diz Berthold: "As falas desta peça, imortalizando o juramento trocado entre o imperador e sua bem-amada, são tão bem conhecidas na China quanto o são, na Europa, as palavras da Julieta de Shakespeare".

Mais visceral, talvez, é o episódio em que se inspira *A beleza embriagada*, "obra-prima de virtuosismo histriônico, que durante muitos anos fez parte do internacionalmente aclamado repertório da Ópera de Pequim". Yang Kuei-fei espera o namorado, que a convidara para uma taça de vinho no Pavilhão das Cem Flores. A espera resulta inútil, o imperador preferiu cair nos braços de outra mulher. A moça rejeitada, então, se embriaga, tentando sufocar o ciúme.

Berthold afirma a importância desse "musical de ato único", observando que, na encenação, é ressaltada a ação íntima, interior. A autora recorre às palavras do historiador Huang-hung, que sentencia: "Para chegar a uma apreciação correta do teatro chinês, o europeu precisa estar consciente de que o maior interesse não é tanto sublinhar a ação enquanto tal, mas deixar o público sentir a história. O acento está nas possibilidades espirituais, mais do que nas físicas".

No Japão, por volta de 1720, o dramaturgo Chikamatsu pensa de modo similar: "Considero que o *páthos* seja inteiramente uma questão de contenção", diz ele, acrescentando que, "quando todos os componentes da arte são dominados pela contenção, o resultado é muito comovente". Entre os estilos mais importantes do teatro japonês, encontram-se o *nô*, que remonta ao século XIV e faz o elogio da ética heroica e aristocrática dos samurais, e o *kabuki*, encorajado pelo poder dos mercadores no século XVII, gênero que avançava no sentido de compreender "toda a extensão da realidade social", utilizando dança e música.

Berthold chega, a essa altura, às matrizes gregas do teatro ocidental. Ali, o caminho que leva do rito à cena aparenta-se ao que se deu noutras épocas e noutras regiões, mas em grau diverso: "O teatro é uma obra de arte social e comunal; nunca isso foi mais verdadeiro do que na Grécia antiga", diz a historiadora. Pode-se destacar, naquele acervo, a linha que vai de Ésquilo a Sófocles e deste a Eurípides, os três grandes autores trágicos do período especialmente fértil iniciado em torno de 500 a.C., quando Ésquilo começa a participar dos concursos teatrais em Atenas, e terminado em 406 a.C., quando morre Eurípides.[3]

Berthold descreve: "Os componentes dramáticos da tragédia arcaica eram um prólogo que explicava a história prévia, o cântico de

---

3   O legado de Ésquilo, Sófocles e Eurípides, somado ao do comediógrafo Aristófanes, resulta em 43 peças ao todo. Os textos sobreviventes estão assim distribuídos: sete tragédias de Ésquilo, incluída a trilogia *Oréstia* (*Agamenon*, *Coéforas* e *Eumênides*); sete de Sófocles, inclusive as da *Trilogia tebana* (*Édipo Rei*, *Antígona* e *Édipo em Colono*); 18 de Eurípides (17 tragédias, a exemplo de *Medeia*, *Hipólito* e *As bacantes*, e um drama satírico); e as 11 comédias de Aristófanes (entre elas *Lisístrata ou A greve do sexo* e *As rãs*).

entrada do coro, o relato dos mensageiros na trágica virada do destino e o lamento das vítimas". De Ésquilo a Sófocles, diminuem as intervenções corais — o que se nota ao se comparar, por exemplo, uma peça como *Agamenon*, pertencente à trilogia esquiliana *Oréstia*, a *Antígona*, de Sófocles. Este, 30 anos mais jovem que Ésquilo, passa a utilizar três atores, em lugar de dois, para o diálogo com o coro.

Essas considerações de ordem material pretendem sugerir as transformações de conteúdo operadas de um a outro dos três autores. O teor mítico, aos poucos, se dilui ou se ameniza, num caminho que leva dos semideuses de Ésquilo aos retratos mais próximos do humano legados por Eurípides. O rival Sófocles diria: "Eu represento os homens como devem ser, Eurípides os representa como eles são".

Diferentes posturas distinguem a esquiliana Electra da indefesa mas decidida Antígona, personagem da peça homônima de Sófocles, e da rancorosa Medeia, da peça de Eurípides. Electra conspira contra a mãe Clitemnestra e concorre para a morte desta por não poder fugir às leis da vingança, que condicionam seu comportamento (Clitemnestra matara o marido Agamenon, pai de Electra). Antígona, presa a determinações ancestrais, mas já disposta a agir por conta própria, enfrenta o tirano Creonte, que proibira o enterro de Polinices, irmão de Antígona. Por fim, Medeia, embora dotada de poderes sobrenaturais, atende, ao matar os dois filhos, tão somente à própria dor de mulher abandonada pelo marido, de quem se vinga com o assassinato dos meninos. O mito cede à psicologia, deuses tornam-se homens.

A autora resume: "Eurípides rebaixou a providência divina ao poder cego do acaso". Foi exatamente esta a queixa de Nietzsche contra o "sacrílego Eurípides": o autor de *Medeia* trata os conceitos morais à base de sofismas, oferecendo às suas personagens, diz Berthold, "o direito de hesitar, de duvidar". O mundo se amesquinha, reclama o jovem Nietzsche de *O nascimento da tragédia*; a crença dionisíaca tende a desaparecer, dando lugar à especulação ou ao puro desencanto (Eurípides, contudo, voltaria às fontes dionisíacas, pouco antes de morrer, na peça *As bacantes*).

Já na época o corrosivo e conservador Aristófanes satirizava Eurípides, tomando o partido de Ésquilo na comédia *As rãs*: "Nesta peça, Dioniso, o deus do teatro, avaliará os méritos concernentes a Ésquilo e Eurípides, mas ele se revela tão indeciso, vacilante e suscetível quanto o público e os juízes na competição". Dioniso pesa os textos "feito queijo", mas concede enfim a vitória ao decano Ésquilo. A peça foi representada em 405 a.C. e, no ano seguinte, chegavam ao poder os Trinta Tiranos, inimigos da democracia que, morrendo, levava consigo tragédia e comédia antigas: "O espírito da tragédia e a democracia ateniense haviam perecido juntos".

TEATRO OCIDENTAL, DE ROMA AO SÉCULO XX

Os latinos, de índole mais pragmática e menos reflexiva que a dos gregos, prefeririam gladiadores, feras e outras atrações brutais, pelo menos no que diz respeito às grandes plateias. O circo ululante foi cultivado em detrimento da arte dos poetas trágicos — os austeros textos de Sêneca (4 a.C.-65) seriam valorizados apenas muitos séculos mais tarde, às portas da Renascença. Não foi esse o caso, porém, das comédias brilhantes de Plauto (254-184 a.C.), muito amigo das confusões farsescas, autor de textos posteriormente imitados — *O avarento*, que Molière escreveu em 1668, e *O santo e a porca*, de Ariano Suassuna, de 1957, são exemplos de peças inspiradas em Plauto. Seu rival Terêncio acentuou os aspectos retóricos do diálogo, em prosa elegante que mais tarde, já no século XV, serviria de modelo para a prática erudita do latim.

Os cristãos, que de início foram almoço de animais na arena romana, alcançaram a liberdade de culto durante o governo do imperador Constantino (288-337). Fechado o mundo grego, que os romanos reviveram apenas superficialmente, as festas cristãs na Idade Média constituirão o alimento dos espetáculos: Natal e Páscoa fornecem temas ao teatro medieval, com a representação nas igrejas tendo o altar como cenário. Existirá, em paralelo, um teatro popular mais espontâneo e menos submisso aos cânones religiosos. As formas teatrais na

Idade Média estão distantes da concentração clássica e desconhecem a lei famosa das três unidades — ação, lugar e tempo. Pelo contrário, são formas múltiplas e dispersas: não dramáticas, mas épicas.

Pretendia-se exibir a história bíblica, e o enredo de um mesmo espetáculo poderia saltar séculos ou milênios, de Adão a Cristo, por exemplo. O espaço físico utilizado não se restringiu ao interior dos templos; Berthold informa que "o mais antigo dos dramas religiosos existentes em língua francesa, o *Mystère d'Adam*, da metade do século XII, já se realizava fora do portal da Catedral. Em três grandes ciclos temáticos, ele trata do pecado e da redenção prometida à humanidade: a Queda, o assassinato de Abel por Caim e os Profetas". A autora acrescenta: "As rubricas sugerem o uso de uma armação de madeira adequadamente decorada, que se apoiava na fachada da igreja. O pórtico era a Porta do Céu. De um lado ficava o Paraíso, sobre um tablado elevado; do outro, mais abaixo, a Boca do Inferno". O legado medieval abrange ainda a comédia, de que o modelo é a farsa *Mestre Pierre Pathelin*, que satiriza os costumes ao apresentar um advogado tão respeitado quanto inescrupuloso. A primeira representação do texto francês, de autor desconhecido, data de 1465.

Com a queda de Bizâncio, facção oriental do Império Romano, em 1453, as elites ocidentais iriam redescobrir os gregos, Aristóteles e a *Poética*, cujo texto original foi republicado em 1508. Os debates em torno das noções aristotélicas, entre elas os conceitos de unidade e de catarse, fizeram correr muita tinta, em especial na Itália e na França. Defendia-se a volta aos velhos gregos, mas nem sempre se chegou a um acordo sobre o que teria sido, de fato, o teatro clássico. A princípio tarefa de estudiosos, o Renascimento no palco se inicia em 1486, com a encenação em cidades italianas da tragédia *Hipólito*, de Sêneca, e da comédia *Os gêmeos*, de Plauto. "O que nunca havia ocorrido em vida a Sêneca veio a se concretizar 1500 anos depois, em alto nível acadêmico", observa Berthold.

A descoberta da perspectiva e o respeito ao legado grego logo iriam influir sobre os cenários e sobre a arquitetura teatral. Leonardo da Vinci foi pioneiro na arte de desenhar para a cena, tendo criado o palco giratório já em 1490. O Teatro Olímpico de Vicenza, inaugurado naquela cidade em 1584, com seu palco semicircular e seus cenários em perspectiva (que somavam a perspectiva real à ilusão da pintura), é um dos modelos arquitetônicos da época. O maquinário sofistica-se, e Berthold ressalva: "No decorrer de um século, o teatro renascentista viveu uma repetição em câmera rápida do teatro romano. Quanto mais suntuoso o palco se tornava e quanto mais atenção era dispensada a seus aspectos visuais, mais desvalorizado ficava o conteúdo literário". Os atores deviam agora "subordinar seu movimento e composição ao cálculo ótico" da cena.

Na Inglaterra, as comédias e tragédias de Shakespeare, diversamente, dispensaram em parte a tecnologia visual e concitaram a plateia a imaginar salas e paisagens: o teatro se apresentava como uma espécie de sonho desperto. O dramaturgo dirá, em *Henrique v*: "Imaginai que no cinturão destas muralhas estejam encerradas duas poderosas monarquias [...]. Porque é vossa imaginação que deve vestir os reis, transportá-los de um lugar para outro, transpor os tempos". Inúteis as citadas unidades de ação, tempo e lugar, quando se consegue "acumular numa hora de ampulheta os acontecimentos de muitos anos". Texto e ator conduzem a fantasia dos espectadores, o que se verifica também no teatro de Calderón de la Barca, em peças como *A vida é sonho*. No texto de Calderón, a musicalidade do verso parece predispor o público a aceitar, como se fossem naturais, as extravagâncias do enredo tragicômico: um príncipe despótico e cruel imagina ser um prisioneiro miserável, sofrendo experiências que afinal o transformam em soberano mais justo e equilibrado.

O também espanhol Lope de Vega, aborrecido com as cobranças acadêmicas, costumava dizer que, ao redigir uma peça, trancava as regras na gaveta. Já na França do século XVII, sob o patrocínio da corte, dramaturgos e críticos procederam de forma bem distinta, muito mais apegada às normas que a Academia Francesa, comandada por Richelieu, estabelecia. Corneille desafiou hábitos estéticos e morais com *O Cid*, em 1636, peça de enorme sucesso que, talvez por isso mesmo, foi desancada pelos conservadores. O autor teria insultado a moralidade e a verossimilhança, desencadeando polêmica. A exigência de verossimilhança chegaria ao extremo, no século XVIII, com Gottsched, representante alemão da serenidade clássica francesa, capaz de exageros como o de afirmar que, se a ação saltasse no tempo ou no espaço (obrigando o espetáculo à mudança de cenário), o espectador deixaria de acreditar no que vê, desligando-se do que se mostra no palco. Poderoso gerente da cena alemã, Gottsched toma a ideia de ilusão cênica demasiadamente ao pé da letra; o incisivo Lessing, renovador que se contrapôs à obediência obtusa às normas, chamou Gottsched de "besta quadrada".

Lessing, ligado ao iluminista francês Diderot, de quem traduziu as peças, terá de lutar contra o conservador Gottsched. A Alemanha é, naquele período, colônia cultural dos franceses, para dizê-lo com alguma ênfase. A renovação do teatro implicava levar à cena não mais as aristocráticas personagens de Racine, mas figuras representativas do mundo burguês emergente (as criaturas racinianas seriam definidas por Schiller como "espectadores glaciais de sua própria fúria, professores de sua paixão"). Àquela altura, a popular *commedia dell'arte*, originária da Itália, já estabelecera seus tipos havia 200 anos, espalhando-os pela Europa.

Na década de 1770, surge na Alemanha a geração *Sturm und Drang*, Tempestade e Ímpeto, de que fazem parte o jovem Schiller de *Os salteadores*, Goethe e o inquieto Lenz. A lógica iluminista já não basta para esses escritores, chamados pré-românticos, que deixam obra incompleta (salvo Schiller e Goethe, convertidos depois ao credo neoclássico), mas plena de sugestões. Essas sugestões viriam a influir, décadas depois, sobre Georg Büchner, que morreu aos 23 anos legando três peças, entre elas as seminais *A morte de Danton* e *Woyzeck*. A mistura de comédia e drama, as situações apresentadas aos saltos e não de modo linear reincidem no *Woyzeck*, história do soldado raso maltratado pelo Estado, usado pela ciência e traído pela namorada, perdedor da cabeça aos sapatos — tipo de herói pouco frequente na dramaturgia do tempo. Os expressionistas viriam a perceber, em Büchner, um precursor.

Quando Büchner morre, desconhecido, em 1837, a explosão romântica em torno de Victor Hugo já acontecera havia uma década. As formas operísticas, que vinham sendo elaboradas desde 1600, a princípio na tentativa de retorno ao teatro total dos gregos — poético, plástico, musical —, encontram, na segunda metade do século XIX, momentos agudos em Bizet, Verdi e Wagner. Outro modelo de teatro musical seria praticado pelo inglês John Gay já em 1728, na *Ópera do mendigo*, mesmo ano em que o gênero da revista, com a crítica dos fatos imediatos, nasce nas feiras parisienses. Síntese das fórmulas erudita e popular de espetáculo musical pode ser encontrada em Offenbach ou, mais recentemente, em Brecht e na Broadway.

No teatro dramático, a passagem do romantismo ao realismo se dá por meio de peça que tempera franqueza realista, passionalidade romântica e moralismo burguês, exibindo a história da prostituta Marguerite Gautier. Hoje anacrônica, *A dama das camélias*, de Alexandre Dumas Filho, soube discutir a questão do amor que se contrapõe às conveniências sociais, por volta de 1850.

A dramaturgia de Ibsen, mais franca e madura que a de Dumas Filho, escandaliza as plateias com *Casa de bonecas*, 30 anos depois. O teatro acompanha as mudanças políticas, que incluem reivindicações feministas. Textos de Ibsen integram o repertório do Teatro Livre, de André Antoine, que busca levar ao palco o naturalismo preconizado por Émile Zola desde 1867 (ano em que Zola publica o romance *Thérèse Raquin*, depois transformado em peça teatral). Tendências estéticas contraditórias — basicamente, naturalismo e simbolismo — entram em debate. Os artistas reunidos no Teatro de Arte de Moscou, criado por Stanislavski em 1898, reelaboram noções e práticas realistas, influenciados pela companhia alemã dos Meininger. "Stanislavski, em Moscou, e Antoine, em Paris, admitiram sua dívida para com eles, em matérias tais como: a sugestão cênica de uma quarta parede, a atuação em conjunto e a ideia de que a direção cênica cria um estilo", diz Berthold. Nascia o encenador, no sentido moderno.

O livro mostra, com apoio nas muitas ilustrações, a progressiva tendência à geometria na primeira metade do século XX, com a economia de linhas alcançada por cenógrafos como o suíço Appia e o inglês Craig. Exemplo da soma de talentos na fatura de um teatro novo encontra-se no balé *O chapéu de três pontas*, de 1919, com música de Manuel de Falla e cenário cubista de Picasso: a paisagem desenhada tem traços irregulares e angulosos, a perspectiva acha-se subvertida.

Nas primeiras décadas do século passado, a quarta parede é derrubada com propósitos políticos pela vanguarda panfletária de Piscator, que irá se desdobrar nas propostas de Brecht — autor filiado, na origem, ao expressionismo niilista e soturno. Em 1947, o comunista Bertolt Brecht depunha diante da Comissão sobre Atividades Antiamericanas da Câmara, o comitê que perseguiu as oposições nos EUA. No ano seguinte, Antonin Artaud, teórico do retorno à cena ritual, morria na França depois de repetidas e dolorosas internações.

Correntes contraditórias (mas nem sempre inconciliáveis) têm movimentado o teatro no Ocidente. Uma delas pretende devolver nobreza dionisíaca à vulgaridade contemporânea e se encarna emblematicamente em Artaud; outra quer fazer do palco instrumento de mudança social, caso de Brecht. Uma terceira tendência se acha nos dramaturgos do Absurdo, Beckett e Ionesco à frente, que sintetizam protesto político e aventura estética: a linguagem se fragmenta, tornando-se escassa e metafórica, as situações são tacitamente trágicas, incontornáveis, as personagens não têm saída; o mundo parecia insolúvel aos dramaturgos do pós-guerra. Um quarto caminho, ainda, se pratica no teatro comercial, incluído o espetáculo cantado à maneira da Broadway, em geral desligado de transformações interiores ou coletivas. Teatro que exibe, no entanto, achados incisivos, como em *West Side story*, de 1957, com música de Leonard Bernstein. A herança europeia se retempera na mistura americana.

Margot Berthold privilegiou critérios estéticos na composição do livro, mas não há escolhas inocentes. Suas opções são eruditas, canônicas: trata-se da história do teatro segundo o ponto de vista de uma grande estudiosa de perfil acadêmico, felizmente capaz de escrever com elegância e sem pedantismo (mérito que em parte caberá aos tradutores). Seu pendor por critérios tradicionais a levou a desconsiderar muito do que não estivesse consignado nos museus (inclusive os imaginários) e nas bibliotecas, sobretudo europeias; o que poderá explicar a omissão com respeito à África moderna e à América Latina. Ressalvadas as lacunas, o belo e caudaloso livro importa pelo que é, deve-se apreciá-lo pelo vastíssimo painel que oferece. Terá vida longa em qualquer idioma.

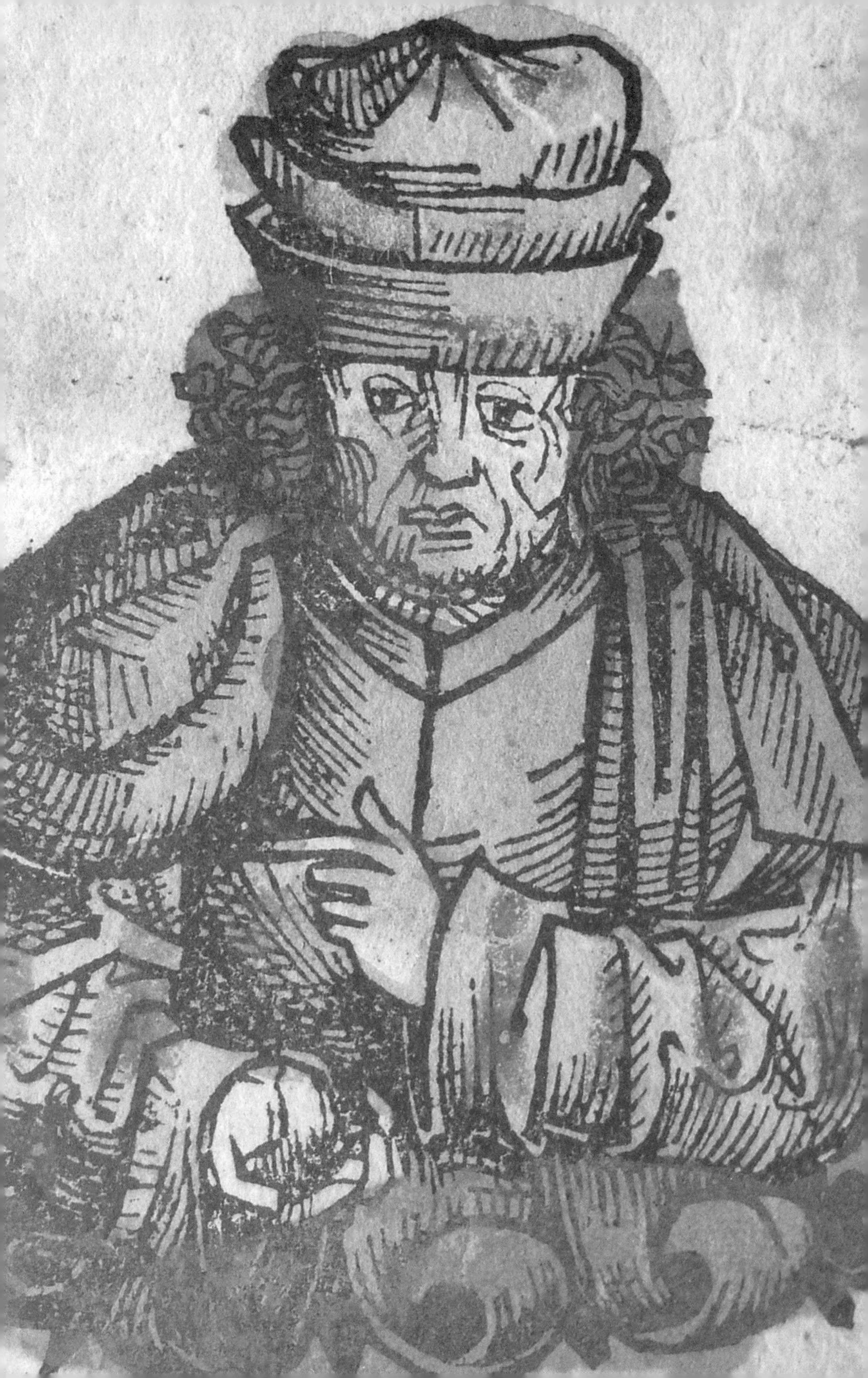

GREGOS E LATINOS

p. 30
XILOGRAVURA DE AGAMENON, EM *CRÔNICA DE NUREMBERG* (1493), DE HARTMANN SCHEDEL. DOMÍNIO PÚBLICO.

LEITURAS DE *AGAMENON* E *ANTÍGONA*[1]

Podemos encontrar em Sigmund Freud a chave para a interpretação de certas ambiguidades que os textos gregos, ainda hoje, nos propõem. No *Esboço de psicanálise*, uma resenha das ideias de Freud feita pelo próprio autor, às vésperas da Segunda Guerra Mundial, o médico nota que, no inconsciente, termos contrários ou contraditórios convivem sem que se procure conciliá-los — como, na esfera lógica da consciência, seria necessário fazer. Freud, ao falar dos sonhos, explica: "Impulsos com objetivos contrários coexistem lado a lado, no inconsciente, sem que surja qualquer necessidade de acordo entre eles". Nos sonhos, regidos pela mecânica inconsciente, "os contrários não são mantidos separados, mas tratados como se fossem idênticos". Neles, "qualquer elemento pode também possuir o significado do seu oposto".

A lógica singular que governa os sonhos também apoia, em certa medida, a composição das metáforas no texto literário. Assim, na

---

1   Resenha publicada na revista *Correio do Livro da UnB* (Brasília: UnB, n. 6, jan./mar. 2003).

Ver *Agamenon*, de Ésquilo, com introdução, versão do grego e notas de Manuel de Oliveira Pulquério, e *Antígona*, de Sófocles, com introdução, versão do grego e notas de Maria Helena da Rocha Pereira (Brasília: UnB, 1997, coleção Clássicos Gregos, coordenada por Marcus Mota).

tragédia *Agamenon*, de Ésquilo, peça que abre a trilogia *Oréstia*, a imagem das aves ferozes que devoram a lebre prenha aparece, aos olhos dos irmãos Agamenon e Menelau, líderes da cidade de Argos, como um sinal, quase um convite, para o combate que deverão fazer a Troia, para onde a bela e leviana Helena, mulher de Menelau, fugiu com o príncipe troiano Páris. Os comandantes argivos querem vingar a honra de sua pátria e veem, na cena das aves, um aceno dos céus.

Mas a deusa Ártemis, protetora das crias humanas e animais, odeia a família dos Átridas em virtude dos crimes que, entre parentes, se cometem a cada geração naquela casa. Atreu, pai de Agamenon, em litígio com o irmão Tiestes, matou os próprios sobrinhos, filhos de Tiestes, oferecendo a carne das crianças num banquete que o outro imaginara ser de reconciliação. A deusa "odeia o festim das águias" — ou seja, detesta o festim sanguinolento dos Átridas. O que para Agamenon é um convite à guerra, para os deuses será, como se vai ver, mais um passo na maldição de Atreu e seus descendentes. O que se afirma é que, em lugar de admitir duas interpretações contraditórias para a imagem das águias a devorar a lebre, uma verdadeira e outra falsa, é sensato pensar que a mesma e única imagem suporta dois conteúdos opostos, "tratados como se fossem idênticos".

Não vamos insistir sobre a hipótese; diremos apenas que, aceitando-a, ter-se-iam economizado umas tantas páginas críticas na tentativa de dar estatuto lógico ao que, na origem, talvez nem sempre queira tê-lo. Cabe observar, nesse sentido, que a deusa Ártemis paralisara os ventos, impossibilitando a esquadra argiva, liderada por Agamenon, de zarpar em direção a Troia. A deusa incita, estranhamente, o comandante a cometer o crime com que dá sequência às desgraças familiares: Agamenon, a partir das insinuações de um adivinho, julga que só com o sacrifício da própria filha, Ifigênia, obterá os favores olímpicos, ou seja, os ventos necessários ao embarque de seu exército. Preferindo fazer a guerra a poupar Ifigênia, ele mata a menina. Os ventos voltam, a esquadra parte e, depois de um cerco de dez anos, os argivos derrotam os troianos, reduzindo a cidade inimiga literalmente a cinzas. De regresso à pátria, Agamenon morrerá nas mãos vingativas da esposa, Clitemnestra, que o detesta desde que ele ordenou a imolação de Ifigênia. Os deuses o ajudaram e, depois, o deixaram morrer.

Para o austríaco Albin Lesky, autor de *A tragédia grega*, a questão se resolve, sim, no plano lógico. O olhar de Ésquilo, entende Lesky, enxergava os deuses como promotores de situações-limite em que o homem é chamado a decidir sobre alternativas tremendas: desistir da guerra ou sacrificar a filha? Com o erro — no caso, a empáfia guerreira de Agamenon — e o castigo dele decorrente, o homem esquiliano aprende, então, o ofício brutal de viver. Trata-se da moral da "aprendizagem pelo sofrimento". Não é, naturalmente, apenas o indivíduo, o herói, quem aprende, até porque a lição costuma vir associada à morte; mas a cidade, a pólis, nele representada.

Essas considerações sobre o *Agamenon* de Ésquilo, a primeira das peças na *Oréstia*, vêm a propósito da publicação recente do texto, pela Editora UnB, em tradução do português Manuel de Oliveira Pulquério, que esteve ligado ao extinto Centro de Estudos Clássicos e Humanísticos da Faculdade de Letras de Coimbra. A editora lançou simultaneamente a *Antígona* de Sófocles, vertida por Maria Helena da Rocha Pereira, estudiosa também ligada àquele centro.

Lembrar as metáforas cifradas como imagens de sonho, em que diversos conteúdos, não raro conflitantes, se depositam, não implica afirmar o teatro grego como uma grande e destemperada aventura surrealista. Seria equivocado desconhecer, na *Oréstia*, a clara mensagem política dirigida por Ésquilo a seus contemporâneos, mensagem que, sorte nossa, alcança a modernidade. A segunda peça da trilogia, *Coéforas*, traz à cena Orestes, filho de Agamenon e Clitemnestra, que retorna do exílio disposto a vingar a morte do pai — decidido, portanto, a matar a própria mãe e seu amante, Egisto, primo de Agamenon e filho de Tiestes. Egisto é o sobrevivente do massacre em que seus irmãos foram oferecidos como repasto a Tiestes.

Nas *Coéforas*, Orestes acaba por assassinar a mãe a despeito das súplicas desta, que lhe exibe o seio em que ele bebeu na esperança de fazê-lo desistir de matá-la. A maldição dos Átridas prossegue, assim, com a violência de Orestes contra Clitemnestra. O ato revolta as Erínias, divindades encarregadas de perseguir os autores de crimes contra consanguíneos. A série de desgraças só irá cessar na terceira peça, *Eumênides*, com a criação do Areópago, tribunal em que, doravante, os delitos de sangue serão julgados. Ésquilo sugere que a razão vença, afinal, a cadeia monstruosa que, até ali, fez correr o sangue dos Átridas.

Se a nota política aparece na *Oréstia*, aparecerá também, de modo ainda mais explícito, na *Antígona* de Sófocles. A tradição convencionou chamar a série de textos, em que a peça se engasta, de trilogia — a *Trilogia tebana* — quando, na verdade, *Édipo rei*, *Édipo em Colono* e *Antígona* foram compostos em épocas diferentes, tendo a ligá-los o fato de que neles se trabalha o mito dos Labdácidas, os descendentes de Laio, pai de Édipo, com Tebas como cenário. A composição triádica, fixada por Ésquilo, foi de modo geral abandonada por Sófocles, o que pode explicar algumas das diferenças de fatura entre o *Agamenon* do velho poeta e a *Antígona* de seu sucessor, 30 anos mais jovem.

O leitor ou espectador moderno sentirá carência de ação na peça do primeiro dos tragediógrafos gregos. De fato, Ésquilo se permite confiar ao coro longas falas antes de apresentar a ação propriamente dita, ao passo que Sófocles, na *Antígona*, arma o prólogo já na forma de diálogo entre a personagem principal e sua irmã Ismênia, o que dá movimento à história desde o início. A trilogia admite as digressões líricas, especialmente no primeiro texto, destinado a resumir o sentido geral da obra, digressões que devem ser limitadas quando o texto, isolado, se esgota em si mesmo. A peça de Sófocles guarda, assim, aspecto mais próximo dos costumes estéticos modernos ou, por outra, já os antecipa, enquanto a de Ésquilo nos obriga a deixar de lado o apego excessivo à ação, para podermos apreciá-la.

A casa dos Labdácidas, a que pertence Antígona, está marcada pela praga rogada a Laio quando este seduziu o jovem Crísipo. Segundo a maldição lançada contra o sedutor pelo pai de Crísipo, Pélops

— o patriarca dos Átridas, ligando-se aqui as duas famílias —, Laio não deveria fazer filhos. Se os fizesse, o descendente mataria o próprio pai e se casaria com a mãe. Figuram-se no mito, segundo parece, duas interdições: a da homossexualidade e a do incesto.²

Mas nasce Édipo, filho de Laio e Jocasta; o pai o condena à morte, de que o menino é salvo pela compaixão do pastor que havia sido encarregado por Laio, rei de Tebas, de abandoná-lo na selva. Édipo sobrevive, passa por uma série de aventuras e tem quatro filhos: Etéocles, Polinices, Ismênia e Antígona.

A ação de *Antígona* se inicia pouco depois do cerco frustrado a Tebas, realizado pelos argivos. Os antecedentes da trama dão conta de que Polinices, disputando o trono tebano com o irmão Etéocles, aliou-se a Argos e promoveu o ataque à própria cidade natal; Polinices e Etéocles terminaram por enfrentar-se num combate em que morreram os dois. Creonte, o irmão de Jocasta, assume o poder e anuncia que se farão as libações fúnebres a Etéocles, que defendeu a cidade, mas não a Polinices, traidor da pátria. Lembre-se que, segundo a crença grega, quando se privava o corpo de sepultamento e de honras fúnebres, privava-se o espírito de paz, roubando-lhe o sossego póstumo.

---

2   O teatro grego, com os mitos que o alimentam, insiste sobre duas proibições que se podem considerar fundadoras da cultura, marcas de passagem entre o estado de natureza e o de cultura: a do assassinato entre consanguíneos e a do incesto, ambas tematizadas na lenda de Édipo. Freud relaciona a lenda a tais interdições em *Totem e tabu* (1913). Sobre o tabu do incesto, lê-se em *As estruturas elementares do parentesco*, livro do antropólogo francês Claude Lévi-Strauss: "A proibição do incesto não é nem puramente de origem cultural nem puramente de origem natural, e também não é uma dosagem de elementos variados tomados de empréstimo parcialmente à natureza e parcialmente à cultura. Constitui o passo fundamental graças ao qual, pelo qual, mas sobretudo no qual se realiza a passagem da natureza à cultura". Fenômeno universal (o tabu do incesto aparece em todas as sociedades, embora, é claro, admita variações), essa norma "é o processo pelo qual a natureza se ultrapassa a si mesma", possibilitando "o advento de uma nova ordem" (Petrópolis: Vozes, 2011).

A ordem de Creonte é desobedecida por Antígona, que desafia o decreto divulgado pelo tirano. Os próximos passos da história mostram um Creonte obstinadamente autoritário e uma Antígona determinada a dar enterro digno ao irmão, embora ela seja vulnerável a hesitações quando reflete sobre a pena que lhe cai sobre a cabeça: a jovem será emparedada em castigo por sua insubmissão às ordens do tio. A moça morre ao final da história, mas o destino tampouco guarda bom desfecho para Creonte: este perde o filho, Hêmon, que, apaixonado por Antígona, se mata na caverna em que ela era prisioneira. Perde ainda a mulher, Eurídice, que também se mata ao saber do suicídio do filho.

Albin Lesky recusa a interpretação que Hegel fez da *Antígona* — análise que, de fato, a peça não parece autorizar. Hegel viu o núcleo do drama num embate entre a força representada pela personagem-título, que estaria "certa no espírito e errada na letra", e a representada por Creonte, "certo na letra e errado no espírito", de acordo com as palavras de outro estudioso, Jebb; este citado por Mário da Gama Kury no prefácio à sua tradução da *Trilogia tebana*.

Não pode ser assim, dirão outros críticos, pois Creonte está errado mesmo na letra: ele não tem o direito de legislar contra as normas naturais, promulgadas "ninguém sabe quando"; não o tem, pelo menos, segundo a ordem moral figurada no texto. O governo do déspota é, por definição, ilegítimo. A morte de Antígona, dessa maneira, deve ser vista não como castigo pela desobediência às leis temporais, ditadas por Creonte, mas como a forma poética, enfática, extrema de se pôr em relevo a legitimidade das leis intemporais, superiores ao arbítrio do tirano, pelas quais Antígona morre.

Pode-se lembrar, em favor desse modo de ver as coisas, a adaptação que Bertolt Brecht fez da peça em 1948, em colaboração com Caspar Neher. O alemão alterou um detalhe nada banal do entrecho que precede a ação propriamente dita, acentuando com isso os matizes políticos do drama. Na versão de Brecht, Etéocles não luta contra Polinices em defesa de Tebas, e sim faz a guerra desejada por Creonte contra Argos, enquanto Polinices, desertor, se recusa a participar daquele combate absurdo.

Brecht, com esse recurso, trouxe o drama para a consciência alemã do pós-guerra, quando ainda estava aceso o debate sobre fidelidade à pátria e às suas leis ou fidelidade aos líderes que se arvoram em representantes da pátria, mas encarnam apenas os próprios interesses e os de sua classe. Não é difícil, aqui, trazer o drama para espaços ainda mais próximos de nós: digamos, o Brasil contemporâneo. Os direitos naturais por que se batem as Antígonas modernas são, por exemplo, o de comer e o de morar. O velho Sófocles está vivo e com saúde.

HELENE WEIGEL, AO CENTRO, COMO ANTÍGONA, EM *ANTIGONEMODELL 1948*, DE BERTOLT BRECHT E CASPAR NEHER. FOTOGRAFIA DE RUTH BERLAU. COIRA, SUÍÇA (1948). © RADIOTELEVISIUN SVIZRA RUMANTSCHA.

DE AVAREZA E AVARENTOS
O TEMA DA SOVINICE EM PLAUTO, MOLIÈRE E SUASSUNA[1]

Denunciando os defeitos humanos, o gênero cômico mantém viva, atual, uma tradição longa e coerente. No capítulo dedicado a Ariano Suassuna, intitulado "Em busca do populário religioso", no *Panorama do teatro brasileiro*, Sábato Magaldi deixa implícita uma sugestão de trabalho em torno da comédia quando relaciona as peças *A comédia da marmita*, do latino Plauto, *O avaro*, de Molière, e *O santo e a porca*, de Suassuna. As três obras ligam-se pelo tema da avareza, defeito materializado nos protagonistas: Euclião, na peça latina, Harpagão, na francesa, e Eurico Arábe, na brasileira. Partimos da sugestão entrevista no livro de Magaldi para a redação deste artigo.

O parentesco entre *A comédia da marmita*, *O avaro* e *O santo e a porca* foi mencionado também por Manuel Bandeira e Carlos Drummond de Andrade, em comentários reproduzidos em edição do texto brasileiro. Molière e Suassuna inspiraram-se declaradamente em Plauto, mesclando elementos de enredo, atmosfera e personagens da *Comédia da marmita* à paisagem humana da França do século XVII,

---

1 Artigo publicado na revista eletrônica *Moringa: Artes do Espetáculo* (João Pessoa: UFPB, v. 3, n. 2, jul./dez. 2012).

no caso de Molière, ou à humanidade brasileira, mais especificamente nordestina, no caso de Suassuna.

Plauto nasceu em torno de 254 a.C., tendo vivido cerca de 70 anos — mas as datas são incertas: há quem sustente que ele tenha nascido três décadas depois e vivido apenas 42 anos. A *Aulularia*, para nós *A comédia da marmita* (ou *Comédia da panela*, na tradução de Agostinho da Silva), foi escrita em sua fase madura, entre 195 e 186 a.C., segundo calculam "os últimos estudiosos que se têm ocupado da cronologia" da peça, informa Walter de Medeiros em texto introdutório à sua tradução da comédia.

A *Aulularia* figura, ao lado do *Anfitrião*, entre as peças mais conhecidas e imitadas de Plauto. O próprio autor latino teria ido buscar tema e personagem em texto grego da Comédia Nova, hoje perdido, mas provavelmente de autoria de Menandro. A imitação de modelos gregos era procedimento comum entre os romanos e continuaria frequente, na Itália e na França (mais do que na Espanha e na Inglaterra), em fases posteriores.

Euclião, o protagonista da comédia, é homem pobre, já velho, dono apenas de um pequeno pedaço de terra onde trabalha arduamente. Tem uma filha, Fedra, seu único patrimônio: moça bonita, Fedra e seu pai não possuem, no entanto, dote a oferecer, de modo a atrair um pretendente de posses que, com o casamento, venha a minorar os problemas de Euclião, sempre às voltas com bens escassos. Fedra, nas festas de Ceres, tradicional ocasião de excessos, fora seduzida por Licônides, de quem espera um filho — circunstância que Euclião comicamente desconhece, apesar do estado avançado da gravidez. Diga-se que a própria garota não sabe quem foi seu sedutor.

O protagonista descobrira, em sua casa, a marmita cheia de ouro que dá nome à peça, informa o deus Lar, responsável pelo prólogo em que os antecedentes da história são contados ao público. Euclião imagina ter, na marmita, a garantia de velhice menos sofrida, e essa ideia fixa faz dele um avarento destemperado, constantemente a desconfiar que todos à volta lhe querem roubar o tesouro. Assim ele nos é apresentado logo na primeira cena, em que o vemos desancar e espancar a escrava Estáfila, que o velho julga poder descobrir seu segredo — a marmita e o local onde ele a esconde.

A cena será reaproveitada em Molière e Suassuna, que, como Plauto, com ela tornam transparente o caráter da personagem, a quem a posse do tesouro traz angústias de todo tipo. Como diz Euclião para si mesmo, ao final da passagem, depois de afastar a perplexa Estáfila, sem dúvida inocente das intenções que seu senhor lhe atribui: "Agora vou ver se o ouro está como o escondi. Esse ouro que, de tantas maneiras, atormenta um desgraçado como eu!...". Em seguida, bate a porta, trancando-se em casa.

A história avança com o pedido de casamento que Megadoro, vizinho maduro e rico de Euclião, faz a Fedra. Ou melhor, a moça não chega a ser consultada acerca do assunto, e o pedido, na prática, é dirigido a seu pai, que relutantemente concorda em ceder a filha ao vizinho. A hesitação do homem deve-se a imaginar que Megadoro só quer se tornar seu genro por conhecer o segredo da marmita; o sujeito ambicionaria um bom dote, mais do que se ligar à menina. O encontro entre os dois homens dá-se na segunda cena do segundo ato (a comédia, como de praxe na época, tem cinco atos), e a desconfiança de Euclião, contraposta às gentilezas de Megadoro, oferece a base para a comicidade. Um jogo de aproximações e afastamentos responde pelo riso nessa passagem.

Depois de se certificar de que o vizinho não sabe da existência da marmita nem almeja dote, Euclião admite o casamento. A festa de bodas será quase completamente patrocinada pelo noivo, já que Euclião, reafirmando a própria avareza, não compra mais do que insignificâncias em sua visita à feira. A chegada de Pitódico, escravo de Megadoro, acompanhado de cozinheiros e flautistas, à casa de Euclião para preparar o jantar de bodas irá provocar outros incidentes, sempre lastreados na sovinice e nos receios do pai de Fedra. Aqui, Plauto vale-se dos recursos farsescos que também aparecem no *Anfitrião*, com as pancadas desferidas por Euclião contra um dos cozinheiros, que, por infelicidade, falara em marmita — instrumento de que os profissionais da cozinha obviamente necessitam, mas que, para o avarento, só poderia ser a panela onde guarda o tesouro.

Outra vítima de Euclião será Estrobilo, escravo de Licônides — este pretende casar-se com Fedra, afastando o obstáculo representado por Megadoro, seu tio. Estrobilo recebe a incumbência de sondar a quantas andam os preparativos para a festa, abrindo caminho para a intervenção de Licônides. Àquela altura, porém, o avarento, apavorado com a possibilidade de que lhe descubram o esconderijo onde guarda o ouro, resolve mudá-lo de lugar e o leva de sua casa para o templo da Boa Fé, situado nas proximidades. Em seguida, vê o escravo, que até o momento ignora a existência do tesouro; Euclião toma-o imediatamente como suspeito pelo furto da marmita — furto que ainda não aconteceu.

Temos, então, a quarta cena do quarto ato, outra passagem que será reproduzida nas peças de Molière e Suassuna. Note-se a graça das réplicas que mostram, pelo absurdo, a que extremos chega a inquietação do proprietário: a certa altura do inquérito a que o avaro submete o escravo, vamos ouvi-lo dizer, "abanando a cabeça", sem acreditar nos protestos de inocência de Estrobilo:

EUCLIÃO. Mostra-me as mãos.
(O escravo espalma imediatamente as mãos vazias e aproxima-as dos olhos de Euclião.)
ESTROBILO. Aqui as tens. Já mostrei. Aqui estão!...
(O velho examina-as com atenção e suspicácia.)
EUCLIÃO. Estou vendo... Anda, mostra ainda a terceira.

O avarento, convencendo-se de que Estrobilo não lhe deve nada, manda-o embora — mas Euclião acaba de fazer um inimigo. O velho sai do templo sobraçando a marmita e fala consigo mesmo, em voz alta, sobre onde escondê-la com segurança. Desse modo, revela inadvertidamente seu segredo a Estrobilo, que permanecera nas imediações, estimulado pelas humilhações sofridas. O avaro levará seu tesouro ao bosque de Silvano, mas o escravo o seguirá e, do alto de uma árvore, verá o ponto em que a panela será escondida. Estrobilo, assim, rouba a marmita, acreditando que, com o ouro, poderá comprar a própria liberdade.

Aqui temos o ponto mais alto do conflito, com o desespero de Euclião ao perceber que a marmita milionária fora furtada. O homem desfaz-se em lamentações. A indicação de cena informa: nesse instante, "correm-lhe lágrimas grossas". Ele se lastima: "Sim, que precisão tenho eu da vida?... Um monte de ouro que eu trazia guardado com tanto desvelo!... Eu, eu, por minhas próprias mãos burlei meu gosto de viver e meu gênio tutelar... E agora — eis o resultado — outros se alegram com a minha desgraça e prejuízo...". O gênio a que ele se refere "é a divindade tutelar de cada indivíduo", em cuja existência os latinos acreditavam, informa Walter de Medeiros.

A dor em que o velho mergulhou se acirra quando Licônides, que já havia dobrado seu tio Megadoro, convencendo-o a desistir do casamento com a moça em seu favor, arma-se de coragem e resolve confessar a Euclião o seu delito, do qual está amplamente disposto a se reabilitar. A cena, a décima e última do quarto ato, está entre as mais importantes da peça. Nela, opera o mecanismo do reconhecimento, pelo qual o protagonista informa-se da situação da filha e da identidade daquele que, muito brevemente, será pai de seu neto.

O reconhecimento não ocorrerá antes de o encontro entre Euclião e o futuro genro dar oportunidade a um diálogo marcado pelo equívoco, também objeto da imitação criadora de Molière e Suassuna: o jovem se confessa responsável pela malfeitoria que aflige a vida do avaro, imaginando que a tristeza deste se ligue à descoberta da gravidez de Fedra (fato que Euclião, no entanto, ainda desconhece). O equívoco se instala e produz o riso: enquanto o rapaz fala da moça — "ela", tocada por ele "por culpa do vinho e do amor" —, Euclião pensa na marmita. No decorrer da cena, a confusão irá desfazer-se.

Plauto recorre constantemente aos equívocos para produzir o riso; o quiproquó torna-se mola da comédia. O autor organiza a ação de modo a promover os enganos e, com eles, desenvolver as situações engraçadas. Na figura cômica do equívoco, dois sentidos se superpõem num só signo: uma palavra ou um gesto pode ter dois significados, ambos aparentemente plausíveis, a depender apenas do ponto de vista — ou da falta de visão — do observador. Assim, uma lei básica de nosso conhecimento das coisas é burlada: ao contrário do que diz essa lei, uma coisa pode ser outra, e esta segunda pode ser uma terceira. Isso é aquilo. No gênero cômico, o princípio de identidade é, pelo menos momentaneamente, posto em suspenso, brinca-se com ele.

As certezas sociais, mas também as de ordem lógica, revelam-se suspeitas. O mundo balança, vacila por alguns instantes, para depois tudo voltar a seu lugar — mas transformado. O princípio de identidade, enfim, restaura-se; os que cometeram enganos de percepção ou de apreensão intelectual costumam receber o seu castigo. Erros intelectuais e erros morais confundem-se aqui (o que se revela moral ou imoral depende também, naturalmente, das inclinações ideológicas do escritor). Esse tipo de exercício, propiciado pela comédia, tem a função de desopilar, de desobstruir os canais de pensamento e percepção, arejando-os.

A comédia da marmita chegou incompleta à posteridade. Em fins do século XV, "quando aumentava o interesse pelas comédias latinas", diz Walter de Medeiros, o humanista Codro Urceo, professor em Bolonha, redigiu com base no prólogo e nos resumos do enredo, que sobreviveram com a peça, a sua parte final, possibilitando assim que o texto de Plauto fosse representado.

O trecho final não consta da tradução de Walter de Medeiros, mas pode ser lido na de Agostinho da Silva: Licônides, depois de obrigar seu escravo Estrobilo a devolver o ouro a Euclião, recebe deste não apenas o consentimento para se casar com Fedra — que, a essa altura, já deu à luz um garoto — como, à guisa de dote, a benfazeja marmita. A conclusão, ao que parece, é otimista: o homem pode, sob o efeito de choques sucessivos, que lhe castigam os defeitos antissociais, chegar à razão; no caso, o entendimento de que a felicidade de Fedra — que será também a de seu pai — vale mais que o ouro contido na panela. O tema da liberdade almejada pelo escravo constitui outro mote importante.

Pode-se questionar, com Junito de Souza Brandão, até que ponto o desfecho é fiel ao texto de Plauto ou deriva, antes, das convicções humanistas de Codro Urceo. Seja como for, Molière e Suassuna iriam recusar o desfecho da peça clássica, preferindo, talvez em nome da verossimilhança — especialmente cara aos franceses do século XVII —, manter o protagonista preso, de uma forma ou de outra, à sua obsessão. Processo que se complica em Suassuna, como se vai ver.

O BURGUÊS USURÁRIO

Molière escrevia o seu *Anfitrião*, com base em Plauto, quando, segundo se especula, se decidiu a adaptar também a *Aululária* para seu tempo. A peça, em prosa — ao contrário do costume —, estreou em 1668 e não agradou às plateias contemporâneas do autor. Robert Jouanny, em prefácio, informa que certo duque teria perguntado, na contramão do que se diria hoje: "Como, Molière enlouqueceu e nos toma por idiotas, fazendo-nos aguentar cinco atos em prosa? Onde já se viu tamanha extravagância? De que maneira pode alguém divertir-se com prosa?". Atualmente, a prática do texto teatral em verso se perdeu em boa parte, e é provável que as falas metrificadas fossem, elas sim, consideradas extravagantes.

O avaro não se inspirou apenas em Plauto, mas misturou fontes italianas e francesas ao modelo latino. A intriga sentimental ganha, na peça de Molière, relevo bem maior do que possui na *Comédia da marmita*, de certa forma preludiando as histórias de tipo melodramático que, a partir do século XIX, farão a fortuna dos autores no teatro europeu, particularmente no francês, com repercussão ampla nas Américas.

A importância atribuída ao aspecto sentimental já se evidencia na decisão de dedicar as duas primeiras cenas às queixas amorosas de Élise e Cléante, filhos do avarento Harpagão — nas quais, é verdade, já somos informados também da sovinice do protagonista. O tema central, embora secundado por outros motivos, não se desloca, portanto, para a desventura dos amantes que não sabem se poderão realizar seus sonhos. Note-se que, já com o nome dado à personagem principal, Molière faz a caricatura do avaro — Harpagão procede de palavra grega e da palavra latina *harpagonem*, termos que significam *ladrão*.

A passagem que, em Plauto, logo revela a brutalidade do herói da *Aululária*, flagrado na abertura da peça surrando a escrava Estáfila, reaparece em Molière na terceira cena de seu texto, quando vemos Harpagão zangado com o criado La Flèche. O autor francês imprime teor de crítica social à sovinice da personagem quando, um pouco adiante, transforma Harpagão em mais do que um simples avarento, apresentando-o como usurário capaz de emprestar dinheiro a juros absurdos, ao mesmo tempo que oferece contrapartidas irrisórias.

Cléante, seu filho, precisa de dinheiro para viabilizar os projetos amorosos com Mariane e encarrega La Flèche de arranjar quem o empreste. A confusão cômica levará a uma cena de reconhecimento em que o filho irá encontrar, no próprio pai, o usurário — credor e devedor até então desconheciam a identidade um do outro. Harpagão, em lugar de envergonhar-se pelos juros extorsivos que estava prestes a cobrar de seu filho, censura-o por dissipar os recursos da família com empréstimos daquela ordem...

A figura do jovem que se apaixona pela filha do avarento ganha novos traços com relação a seu modelo latino e corresponde, aqui, a Valère, enamorado de Élise. O rapaz, de origem nobre, se faz passar por humilde e se emprega na casa de Harpagão como criado, conquistando a simpatia do patrão para poder, às escondidas, estar perto da moça que ama (e que o ama).

Molière, nesse aspecto, duplica a sugestão, presente na *Comédia da marmita*, do jovem apaixonado por mulher igualmente jovem, amor que se complica com o obstáculo que, numa e noutra peça, é representado pelo rival mais velho, interessado em casar-se com a garota por desfastio ou por puro cálculo. Os jovens — é a regra em Plauto e Molière, no que são seguidos por Suassuna — terminam vencedores: na peça francesa, Mariane casa-se com Cléante, Élise com Valère. Mostra-se a vitória dos sentimentos sobre as convenções, que incluem a autoridade paterna, com seu arbítrio em geral pouco sensível aos ímpetos juvenis.

No *Avaro*, o próprio Harpagão torna-se rival de seu filho. O sovina apaixonou-se por Mariane e quer casar-se com ela. A moça, porém, gosta de Cléante. O criado deste, La Flèche, consegue chegar ao tesouro que o avarento esconde numa caixinha — que faz as vezes, aqui, da marmita —, soma "de bons luíses de ouro e pistolas bem pesadas". Um argumento demove o pão-duro de se unir a Mariane, cedendo seu lugar ao filho: a possibilidade de ter, de volta, o dinheiro roubado. Ainda aqui, Molière satiriza ferozmente a personagem, que não tem, de modo algum, os bons sentimentos vistos em Euclião: ele concorda com as bodas, a serem financiadas por Anselme, pai de Valère e de Mariane (que, no desfecho, se descobrem irmãos), e está feliz por ter de volta a sua caixinha.

O texto irá valer-se de outras sugestões colhidas em Plauto. A passagem em que o protagonista da *Comédia da marmita* bate na escrava Estáfila e aquela em que, ainda nessa peça, quer ver "a terceira mão" de Estrobilo, julgando que este esconde a panela consigo, combinam-se aqui formando uma cena só, a terceira do primeiro ato em Molière. Um trecho:

HARPAGÃO. Vem cá. Quero ver. Mostra-me as mãos.
LA FLÈCHE. Aqui estão.
HARPAGÃO. As outras.
LA FLÈCHE. As outras?
HARPAGÃO. Sim.
LA FLÈCHE. Aqui estão.
HARPAGÃO. Não puseste nada aí dentro?
LA FLÈCHE. Veja por si mesmo.
HARPAGÃO (apalpa-lhe os calções nos joelhos). Estes calções tão grandes são feitos para receptar as coisas que se furtam; e eu gostaria de ver alguns dependurados.

LA FLÈCHE. Ah! um homem assim mereceria o que receia! e como eu folgaria de roubá-lo!
HARPAGÃO. Que foi?
LA FLÈCHE. O quê?
HARPAGÃO. Que estás falando de roubar?
LA FLÈCHE. Estou dizendo que o senhor examina tudo, para verificar se o roubei.
HARPAGÃO. É o que quero fazer. (Revista os bolsos de La Flèche.)
LA FLÈCHE. O diabo carregue a avareza e os avarentos!
HARPAGÃO. Como? Que estás dizendo?
LA FLÈCHE. O que estou dizendo?
HARPAGÃO. Sim: que disseste sobre a avareza e os avarentos?
LA FLÈCHE. Eu disse que o diabo carregue a avareza e os avarentos.
HARPAGÃO. A quem te referes?
LA FLÈCHE. Aos avarentos.
HARPAGÃO. E quem são?
LA FLÈCHE. Uns vilões e uns ladrões.
HARPAGÃO. Mas a quem aludes?

A cena prossegue, com La Flèche dizendo o que não consegue evitar dizer, ao mesmo tempo que precisa acomodar suas palavras às que o patrão deseja ouvir. Este, depois de feita a minuciosa revista, ainda pede ao criado que devolva o que lhe tirou... Em seguida, manda-o andar. Curiosamente, a passagem relativa às mãos — "Mostra-me as mãos." "Aqui estão." "As outras." —, que designa, por absurdo, a ideia fixa e a intolerância do avarento, foi condenada como inverossímil por Fénelon numa *Carta à Academia*, "a despeito da autoridade de Plauto", informa Robert Jouanny em nota. Outro teórico, Marmontel, preferiu imaginar que tivesse havido erro de impressão no texto de Molière, e um terceiro comentarista, o ator Charles Dullin, na *Encenação do Avaro*, "recomenda ao ator que não dê ênfase à palavra".

A obsessão por verossimilhança dominou boa parte das ideias sobre teatro formuladas na Itália e na França dos séculos XVII e XVIII (permanecendo importante, consideradas as várias concepções discrepantes do conceito, nas fases seguintes), e responde por comentários daquele tipo. Ainda que Molière tenha sido, em maior ou menor medida, sensível a esses argumentos (no *Avaro*, os solilóquios não são frequentes, e os apartes buscam sempre se justificar com base em probabilidades minimamente aceitáveis), seus méritos de comediógrafo ligam-se menos ao retrato supostamente fiel da realidade que à capacidade de revelá-la pela deformação e pelo exagero. Ariano Suassuna, no prefácio a *O santo e a porca*, defenderá justamente uma posição desse gênero.

A SOLIDÃO DE EURICO

Ariano Suassuna compôs *O santo e a porca* em 1957, ano de estreia do *Auto da Compadecida* (escrito em 1955), peça que o tornaria conhecido fora do Recife. Na *Compadecida*, Suassuna trabalhou com a tradição dos autos que remonta a Gil Vicente e a Calderón de la Barca. Se o teatro dotado de traços medievais é a fonte do *Auto da Compadecida*, *O santo e a porca* encontra matriz no clássico latino Plauto e em sua *Comédia da marmita* (além de se basear também no *Avaro* de Molière). Suassuna, como já o fizera Molière, conserva algumas passagens e tipos da *Aululária*, mas altera em vários aspectos a estrutura da peça que o inspirou.

Elementos de comicidade popular, presentes a ambos os textos, granjearam ao dramaturgo a simpatia de Drummond (a quem a edição de *O santo e a porca* é dedicada) e o elogio de críticos como Sábato Magaldi. *O santo e a porca* estreou em 1958, no Rio de Janeiro, tendo no elenco Ziembinski, também diretor, Cleyde Yáconis e Cacilda Becker.

É preciso lembrar, de saída, a figura de Caroba, mulher capaz de atar e desatar os fios do enredo, empregada de Euricão Arábe (como são conhecidos os árabes, sírios ou turcos no Nordeste), o avarento. Caroba é, nesse sentido, única. No texto de Plauto, a irmã de Megadoro, Eunômia, tem certa importância no enlace da história quando convence o maduro Megadoro de que chegou a hora de se casar e de que ele deve pedir Fedra em casamento. Mas o trabalho de Eunômia limita-se a esse gesto, e a personagem praticamente desaparece no decorrer do entrecho. De forma ainda menos marcada, Frosine, no *Avaro*, ensaia intervir nos destinos de Harpagão e demais personagens, mas seu papel de alcoviteira fica na promessa — o que rendeu críticas a Molière, conta Jouanny em nota: "Essa intriga termina antes de começar. Critica-a Diderot no seu *Tratado da poesia dramática*: 'Acaba-se a peça e não tornamos a ver Frosine nem a baixa-bretã que continuamos a esperar'".

O mesmo não ocorre, repetimos, no texto de Ariano Suassuna. Desde o início, Caroba é a grande promotora dos encontros e desencontros em que a peça é pródiga. Dodó Boca da Noite, fazendo eco ao Valère de Molière, insinua-se como empregado na casa de Euricão Arábe, o avaro que guarda numa velha porca de madeira as suas economias, lastro da velhice que se aproxima. Dodó gosta de Margarida, filha de Euricão, e pretende casar-se com ela. Largou os estudos em Recife para onde o pai, Eudoro Vicente, o havia mandado; usa disfarce — traz a boca torta e uma corcunda, entre outros atributos — e vive à espera de uma saída para seu amor pela menina.

A rivalidade entre jovens e velhos, típica da comédia clássica, arma-se com a intenção de Eudoro Vicente de fazer uma visita a Euricão Arábe, intenção anunciada em carta trazida por Pinhão, criado de Eudoro. Repete-se aqui o tema da desconfiança que aflige o avaro, já visto em Plauto e Molière: a notícia de que Eudoro Vicente vem vê-lo, somada à sugestão infeliz de Pinhão de que o motivo da visita só pode ser um pedido de empréstimo, conduz Euricão ao desespero, tratado em tom de farsa. O homem lastima-se em voz alta, recusa-se a ler a carta, com medo de seu conteúdo, e se convence de que Eudoro pensa em lhe dar uma *facada* antes mesmo de se certificar do que se passa: o velho Eudoro quer casar-se com Margarida. O sovina é incapaz de ouvir observações sensatas, e suas palavras sugerem a crítica social:

CAROBA. Mas Seu Euricão, Seu Eudoro é um homem rico!
EURICÃO. E é por isso mesmo que eu estou com medo. Você já viu

pobre pedir dinheiro emprestado? Só os ricos é que vivem com essa safadeza! Santo Antônio, Santo Antônio!
MARGARIDA. Mas papai já leu a carta?
EURICÃO. Não! Nem quero ler!

Notem-se o contexto e as intenções que orientaram a redação desse e de outros trabalhos. Suassuna, em 1946, ligado a outros jovens intelectuais — entre eles Hermilo Borba Filho e Joel Pontes —, fundou o Teatro do Estudante de Pernambuco. Cerca de três anos antes, Ziembinski havia dirigido, no Rio de Janeiro, *Vestido de noiva*, de Nelson Rodrigues, com o elenco de Os Comediantes, espetáculo que marcaria o teatro no Brasil. A época incitava os artistas à pesquisa e à renovação, e é interessante saber, lendo os "Dados biobibliográficos do autor" redigidos por José Laurenio de Melo para a edição de *O santo e a porca*, que "caracteriza esse período a preocupação de conciliar a influência dos clássicos ibéricos, sobretudo Lope de Vega, Calderón de la Barca e Gil Vicente, com os temas e formas hauridos no romanceiro popular nordestino". Preparava-se o chão de onde o *Auto da Compadecida* iria brotar em 1955.

Outro aspecto a observar, agora de volta a *O santo e a porca*, liga-se às sugestões contidas no texto, relacionadas a certa visão do mundo. Envolvido pelas maquinações de Caroba, que pretende ver Margarida casada com Dodó e que deseja, ela própria, unir-se a Pinhão, Eurico Arábe nos é apresentado como um homem dividido entre Santo Antônio (elemento que faz eco ao Apolo de Plauto), símbolo do desapego material e de valores mais altos que o da simples moeda, e o dinheiro contido na porca de madeira. De um lado, o santo; de outro, as cédulas. No final do texto, de certo modo contrariando o tom de farsa ligeira adotado até ali, o autor faz a personagem deparar-se com a solidão, já sem o apoio representado pela porca, que Eurico descobre guardar apenas dinheiro saído de circulação, sem valor.

Um passo adiante — ou diferente — é dado com relação a Plauto e Molière. No autor latino, a solução otimista mostrava um homem que, depois dos golpes que sofreu — o susto com o furto da marmita e, em seguida, com a notícia de que a filha lhe daria um neto —, é capaz de corrigir-se, entregando a Fedra e ao genro os bens que guardava de maneira obsessiva. No francês, Harpagão termina tão mercenário e avaro quanto era no começo da história. Em Suassuna, pateticamente, Euricão não apenas descobre que sempre foi pobre, conservando estupidamente cédulas sem valor, como percebe o quanto a sua vida tem sido vazia de sentido. Ele saberá, agora, voltar-se para Santo Antônio?

A avareza ganha, portanto, ressonância ética e existencial mais ampla na peça brasileira — sem que se esqueça a crítica social, afirmada, por exemplo, quando Pinhão reclama da exploração imposta a ele e à família: "Mas onde está o salário de todos estes anos em que trabalhamos, eu, meu pai, meu avô, todos na terra de sua família, Seu Eudoro? Onde está o salário da família de Caroba, na mesma terra, Seu Eudoro? Não resta nada!". A questão da terra e da relação entre as classes, no Brasil, aparece de modo mais pungente e menos lúdico na seção final do texto.

Sábato Magaldi mencionou, no *Panorama do teatro brasileiro*, as mesmas palavras que acabamos de citar. Concordamos com ele quando diz, logo depois de mencionar a fala de Pinhão, que "as três histórias de avarentos, por métodos diferentes, aproximam-se na defesa de uma melhor condição humana". Sábato lembra ainda que "o quiproquó básico", ou seja, a confusão que, a certa altura, os três textos apresentam, encontra-se no diálogo em que o jovem apaixonado fala ao velho sobre a filha deste, quando o sovina entende tratar-se não da menina, mas da marmita, da caixinha ou da porca — momento em que a avareza induz a atentar antes às coisas do que às pessoas. Temos dúvidas com relação ao que diz o crítico, no entanto, em suas restrições a *O santo e a porca*. Afirma Sábato Magaldi:

> As confusões de identidade de pessoas no escuro é que se mostram demasiado simplórias na obra de Suassuna. E era também quase impossível encontrar solução para a dicotomia do avarento. Foi o dramaturgo

hábil, pintando-o como estrangeiro, já que o tipo não se ajusta muito ao feitio nacional. Mas, para fazê-lo ficar com o santo, necessitava de um verdadeiro milagre. E o milagre não logrou credibilidade: é inverossímil que Euricão Engole-Cobra guardasse na porca dinheiro há muito tempo recolhido. A abjuração final da peça resulta demagógica, conduzida em demasia pelo dedo do autor. O avarento permaneceu toda a trama no mal aspirando ao bem — porca e santo que Ariano Suassuna não soube juntar.

O dramaturgo, no prefácio a sua peça, refere-se provavelmente a essas restrições quando escreve: "Não tem sentido, portanto, dadas as características de meu teatro, dizer como disseram alguns críticos ilustres que é inverossímil que um avarento ignorasse uma operação bancária e perdesse, assim, o seu tesouro". Além do argumento relativo a essas características, Suassuna recorda que o que parece impossível de fato aconteceu: um sovina, por sinal pessoa de sua família, guardou dinheiro em casa por tanto tempo e foi tão pouco atento às convenções do mundo exterior — bancos, cédulas, inflação e juros inacessíveis aos mais pobres — que, quando quis trocá-lo, as notas já nada valiam.

Por outro lado, também somos reticentes quanto ao que diz o dramaturgo quando afirma que Euricão "descobre, de repente, esmagado" que, à Dostoiévski, "se Deus não existe, tudo é absurdo". Com essa percepção, declara Suassuna, o avarento "volta-se novamente para a única saída existente em seu impasse, a humilde crença de sua mocidade, o caminho do santo, Deus, que ele seguira num primeiro impulso, mas do qual fora desviado aos poucos, inteiramente, pela idolatria do dinheiro, da segurança, do poder, do mundo".

Naturalmente, tanto a posição do crítico quanto a do dramaturgo têm base e, sob certos ângulos, são ambas defensáveis. Não é muito plausível, desde que se adotem exigências realistas, o avarento desconhecer que o dinheiro, em tempos instáveis, muda de cor e de nome, sendo as cédulas recolhidas e trocadas periodicamente. Mas a atmosfera de comédia justifica, a nosso ver, o recurso de que se valeu Suassuna.

A esta altura, cabe notar que certa assimetria ou discrepância com relação à realidade — ou seja, certa inverossimilhança — parece constituir a fonte mesma das comédias que, pelo exagero, revelam melhor os defeitos e pecados das personagens.

Perguntaríamos não tanto pela verossimilhança, ou seja, a relação do texto com a realidade, mas pela coerência interna do enredo e das personagens, isto é, o laço entre os elementos da peça. Nessa linha, o que nos parece arriscado é, antes, a mudança até certo ponto brusca de tom e de intenções que leva *O santo e a porca*, escrita como farsa, a tangenciar o drama no desfecho. Aqui, Magaldi tem razão, segundo entendemos: o protagonista preocupa-se bem mais, durante toda a ação, com a porca do que com o santo. O risco implicado no desenlace consistiria nessa mudança de registro; a boa peça de Suassuna pode desabar nos momentos finais.

Seja como for, o modo pelo qual a história termina sugere antes um final aberto, inconcluso, que, de assertivo, traz *apenas* a denúncia, como em Plauto e Molière, dos valores vãos ligados ao dinheiro e, especialmente, à preocupação doentia com a sua posse. Cabe sublinhar as palavras do autor de *O santo e a porca* no momento em que afirma que o público procede bem quando "aceita nossos andaimes de papel, madeira e cola", alcançando assim "participar de nossa maravilhosa realidade transfigurada". Dela voltamos um pouco menos pobres à realidade prosaica.

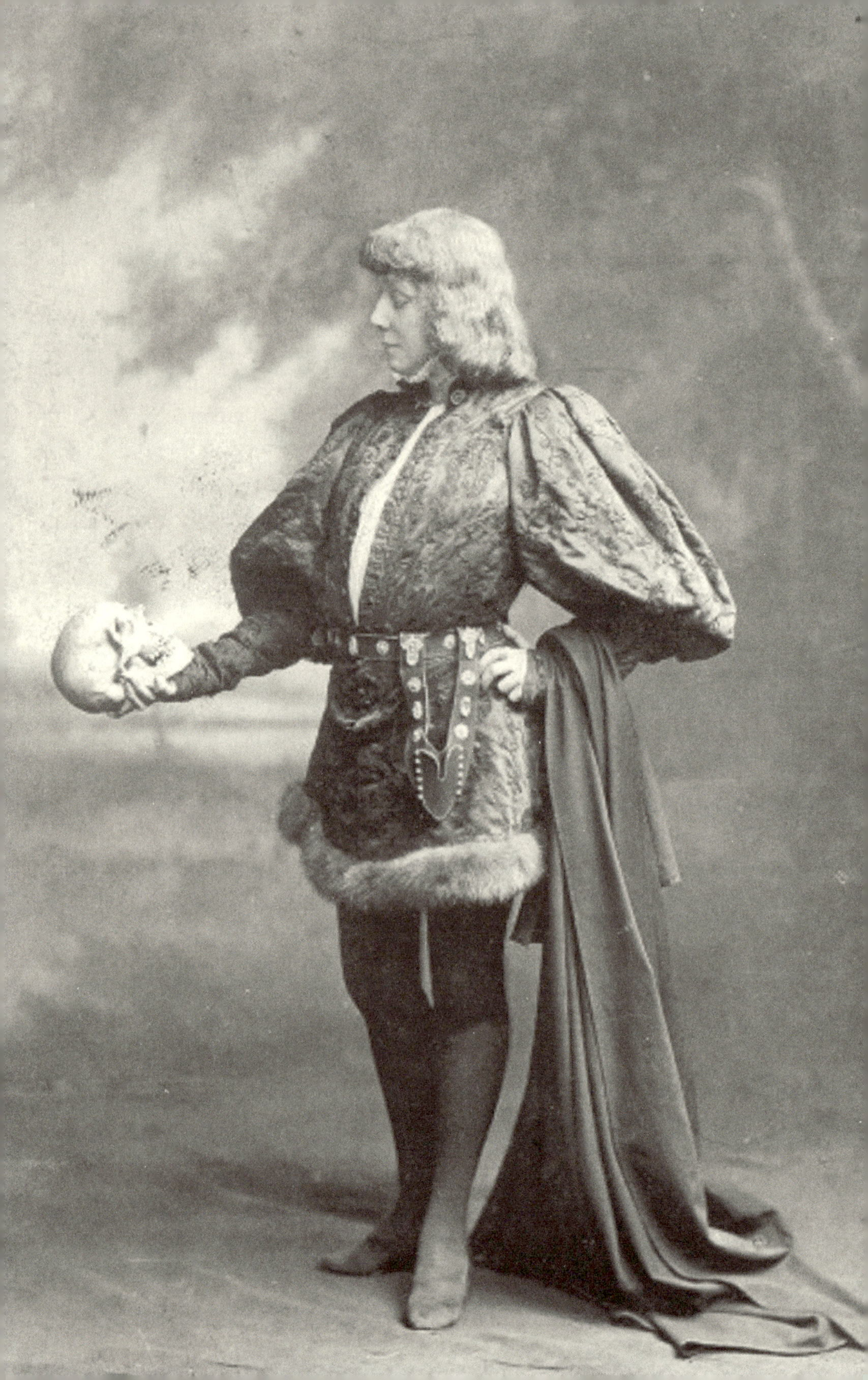

DE SHAKESPEARE A BÜCHNER
séculos XVI a XIX

p. 56
SARAH BERNHARDT COMO HAMLET (1899).
LAFAYETTE PHOTO. LONDRES, INGLATERRA.
DOMÍNIO PÚBLICO.

SHAKESPEARE SONGS[1]

Quando atuava na igreja anglicana de Canterbury, a 90 quilômetros de Londres, o cantor Alfred Deller (1912-1979) era conhecido exclusivamente pelos frequentadores da igreja. Ele possuía voz incomum, de contratenor, aguda e leve como a dos adolescentes. O compositor Michael Tippett achava-se entre os espectadores enquanto Deller flauteava, e o descobriu para outras plateias. A voz do contratenor inglês ganhou ressonância para além do templo.

Os contratenores foram dotados de conformação vocal específica, que lhes permite alcançar notas altas, normalmente só atingidas pelas mulheres. O intérprete formaria o Deller Consort em 1950, dedicando-se à música barroca — a que se ouvia nos espetáculos de Shakespeare, por exemplo. O Deller Consort gravou o disco *Shakespeare songs* em 1967, trabalho que reaparece em CD mais de 30 anos depois. Além do líder, o grupo contava com dois tenores e um barítono, acompanhados aqui pelo alaúde de Desmond Dupré.

O disco tem 19 faixas, 11 delas compostas sobre textos do dramaturgo William Shakespeare (1564-1616) e ligadas a determinadas cenas

---

1   Resenha publicada no jornal *Correio Braziliense* (Brasília, 2000).
    Ver CD *Shakespeare songs*, de Deller Consort (Paris: Harmonia Mundi, 2000).

e peças. As demais eram temas utilizados nos espetáculos conforme as exigências de momento. O público daquelas montagens envolvia nobres e plebeus, todos familiarizados com diversos estilos musicais, "das fantasias complexas para conjunto de cordas às mais obscenas canções populares", diz o texto do encarte. Corria o período elisabetano, nos séculos XVI e XVII.

A música podia sugerir cenários, saudar a entrada de personagens reais, fazer soar o alarme diante da chegada de inimigos ou dar o tom à dança durante os banquetes. Naturalmente, servia também para fixar a atmosfera das cenas de amor. Além dos temas instrumentais ou vocais, utilizados de acordo com as circunstâncias, nos ficaram as canções compostas sobre os próprios textos de Shakespeare por nomes como Thomas Morley ou Robert Johnson, relacionadas a situações singulares.

Deller abre o disco cantando a alegre "It was a lover and his lass" (Era um amante e sua amada), que pertence à comédia *Como gostais*. Todos os suaves lugares-comuns da retórica amorosa aparecem na canção: as alegrias sentimentais têm a primavera por cenário e os pássaros como autores da trilha sonora. Já a segunda faixa exibe tom oposto. Chama-se "Take, O take those lips away" (Leve, oh leve esses lábios embora) e pertence à tragicomédia *Medida por medida*. Na peça, é cantada por um pajem que acompanha Mariana e que, com os versos, resume os sentimentos da moça: "Devolva meus beijos, selos inúteis de amor".

A famosa "Canção do salgueiro", da tragédia *Otelo*, cantada por Desdêmona enquanto se prepara para dormir, vale como anúncio do que irá acontecer pouco adiante: o assassinato da menina pelo marido ciumento. Além dos aspectos sombrios, inevitáveis em Shakespeare, o disco possui também instantes solares, festivos, como em "Strike it up, tabor" (algo como Toca, tamborim), uma das canções corais que aludem a divertimento e dança. Aparecem ainda temas muito conhecidos, caso de "Greensleeves".

O alaúde de Dupré se faz ouvir também nos solos, inclusive em "Kemp's jig", tema popularizado pelos roqueiros do grupo Focus nos anos 1970. Em tempos em que se faz muito barulho por nada, a voz de Alfred Deller, suave, não operística, feita para pequenos espaços, pode deleitar os ouvidos.

DESDÊMONA, SENTADA, EM *THE WILLOW SONG IN OTHELLO* [*A CANÇÃO DO SALGUEIRO EM OTELO*] (1844), DE THÉODORE CHASSÉRIAU. GRAVURA. DOMÍNIO PÚBLICO.

EM TORNO DO INEVITÁVEL[1]

O lançamento de *Hamlet: poema ilimitado*, ensaio do crítico norte-americano Harold Bloom sobre a tragédia *Hamlet*, de Shakespeare, sugere que se fale dos temas temporais e intemporais em literatura e teatro. Convido o leitor a um breve passeio em torno do assunto; há questões nada fúteis a explorar. Vamos lá?

Em novembro, publiquei neste suplemento o artigo "Politizando Nelson", em que procurava ressaltar aspectos sociais na obra teatral de Nelson Rodrigues, dramaturgo muito mais lembrado pelos motes pretensamente eternos do amor e da morte do que pela capacidade de flagrar a situação histórica em que se movem os seus personagens. Amor e morte seriam assuntos superiores à história, e têm sido frequentemente contrapostos ao momento social. Esse momento, imaginam alguns, fornece apenas a moldura sob a qual homens e mulheres sofrem conflitos que remontam a Adão e Eva.

Nelson trabalha, é claro, os impasses do desejo, prensado entre a nostalgia de absoluto e a carne precária, mas também retrata a ordem

---

1 Artigo publicado no jornal *Correio Braziliense*, suplemento Pensar (Brasília, 29 jan. 2005), sob o título "Destino inevitável".
Ver *Hamlet: poema ilimitado*, de Harold Bloom, com tradução de José Roberto O'Shea (Rio de Janeiro: Objetiva, 2004).

social que poderia amenizar (pela solidariedade, por exemplo), porém só dificulta e acentua a experiência daqueles conflitos, tornando-os agônicos. Em Nelson, afirmei, a imperfeita repartição das chances de felicidade, de caráter histórico e não eterno, também martiriza os personagens, para além dos problemas ancestrais que continuamos a viver, sem solução à vista.

A crítica literária de matriz marxista tem nos ensinado a perceber esses aspectos, mesmo em Nelson Rodrigues. Essa escola sustenta que a permanência estética das obras depende da sua eficácia em captar problemas históricos, que se mantêm atuais décadas ou séculos depois de sua gênese. É o que diz o filósofo húngaro Georg Lukács.

Outro teórico importante, o alemão Bertolt Brecht, berra: o teatro somente nos tem mostrado situações irrecorríveis, conflitos incontornáveis. Ora, vamos estudar o homem histórico, objeto das circunstâncias, sim, mas também sujeito de seu destino; Édipo, Hamlet e demais heróis poderiam imprimir outros rumos às suas trajetórias. Vamos reescrever todo o teatro desde os gregos, exclama Brecht, embora com alguma ironia.

Assim, creio não ter errado quando, na esteira dos mestres marxistas, reclamei que se note o quanto um dramaturgo como Nelson não se limita a mostrar o irreversível, mas também denuncia o caos social — histórico e, portanto, transitório, transformável. Teatro incita as modificações, e toda mudança duradoura deve ser política.

A leitura de *Hamlet: poema ilimitado*, de Harold Bloom, ensaio que aparece acompanhado da peça, nos traz de volta a essas questões. Sem desdizer demais o que disse, redigo: simplesmente não é verdade que não exista a chamada "natureza humana", dotada de mínima coerência, conceito que os marxistas negaram em nome de um caráter humano mutável, cambiante segundo as diversas condições sociais, culturais, históricas. Pois é: os marxistas também erram.

É óbvio. Há um traço essencial a unir todos os seres humanos: a morte (mais do que o amor). A circunstância de que vamos morrer paira sobre nós, estranha justiça a nos nivelar, em qualquer lugar e tempo. Por ser geral, essa condição se adensa em natureza: eis de volta a natureza humana que, no artigo anterior (não sem alguma razão), rejeitamos. É o caso de reafirmá-la agora.

A peça de Shakespeare fala justamente sobre isso, e o ensaio de Bloom sublinha-o à exaustão. A tragédia estreou em 1600, escrita por um dramaturgo que chegava à maturidade, aos 36 anos. Boa parte de suas melhores peças (são 38 textos teatrais, ao todo) foi criada depois do *Hamlet*, divisor de águas na obra oceânica do poeta, e ponto de inflexão para a cultura ocidental.

Mais que o herói da vingança, obcecado em buscar a hora propícia para punir o assassinato de seu pai, morto pelo irmão Cláudio (o tio de Hamlet havia tomado o poder, casando-se com a mãe do príncipe, a rainha Gertrudes), o personagem é, diz Bloom, modelo da consciência cindida, facetada e ampliada até a vertigem. Hamlet prefigura o homem moderno, cético e perplexo diante do céu vazio. Homem que leva o próprio destino nas mãos, sem saber o que fazer dele.

Podemos destacar dois aspectos no ensaio: primeiro, o caráter metalinguístico do enredo; Shakespeare nos lembra com insistência tratar-se de teatro, utilizando o recurso da peça dentro da peça, à maneira de um jogo de espelhos. Outro aspecto corresponde à questão fundamental da morte e de nossa atitude diante dela, tema básico da tragédia. Nossa condição finita garante não apenas o limite irremediável de toda existência — a consciência da morte também transforma, ou deveria transformar, a vida dos indivíduos.

"Somos todos adâmicos", diz Bloom, "pó que retorna ao pó". E acrescenta: "Lembrete tão comum, a noção seria intolerável, se fôssemos obrigados a mantê-la em mente, durante cada momento que nos resta. Encenada com a devida força, *Hamlet* seria teatro transfigurado em marcha fúnebre". Mas, acima de toda morbidez, o mistério a que a peça alude nos constitui e alimenta. Como no rito da comunhão, a morte é fértil.

DUAS MULHERES

CONDIÇÃO FEMININA E DESTINO TRÁGICO NAS PEÇAS *CASTRO* E *LEONOR DE MENDONÇA*[1]

A dramaturgia em Portugal conheceu fases férteis, mas também passou por largos períodos de escassez criativa, sem mencionar as dificuldades de reconstituição histórica — sabe-se ter havido atividade teatral durante a Idade Média, mas dela restaram poucos documentos. Os estudiosos tendem a estabelecer o advento de Gil Vicente, com suas farsas, comédias e moralidades, como o marco de maioridade para o teatro naquele país.

O autor da *Farsa de Inês Pereira*, cujas datas aproximadas de nascimento e morte são 1465 e 1536, "escreveu, interpretou e pôs em cena cerca de cinquenta autos" entre 1502 e o ano de seu falecimento, anota Luiz Francisco Rebello em sua *História do teatro*. Gil Vicente ligou-se às práticas cênicas medievais — populares e palacianas — ao mesmo tempo que, pela complexidade que soube imprimir a alguns de seus dramas e personagens, pôde anunciar os tempos modernos. Viveu e encarnou, portanto, fase de transição.

---

1 Artigo publicado, sem os parágrafos iniciais, na revista *Folhetim* (Rio de Janeiro: Teatro do Pequeno Gesto, n. 9, jan./abr. 2001).

Um daqueles períodos de entressafra terá início por volta de 1580, quando Portugal cai sob domínio espanhol, de que só se libertará seis décadas depois. De acordo com Rebello, mesmo após a reconquista da independência política, o teatro português enfrentará tempos relativamente pobres, recuperando-se no século XVIII.

Entre as peças vicentinas e a invasão espanhola, que envolve também os palcos, os ventos renascentistas se farão sentir em Portugal, com a volta a padrões clássicos: a distinção nítida entre os gêneros trágico e cômico, o respeito à lei das unidades de ação, lugar e tempo, o metro de dez sílabas, de preferência à redondilha de sabor popular, tão frequente nos autos de filiação medieval compostos por Gil Vicente.

AS PEÇAS

O classicismo chegou a Portugal pelas mãos de Sá de Miranda, em 1527, e produziria ao menos uma obra-prima: a *Tragédia de D. Inês de Castro* ou simplesmente *Castro*, texto de Antônio Ferreira (1528-1569), autor ainda das comédias *Bristo* e *Cioso*. A tragédia de Ferreira seria publicada postumamente em 1587, mas foi, "ao que parece, representada em Coimbra ainda em vida do seu autor, antes portanto de 1569", informa Rebello. Considera-se a peça a maior das tragédias de seu tempo e uma das mais importantes da dramaturgia portuguesa. Seu argumento, de inspiração histórica, mereceria a atenção de diversos escritores, inclusive noutros idiomas (o assunto já fora tratado por Garcia de Resende na forma de trovas publicadas no *Cancioneiro geral*, de 1516).

Massaud Moisés constata, em *A literatura portuguesa através dos textos*, que a peça de Antônio Ferreira "divide-se em cinco atos, em tudo obedientes aos cânones clássicos, a começar da unidade de tempo, lugar e ação".[2] Também no que diz respeito à atmosfera, o ambiente

---

2 São Paulo: Cultrix, 1997.

é de tragédia: podemos acompanhar os sofrimentos plenamente humanos da personagem — hostilizada por conselheiros da Corte por manter relacionamento amoroso com D. Pedro I, filho do rei Afonso IV; ao mesmo tempo percebemos o quanto há de emblemático em sua figura. No dizer de Moisés, Castro e seu amante têm corte hierático, "parecem altos-relevos que de repente conquistassem vida mas não o movimento; é que a ação cede lugar à densidade e à intensidade do conflito em que se debatem as personagens, visto que o drama, com ser de fundo ético, está dentro delas e não fora".

Interessa-nos surpreender algo da sorte e da condição feminina — em boa medida, esse é o assunto da peça de Ferreira —, comparando Castro a outra figura de mulher, a de Leonor de Mendonça, ambas personagens históricas. Leonor empresta seu nome ao drama composto pelo brasileiro Gonçalves Dias em 1846.

No Brasil, teremos atividade cênica regular, definida pelo concurso simultâneo de atores, autores e público, somente depois da Independência. O marco, em nosso caso, será a aparição da tragédia *Antônio José ou O poeta e a Inquisição*, de Gonçalves de Magalhães, e da comédia *O juiz de paz da roça*, de Martins Pena, textos que tiveram estreia cênica em 1838. *Leonor de Mendonça* foi escrita, portanto, em fase de atividade teatral ainda incipiente e só viria a ser representada profissionalmente em 1954.

Gonçalves Dias deixou quatro dramas, dos quais o mais importante é *Leonor de Mendonça* — peça considerada pelo crítico Décio de Almeida Prado, e não só por ele, como a melhor em seu gênero no Brasil do século XIX. A personagem, criada pelo poeta brasileiro com base em crônicas que aludem a episódio ocorrido em Portugal no início de Quinhentos, também será vítima da prepotência masculina.

O entrecho de *Castro*, como se disse, igualmente procede de notícias registradas por cronistas como Fernão Lopes, estas relativas ao século XIV. Assim, as duas criaturas têm origem na realidade, embora o tratamento dado por Gonçalves Dias a seu material seja naturalmente muito distinto do adotado por Antônio Ferreira. No caso brasileiro, estamos no território do drama; o conflito desce à terra, as figuras são de carne e osso, ainda que a linguagem as mantenha algo acima do prosaico.

Cotejar as duas peças, tentando fazer com que se iluminem mutuamente, pode permitir entender melhor o registro de alta qualidade estética que ambas promovem da condição feminina — nos séculos XIV, XVI ou XIX.

INÊS DE CASTRO

O episódio que envolve Inês de Castro e o príncipe, depois rei, Pedro I, narrado por Fernão Lopes, um dos cronistas oficiais da realeza em Portugal, tem corte mítico-histórico. Em certo sentido, o aproveitamento por parte de Antônio Ferreira de assunto referido em relatos históricos — imbuídos, porém, de atmosfera algo lendária — aparenta-se ao processo utilizado pelos dramaturgos gregos, que voltavam, em suas tragédias, aos episódios míticos pertencentes ao repertório de seu povo; o inglês William Shakespeare, que viveu de 1564 a 1616, procederia de forma semelhante. Já as comédias gregas, embora também se alimentassem dos mitos, lidavam de modo mais direto com os sucessos contemporâneos, nas críticas que autores como Aristófanes dirigiam a homens de seu tempo.

Antônio Ferreira foi buscar seu tema no acervo comum aos portugueses do século XVI, o que explica entender desnecessário fornecer ao leitor ou espectador maiores informações sobre a origem de Inês de Castro. Os relatos que deram base às tragédias de Ésquilo, Sófocles e Eurípides, no entanto, estavam muito menos presos à realidade factual (ou ao que se acredita haver sido essa realidade) que os utilizados por Ferreira na composição de sua peça: Pedro e Inês efetivamente existiram, além de não se atribuir a eles qualquer feito de tipo fantástico ou maravilhoso, como ocorre entre os gregos.

As informações quanto à origem de Inês, portanto, pouco aparecem na tragédia portuguesa porque já se encontravam nos textos de

Fernão Lopes (e nos de outros autores), nomeado guarda-mor da Torre do Tombo por D. Duarte em 1418. Em 1434, o soberano "incumbe-o de escrever a crônica dos reis da primeira dinastia", informa Massaud Moisés. Com a *Crônica d'El Rei D. Pedro*, redigida por Lopes, sabe-se que o amante de Inês governou entre 1357 e 1367. Moisés resume:

> Aos vinte anos, [D. Pedro] casou-se com D. Constança, filha do Infante João Manuel, regente de Castela. Entre as damas de companhia de D. Constança contava-se Inês de Castro, filha do fidalgo galego Pedro Fernandes de Castro, da qual D. Pedro logo se apaixonou. Mas seu pai, que então reinava, interpôs-se. Com o falecimento de D. Constança em 1345, os enamorados passaram a entreter livremente os seus amores. Todavia, o rei [Afonso IV] se deixa convencer por seus conselheiros a permitir o assassínio de Inês, que se consumou a 7 de janeiro de 1355.

A crônica reza ainda que, quando subir ao trono, D. Pedro, magoado e furioso, perseguirá os assassinos de sua bem-amada até vingar-se, prendendo-os e condenando-os à morte. Pedro o fez "com tal sadismo que ele acabou merecendo os epítetos de 'O Cruel' e 'O Justiceiro'", diz Moisés. Acrescente-se: para os conselheiros que exigiram a morte de Inês junto a Afonso IV, pai de Pedro, a origem galega de Inês e o fato de ela ter dois filhos com o príncipe punham Portugal em perigo, com as eventuais demandas sucessórias que dessas circunstâncias pudessem advir.

O primeiro ato de *Castro* — escrita em verso, conforme as práticas do tempo — mostra Inês e a Ama a conversar sobre as angústias da primeira. A moça tem noção de estar em risco, mas guarda a esperança de que seus inimigos lhe sejam clementes. Busca persuadir a Ama dizendo ter a alma plena de "riso, prazer, brandura", mas a interlocutora não se deixa enganar, lembrando que "lágrimas sinais são da má fortuna". Saberemos do amor de Inês por Pedro — perfeitamente correspondido —, sentimento tão alheio às frias razões políticas que, pouco mais tarde, conseguirão levá-la à morte. Ela pede à "fortuna": "quebra o nó/

Daquele jugo a meu amor contrário". Esperança e medo se misturam. A peça nos leva ao centro do conflito, portanto, já nas primeiras falas — como costuma ocorrer nas tragédias.

Inês conta à Ama a conversa recente que teve com o amante, quando pediu a ele proteção. A temperatura emocional é, naturalmente, alta, como se percebe nestas palavras: se for o caso de se separarem, Inês dissera a Pedro, "com teu armado braço envolta em sangue/ M'arranques deste corpo, que não veja/ Tam triste dia, tam cruel mudança;/ Eu tomarei por doce a minha morte;/ Por piadoso amor, tal crueldade". A resposta do namorado, lembrada pela jovem, não foi menos apaixonada e enfática: "sem ti o mundo/ Duro deserto me pareceria".

Ainda no primeiro ato — supondo a saída de cena das duas mulheres — veremos o Infante a dialogar com seu Secretário, que o quer convencer a abandonar a jovem. Naturalmente, a convicção com que o funcionário da Corte defende seu ponto de vista não carece de dignidade: "Piadosa obra faz ao que está preso/ Quem as prisões lhe corta, e as más cadeas". A paixão de Pedro por Inês é tratada como se fosse pouco mais que um capricho — e, pior, contrário aos altos interesses do reino. O príncipe o ameaça; o Secretário, fiel à própria visão dos fatos, insiste em que, embora não possa mudar seu senhor, não deixará de sustentar o que lhe parece correto, à revelia dos riscos implicados em tal atitude.

O coro também está em cena, representando o senso comum, os bons avisos, e intervém brevemente, comentando os passos do diálogo. Encerrando o primeiro ato, temos o canto do coro — processo que se repetirá em toda a peça, exceção feita ao último ato: trata-se aqui de belo poema, dotado de rimas e composto em duas partes. Na primeira delas, cantam-se as glórias, a felicidade no amor; na segunda, seu "vão contentamento". Embora a peça trate de motivações políticas contrárias ao laço entre duas pessoas, o coro algumas vezes falará do amor, em geral, ou do sentimento que liga particularmente Inês e Pedro, como algo, em si, destinado à catástrofe.

No segundo ato, confabulam — ou conspiram — o rei e seus conselheiros. Estes, liderados por Coelho e Pacheco, exortam o monarca a livrar-se de Castro. Não aceitam contemporização: não se contentam nem com encerrá-la em mosteiro, nem em mandá-la para o desterro, saídas que o rei chega a sugerir; querem a morte de Inês. Afonso IV, hesitante e fraco diante das pressões, não tem a têmpera — ou os motivos — de seu filho. O conflito por que passa o rei corresponde a situação trágica também para ele: Afonso mataria a mãe de seus netos, e sem lhe reconhecer culpa.

Voltamos, no terceiro ato, à casa de Inês, que de novo conversa com a Ama; sonhos ruins vêm pressagiar o desfecho. Os símbolos que apareceram a Inês durante o sono são significativos: o leão que dela se acercava, enquanto a moça se reunia aos filhos pequenos, "logo manso/ Para trás se tornava". Em seguida, surgiam "uns bravos lobos,/ Que remetendo a mim com suas unhas/ Os peitos me rasgavam", lamenta. Não é difícil ver no leão, afável para ela, a figura de Pedro, que nesta hora lhe falta — o príncipe está fora e só chegará quando tudo estiver consumado. Os lobos representam, é claro, os conselheiros que a perseguem.

O quarto ato traz, enfim, o confronto entre o velho rei e a amante de seu filho; a casa de Inês foi invadida com estardalhaço e violência. Ela irá pedir piedade ao monarca; o coro reconhece o impacto sentimental do encontro: "Quem pode ver-te,/ Que não chore, e s'abrande?".

Estamos no centro emocional da história. A certa altura, Inês se abraça aos pés do homem, que pergunta, intimidado: "Que me queres?". Essa passagem e todo o quarto ato são de grande intensidade, conforme a melhor técnica dramática: neles se materializam os móveis fundamentais da tragédia, motivos que, postos em conflito irreconciliável, dão tônus à grande peça de Ferreira. De um lado, os sentimentos da mulher — e, por afinidade, os de seu amante —, obedientes apenas a si próprios; de outro, as razões de Estado, que não deixam de ter timbre passional, pois os conselheiros parecem acreditar que se joga, naquele instante, a própria sorte do reino, de seus nobres e de seu povo. O amor dos dois jovens nada tem a ver com as conveniências políticas alegadas pelos auxiliares do rei, assim como estes em nada se compadecem do que há de incontornavelmente humano nesse amor.

Inês de Castro, respondendo a estúpida pergunta do rei — "Que me queres?" —, diz:

> Que te posso querer, que tu não vejas?
> Pergunta-te a ti mesmo o que me fazes:
> A causa, que te move a tal rigor.
> Dou tua consciência em minha prova.
> S'os olhos de teu filho s'enganaram
> Com o que viram em mim, que culpa tenho?
> Paguei-lhe aquele amor com outro amor,
> Fraqueza costumada em todo estado.
> Se contra Deus pequei, contra ti não.
> Não soube defender-me, dei-me toda.
> Não a imigos teus, não a traidores,
> A que alguns teus segredos descobrisse
> Confiados a mim, mas a teu filho
> Príncipe deste reino. Vê que forças
> Podia eu ter contra tamanhas forças.
> Não cuidava, Senhor, que t'ofendia.
> Defenderas-mo tu, e obedecera,
> Inda que o grand'amor nunca se força:
> Igualmente foi sempre entre nós ambos:
> Igualmente trocamos nossas almas.
> Esta que te ora fala, é de teu filho.
> Em mim matas a ele: ele pede
> Vida par'estes filhos concebidos
> Em tanto amor. Não vês como parecem
> Aquele filho teu? Senhor meu, matas
> Todos, a mim matando: todos morrem.[3]

---

3   Em *Textos quinhentistas*, estabelecidos e comentados por Sousa da Silveira (Rio de Janeiro: Fundação Getúlio Vargas, 1971).

Quando retorna à cidade, Pedro sabe da notícia, que lhe é narrada pelo Mensageiro. Então só lhe resta jurar vingança — dirigindo imprecações ao universo à volta: o mundo, com o crime, entrou em descompasso, de modo semelhante ao que encontramos não apenas nos velhos gregos, mas em autores como Shakespeare. Todo o mundo se liga — ou se desliga bruscamente, caindo em confusão —, conforme as palavras desesperadas do príncipe: "Ó céu, que vistes/ Tamanha crueldade, como logo/ Não caístes? Ó montes de Coimbra,/ Como não sovertestes tais ministros?/ Como não treme a terra, e s'abre toda?/ Como sustenta em si tam grã crueza?".

A peça se encerra com as palavras de Pedro — o coro já não tem tarefa a cumprir —, que promete atribuir ao corpo da morta "estado real" e garante que o amor por Inês o "acompanhará sempre". Apresentando Inês de Castro, seus temores e esperanças logo à entrada da peça e encerrando-a com os rogos de Pedro, feitos, enfim, a todos e a ninguém, Antônio Ferreira, mesmo sem destruir as alegações dos assassinos, parece acentuar as razões do coração que as de Estado não puderam compreender.

LEONOR DE MENDONÇA

Na peça de Gonçalves Dias, embora apareçam personagens nobres, de alta posição social — como é das convenções trágicas —, não se pode alegar que o mundo à volta entre em tumulto com o que acontece aos heróis. Naturalmente, a sorte de Leonor — o marido, D. Jaime, imagina que ela o traiu — mobiliza todo o palácio, com seus "servos e homens de armas". O conflito, no entanto, se passa principalmente entre o homem que se acredita enganado, rebaixado em sua autoridade, e a mulher que, sem ter dado motivos de fato à explosão de ódio que a condena à morte, foi temerária ao conceder uma entrevista a Antônio Alcoforado — rapaz que, apaixonado por ela, está prestes a partir para a África, onde Portugal tem interesses imperiais.

De nosso ponto de vista, interessa notar, porém, o modo como a sorte de Leonor, assim como a de Inês, é decidida sem direito a qualquer apelo ou defesa. Nesse sentido, passagens numa e noutra peça apresentam simetria e são especialmente significativas: a invasão da casa de Inês se faz com grande aparato bélico, contra o que a moça protesta, dirigindo-se ao rei, no quarto ato, com estas palavras: "Escusaras, Senhor, todo êste estrondo/ D'armas, e cavaleiros; que não foge,/ nem se teme a inocência da justiça". Inês chega a ser ingênua — ingenuidade talvez ditada pelo desespero — a ponto de pedir, a certa altura, que os próprios homens que a querem matar intercedam em seu favor: "Ó meus amigos, porque não tirais/ El-rei de ira tamanha?".

A prosa em *Leonor de Mendonça* foi opção estética sublinhada pelo autor no prólogo, destinada a misturar a atmosfera trágica à cômica, isto é, à pintura de costumes. Em boa prosa, portanto, a personagem principal da peça brasileira, no terceiro e último ato, diz a seu marido, convertido em algoz, referindo-se à praça de guerra em que o palácio de Vila Viçosa e suas cercanias se converteram, naquela noite de 2 de novembro de 1512:

> Fizestes iluminar o vosso parque, mandastes armar os vossos homens de armas, alvoroçastes todo o palácio; para que, senhor? Eu sou mulher e vós bem me podeis fazer morrer sem ser à força de escândalo e de vergonha, sem me acabrunhar com todo o peso do vosso poderio. Vindes cercado de uma turba vil e mercenária, a quem basta um só aceno vosso para me cuspir no rosto, porque sou mulher e fraca, enquanto que vós sois homem e temido. É isto ser nobre?[4]

O drama brasileiro, em três atos, afasta-se em pontos importantes dos esquemas trágicos — sem abandoná-los por completo. De acordo com a boa técnica teatral, aparentemente comum aos diversos gêneros

---

4   Em *Teatro completo* (Rio de Janeiro: Serviço Nacional de Teatro, 1979).

sob determinados aspectos, o conflito se articula e se precipita na direção do desfecho de modo econômico e célere: no primeiro ato, o autor, sem delongas, promove a aproximação entre Alcoforado e a duquesa, criando, um pouco em diálogo com o *Otelo*, de Shakespeare, o detalhe da fita (na peça inglesa, lenço), objeto que parecerá ser uma das provas da infidelidade de Leonor aos olhos desconfiados e terríveis de D. Jaime. No segundo ato, vamos ver Alcoforado em casa, com os irmãos e o pai, o que, se retarda a ação propriamente dita, vale para marcar os traços humanos do rapaz. Ainda nessa seção da peça, o pedido de entrevista, aceito por Leonor, chegará ao conhecimento de Jaime. No terceiro ato, o desfecho só se demora devido às súplicas pungentes feitas pela moça, às quais o marido-carrasco, em momento algum, nem sequer pensa em atender. Vale recordar que o casal tem dois filhos pequenos.

Nas crônicas compulsadas por Gonçalves Dias, a questão de Leonor ter sido "inocente" ou "culpada" no episódio que levou o marido a matá-la não se decifrava inteiramente. Mas os autores daqueles textos insinuavam que as falsas aparências, capazes de acender os ciúmes de Jaime, "não foram tão falsas". O poeta "podia então escolher a verdade moral ou a verdade histórica — Leonor de Mendonça culpada e condenada, ou Leonor de Mendonça inocente e assassinada", assinala no prólogo.

Haveria "mais interesse para a cena e mais moral para o drama", diz o poeta, em optar pela primeira hipótese. Ele aqui parece referir-se à prática dos melodramas, senhores dos palcos na época; Gonçalves Dias preferiu, talvez por desejar para sua peça destino mais alto que o dos dramas convencionais do tempo, a segunda hipótese. Ele diz: "Por que então segui o pior? É porque tenho para mim que toda a obra artística ou literária deve conter um pensamento severo: debaixo das flores da poesia deve esconder-se uma verdade incisiva e áspera", afirma, sustentando a seguir que essa verdade relaciona-se à fatalidade.

Mas já não se trata da inevitabilidade trágica, na acepção clássica: "É a fatalidade cá da terra a que eu quis descrever, aquela fatalidade que nada tem de Deus e tudo dos homens, que é filha das circunstâncias e que dimana toda dos nossos hábitos e da nossa civilização; aquela fatalidade, enfim, que faz com que um homem pratique tal crime porque vive em tal tempo, nestas ou naquelas circunstâncias".

Desbastadas as crenças ideológicas e estéticas que informam diferentemente as duas obras, encontra-se núcleo semelhante em ambas. Se o coro, na *Castro*, lamenta a má sorte de Inês atribuindo-a, contudo, em mais de uma passagem, à suposta fatalidade superior aos desígnios humanos, é também legítimo e necessário perceber a pintura feita por Antônio Ferreira dos conselheiros que promovem a morte da personagem: são homens que agem movidos por interesses políticos, incapazes de responder a outra ordem de argumentos que não os ligados àqueles interesses. Não se trata de negar alguma validade — ainda que perversa — às suas razões, diminuindo-as: trata-se de reconhecer que essas razões prevaleceram porque eram eles os mais fortes e não, malgrado os doces e tristes cantos do coro, porque fosse aquele o único desfecho possível para o conflito.

De modo similar, agora em terreno antes social que político, a razão do mais forte — o homem — esmaga a do mais fraco — a mulher; é o que se passa em *Leonor de Mendonça*. Antônio Ferreira o diz, em sua peça, de modo indireto, mas só aparentemente relutante; Gonçalves Dias, por seu turno, sabe ser explícito já nas intenções declaradas no prólogo: "Se a mulher não fosse escrava, como é de fato, D. Jaime não mataria sua mulher. Houve nessa morte a fatalidade, filha da civilização que foi e que ainda é hoje". Note-se que o poeta nem sequer culpa inteiramente Jaime, que aliás matou a esposa não porque a amasse, como Otelo amava Desdêmona — aqui a peça de Shakespeare e a de Gonçalves Dias tomam direções distintas —, mas "porque tem orgulho"; a condição de senhor, assim, explica seus atos em certa medida. O próprio fato de se ter casado contra a vontade — tampouco Jaime é livre, diz o poeta com todas as letras — encarregou-se de colaborar para que houvesse luta entre as partes, dotadas de força desigual, e, assim, para que se consumasse o crime.

"A eterna sujeição das mulheres, o eterno domínio dos homens", estado de coisas que Gonçalves Dias pensava ajudar a modificar, em 1846, ao escrever *Leonor de Mendonça*, ciffram-se também na *Castro*, composta cerca de 300 anos antes com base em fatos então já antigos de dois séculos. Felizmente, aquela sujeição não precisa ser eterna — de maneira direta ou indireta, é o que se lê nas duas grandes peças.

TEATROS DE MULHER[1]

Semanas ou dias dedicados à mulher podem ser necessários, mas não deixam de lembrar que ainda não há igualdade plena entre os sexos — a ninguém ocorreria propor que se instituíssem datas em homenagem ao homem.[2] A história das relações entre homens e mulheres tem tido bons motivos para privilegiar a condição de vítima em que elas frequentemente aparecem. Essa história, embora ambígua e cheia de acidentes — as mulheres, como se sabe, nem sempre são as vítimas nos embates com os homens —, vem narrando situações ou episódios marcados pela desigualdade e pode ser buscada nas várias disciplinas. Entre elas, está a literatura dramática, o teatro, que tem falado sobre aquelas relações com poética eloquência.

As peças *Castro*, do português Antônio Ferreira, e *Leonor de Mendonça*, do brasileiro Gonçalves Dias, distantes uma da outra cerca de três séculos, são maravilhosos exemplos, em língua portuguesa, do que os textos feitos para o palco têm dito sobre o assunto. A história de Inês de Castro, recontada por Garcia de Resende, Camões e diversos outros autores, inclusive noutros idiomas, procede da realidade e foi

---

1 Artigo publicado no jornal *Correio Braziliense*, suplemento Pensar (Brasília, 4 mar. 2001).
2 Algum tempo após a publicação, apareceu data dedicada aos homens.

originariamente registrada nas crônicas de Fernão Lopes, textos que, redigidos a partir de 1434, dizem respeito à primeira dinastia de soberanos portugueses, habitantes do século anterior ao de Lopes.

Antônio Ferreira viveu de 1528 a 1569. A tragédia *Castro*, considerada a maior do classicismo português, seria publicada postumamente, em 1587. Como costuma ocorrer nas tragédias, o autor flagra a história de Inês já próxima do ponto de crise — ou seja, o momento em que os conselheiros do rei Afonso IV conseguem afinal convencer o monarca de que a inocente e indefesa Castro, amante do príncipe Pedro I, deve morrer. De um lado, situam-se as razões de amor; de outro, as de Estado.

A presença, na corte, de Inês, estrangeira de origem galega, amante do príncipe e mãe de dois filhos dele, poderia sugerir aos espanhóis, inimigos dos portugueses, demandas sucessórias em torno do trono então ocupado por Afonso IV. Os conselheiros, por isso, nem sequer aceitam falar em condená-la ao exílio ou em encerrá-la num convento — querem vê-la morta. O rei hesita, mas acaba por ceder, permitindo matarem a moça que já lhe tinha dado netos. Pedro está fora e só aparecerá quando o crime estiver consumado. A passagem em que Inês implora ao pusilânime Afonso que a mantenha viva é das mais belas já escritas no teatro de língua portuguesa.

Em *Castro*, o conflito trágico opõe o interesse político, menos racional do que se pode supor, ao sentimento amoroso, ambos inegociáveis. Já em *Leonor de Mendonça*, de Gonçalves Dias, a querela é mais social do que política, mais doméstica do que pública. Leonor também será vítima da prepotência masculina, mas seu algoz será o próprio marido, o rancoroso D. Jaime.

As personagens, na peça brasileira de 1846, são de alta patente social, como é das convenções trágicas, além de terem sido igualmente retiradas de crônicas portuguesas, estas relativas ao começo do século XVI. Mas, apesar desses traços, estamos agora no território do drama: o mundo à volta já não entra em tumulto com o que acontece aos heróis, nem se joga a sorte do reino contra a de duas pessoas apaixonadas. Em

Leonor de Mendonça, o confronto se dá entre o homem que se acredita enganado, rebaixado em sua autoridade, e a mulher que, sem ter fornecido motivos de fato à explosão de ódio que a condena à morte, foi temerária ao conceder entrevista a Antônio Alcoforado, rapaz que por ela se apaixonara.

Vale perceber, porém, o modo como a sorte de Leonor, a exemplo da sina de Inês, é decidida por homens, sem que ela tenha chance de defesa. Na tragédia portuguesa, Inês tenta protestar, dirigindo-se ao rei: "Escusaras, Senhor, todo este estrondo/ D'armas, e cavaleiros; que não foge,/ nem se teme a inocência da justiça". Em *Leonor de Mendonça*, a duquesa supostamente infiel diz, de modo similar, a seu marido: "Vindes cercado de uma turba vil e mercenária, a quem basta um só aceno vosso para me cuspir no rosto, porque sou mulher e fraca, enquanto que vós sois homem e temido. É isto ser nobre?". Leonor morre nas mãos de D. Jaime, com quem tem dois filhos pequenos.

Já no prólogo à peça, as intenções de Gonçalves Dias estão explícitas. Diz o poeta: "Se a mulher não fosse escrava, como é de fato", D. Jaime não teria matado a esposa. A fatalidade aqui não é a dos deuses, superior à vontade humana, mas corresponde à fatalidade "filha da civilização que foi e que ainda é hoje" (Jaime tampouco vive livremente, tendo sido levado a se casar por imposições familiares). Guardadas as diferenças entre a tragédia portuguesa do século XVI e o drama brasileiro do século XIX, ambos os textos denunciam a circunstância pela qual as mulheres podem ser, sob o arbítrio dos homens, condenadas sem apelo. O que se chama aqui de circunstância, na falta de palavra melhor, arrastou-se por séculos.

Mas as mulheres nem sempre se limitaram ao papel de vítimas passivas da violência masculina. Já o teatro grego mostra exemplos de senhoras tão aguerridas quanto seus agressores: Clitemnestra, da *Oréstia*, de Ésquilo, e Medeia, da peça homônima de Eurípides, textos do século V a.C., são duas dessas figuras ferozes. De todo modo, a situação de conflito começa, nos dois casos, com desfeitas ou crimes praticados pelos homens contra as companheiras.

Clitemnestra é a esposa de Agamenon, rei de Argos. O irmão do rei, Menelau, sofre a traição da leviana Helena, a de Troia, que foge com Páris para esta cidade. Dispostos a vingar-se da afronta, Agamenon e Menelau armam esquadra poderosa, decididos a fazer guerra a Troia. Mas os ventos não sopram e os navios não têm como sair do porto. Agamenon, a essa altura, interpreta equivocadamente certa mensagem cifrada pelos deuses: para os ventos voltarem a movimentar-se, imagina ser necessário sacrificar a própria filha, Ifigênia. Embora atordoado, ele cumpre a pretensa exigência dos crudelíssimos deuses gregos — e ganha, com o crime, o ódio de Clitemnestra. Os ventos batem nas velas, os navios chegam a Troia, os exércitos de Agamenon derrotam e destroem a cidade inimiga. Quando o general volta, vitorioso, Clitemnestra o espera para matá-lo.

A feiticeira Medeia ajudara, com seus sortilégios, o namorado Jasão a vencer monstros e dificuldades tremendas. Unidos e exilados em Corinto, Jasão aproxima-se da filha de Creonte, o líder da cidade — interessado principalmente no poder que aquele segundo casamento lhe traria. Abandonada, Medeia, depois de muito sofrimento e de alguma hesitação, escolhe o mais terrível dos caminhos para vingar-se do homem: mata os filhos do casal.

Mulheres frágeis também são frequentes na dramaturgia. Basta lembrar a cândida Desdêmona, de *Otelo*, assassinada pelo marido ciumento, ou Ofélia, de *Hamlet*, levada à loucura pelas grosserias do príncipe que amava, ambas pertencentes a tragédias de Shakespeare. Para além das ferozes e das frágeis, há, no entanto, outras espécies de heroínas infelizes. As vítimas do preconceito social, por exemplo — de que o emblema talvez seja a prostituta que tenta, sem sucesso, redimir-se pelo amor em *A dama das camélias*, peça escrita em 1848 pelo romântico-realista Alexandre Dumas Filho.

Uma quarta categoria de mulheres trágicas (ou, neste caso, tragicômicas) encontra-se na obra de Nelson Rodrigues. Trata-se de criaturas corroídas por desamor e culpa, vítimas de si mesmas: Zulmira, de *A falecida*, e Geni, de *Toda nudez será castigada*, são dois belos exemplos. Uma e outra aspiram a obter amor — amor idealizado, folhetinesco, talvez irrealizável. Frustradas, lançam-se no caminho que afinal as conduz à morte. Os homens, para as patéticas Zulmira e Geni, parecem ser apenas uma dificuldade a mais na tendência para a queda que trazem consigo.

Não há conclusões a tirar desta breve e idiossincrática visita a algumas das grandes personagens femininas da história do teatro — ligadas, todas, ao amor e à morte. A não ser a de lembrar que a dramaturgia, no ato mesmo de mostrar o terrível, o pérfido, aponta obliquamente para a possibilidade de conciliação entre homens e mulheres. Quem sabe a data a comemorar seja, um dia, a dos dois sexos.

SÉRIA PARÓDIA[1]

Conhecemos menos a literatura inglesa do século XVIII do que a francesa do mesmo período. Lemos o Voltaire da novela *Cândido ou O otimista*, sátira das soluções fáceis para as renitentes mazelas pessoais e sociais. Rousseau e outros ensaístas da utopia circulam no Brasil desde a Inconfidência, frequentados por poetas como Tomás Antônio Gonzaga. Em contrapartida, o dramaturgo inglês John Gay (1685-1732) só agora teve a sua famosa *Ópera do mendigo* traduzida entre nós. Uma boa notícia.

Gay liga-se à linhagem de humoristas que inclui nomes como o de Jonathan Swift (1667-1745), este nascido na Irlanda e autor de textos como a *Modesta proposta* (lançada no Brasil pela Unesp há dois anos), além das bastante divulgadas *Viagens de Gulliver*. Em *Modesta proposta*, parodiando o estilo sóbrio dos artigos científicos, Swift denuncia com sarcasmo a pobreza material e moral em seu país.

Antes de chegar a John Gay e à *Ópera*, vale lembrar alguns dos argumentos cruelmente irônicos usados por Swift naquele pseudoensaio — afinal, o escritor irlandês foi contemporâneo de Gay e influenciou o

---

1 Resenha publicada no jornal *Correio Braziliense*, suplemento Pensar (Brasília, 28 jul. 2007).

Ver *A ópera do mendigo*, de John Gay, com tradução de Caetano Galindo (Curitiba: UFPR, 2007).

dramaturgo. Pois é: a saída pensada pelo articulista para acabar com a miséria era simplesmente a de acabar com os miseráveis.

Para se alcançar o objetivo, Swift sugere que as crianças pobres engordem até um ano de idade e, a seguir, sirvam de jantar às famílias abastadas. Expondo suas razões como se falasse rigorosamente a sério, pede que os filhos dos pés de chinelo virem repasto dos ricos, temperados com azeite e sal. O clérigo de Dublin pondera que, assim, os bebês sem berço não pesariam no bolso de seus pais, que mal podem cuidar de si próprios; de quebra, um saboroso item se acrescentaria ao cardápio dos que fazem três refeições por dia. Ganhariam os ricos, os pobres, a Irlanda, o mundo.

Se o projeto fosse aplicado no Brasil atual, pode-se imaginar a alegria dos cidadãos mais sensíveis, que torcem o nariz e fecham as janelas diante dos garotos famintos que cercam seus carros. Enfim, de acordo com Jonathan Swift, as vantagens de um programa de extermínio dos pobres, sem que a polícia irlandesa precisasse gastar as suas balas, seriam inestimáveis.

ÉTICA DE CARICATURA

Inspirado em autores como Swift, John Gay também irá adotar os processos da ironia corrosiva para representar a corrupta sociedade inglesa das primeiras décadas do século XVIII. Seus alvos não eram apenas, no entanto, a aristocracia britânica, seus políticos e agregados. Ele também visava satirizar a ópera italiana e os dramas que faziam sucesso na Inglaterra do tempo. Por caminhos lúdicos, acabou por criar maneiras novas de compor peças musicais: a obra de Gay e Pepusch (este, autor da música) seria recriada pelos alemães Bertolt Brecht e Kurt Weill, dois séculos mais tarde, na *Ópera dos três vinténs*; e por Chico Buarque, que revisitou os dois textos, trazendo-os para o Rio de Janeiro dos anos 1940 na *Ópera do malandro*.

As ideias que norteiam a peça de Gay são, ao menos na aparência, simples. A voga das óperas italianas na Londres de 1728 (quando a comédia estreou) implicava o uso de recitativos, pronunciados entre a fala e o canto, postos entre uma e outra ária. Gay transforma os recitativos em diálogos falados, tornando-os menos arrastados e mais coloquiais — procedimento que as operetas depois iriam usar. Outra providência, esta decisiva, consistiu em recorrer a melodias conhecidas do público, dotando-as de novas letras, eventualmente com rendimento paródico.

Caetano Waldrigues Galindo, no posfácio que escreveu para a sua tradução de *A ópera do mendigo*, exemplifica: "Não podemos deixar de imaginar o efeito cômico que poderia ter para aqueles espectadores o súbito reencontro de famosa ária originalmente cantada por um coro de freiras na montagem de que foi arrancada, aqui com nova e lúbrica letra, cantada agora por um conjunto bizarro de prostitutas". Esses deslocamentos de sentido fizeram a delícia da plateia londrina, diante da qual a peça foi representada por 62 vezes, passando a integrar o repertório dos séculos seguintes.

Gay e Pepusch, talvez sem maiores pretensões, lançaram métodos de pastiche ou colagem que reaparecerão em escritores ultra-ambiciosos (mas também capazes de humor) como James Joyce e T. S. Eliot. O hábil Pepusch "compôs e orquestrou os trechos instrumentais (da abertura, por exemplo) e deu unidade e artisticidade ao conjunto da música da peça. Mas, a bem da verdade, compôs muito pouco", diz Galindo. Ou seja, reinventou mais do que propriamente inventou.

A história contada na *Ópera do mendigo* (o mendigo do título seria o "autor" da peça) pode ser resumida como segue. Peachum, arregimentador de ladrões e prostitutas, é pai da menina Polly, garota a quem o bandido Macheath seduziu, para desespero de Peachum e senhora. O simpático Macheath ganhara também o coração de Lucy (que está grávida), filha do sombrio Lockit, espécie de carcereiro-mor. O enredo gira em torno da rivalidade entre os três homens, complicada pelas confusões sentimentais.

A peça trabalha o tempo todo com a superposição de referências a classes e atitudes sociais que se supõem bem diversas — boa parte da graça decorre justamente do cancelamento da distância entre a gente rica e a escória. Em cena, o que vemos são ladrões, receptadores de objetos furtados, prostitutas nada românticas, todos professando uma ética de caricatura, para a qual amor, amizade, lealdade, a própria vida alheia valem pouco ou nada; o único valor é o do dinheiro.

Mas esses personagens, suas palavras e atos, a todo instante estabelecem paralelos com os da elite. Aristocratas, respectivas mulheres e filhos, além de *sir* Robert Walpole (1676-1745), primeiro-ministro com sólida fama de corrupto, a quem a peça alude, são nivelados aos meliantes de origem popular. Hoje, a equivalência ética entre canalhas bacanas e canalhas pés-rapados parece óbvia. Na época, quase custou a proibição da *Ópera*.

A impressão geral é de anarquia e niilismo, pois ninguém se salva. Trata-se de uma caricatura, mas que ainda mantém os pés na realidade: um bandido famoso da época, Jonathan Wild, somado à imagem de Walpole, resulta na figura de Peachum. Outro bandido daqueles tempos, Sheppard, serviu de modelo a Macheath, criminoso carismático que, na peça de Brecht e Weill, corresponde a Mac Navalha e, na de Chico Buarque, ao contrabandista Max Overseas.

VISÃO CÁUSTICA

A *Ópera* de John Gay afirma uma espécie de filosofia moral, ou uma visão dos seres humanos, nada plácida (Brecht ressaltou esse aspecto, enquanto Chico preferiu acentuar o caráter político do original). Assim, a primeira das 69 breves canções da peça garante, de saída: "Em todos os momentos da vida cada um maldiz o seu irmão; o marido e a mulher querida, todos dizem 'bandido, vilão'. O padre xinga o advogado, direito contra teologia, e o estadista, que é tão bem tratado, como eu, acha honesta sua via", canta Peachum, o empresário do crime.

A visão cáustica do humano acha-se ainda nesta fala de Lockit, dita depois de pensar sobre as desavenças com Peachum: "Os leões, os lobos e os abutres não se reúnem em bandos, manadas ou revoadas.

De todos os animais de rapina, só o homem é social. Cada um de nós come o seu vizinho, e ainda assim andamos em bandos...".

Naturalmente, além de niilismo, há também crítica de costumes. O mesmo Peachum reflete, após cantar os versos acima citados: "A advocacia é uma profissão honesta, exatamente como a minha. Como eu, também eles trabalham dos dois lados, tanto contra quanto a favor dos canalhas; pois faz sentido que a gente proteja e encoraje os trapaceiros, já que eles pagam o nosso salário".

Caetano Galindo chama a atenção para os nomes dos personagens que, segundo costuma ocorrer nas comédias, designam não propriamente indivíduos, mas qualidades, traços de caráter. Lockit, por exemplo, significa literalmente "tranque-o", "feche-o". Peachum, que não apenas organiza seu bando de ladrões, como também os entrega à polícia quando a recompensa vale a pena, tem o nome formado pelo verbo "peach" (com o sentido de alcaguetar) e o pronome "them". A contração de verbo e pronome resulta em "Peach'em", isto é, "delate-os". Brecht e Buarque reproduziram esses macetes que, segundo Galindo, faziam com que os espectadores da *Ópera do mendigo* começassem a rir só de ouvir os apelidos. Um exemplo na peça brasileira é Max Overseas, algo como Max transatlântico, nome adequado a quem vive do contrabando.

Essas indicações, sugeridas pelo tradutor, são apenas mais um sinal do cuidado que teve ao trazer o texto da *Ópera* de John Gay para o português. Ele diz haver optado pelo meio-termo entre o tipo de tradução fiel ao texto de partida (no caso, uma obra inglesa de 1728, com as dificuldades que a distância temporal implica) e o que privilegia o texto de chegada e a inteligibilidade deste para os contemporâneos — aspecto imperativo em se tratando de teatro.

Galindo depõe: "Tentei fazer o possível para que as frases desta tradução fossem pronunciáveis e verossímeis em 'bom português' bem como no português *efetivamente* falado hoje por nós, com as devidas concessões feitas à linguagem poética nas árias e ao período em que a ação se passa. Que este êxito ou fracasso seja efetivamente medido no palco". A julgar pelos resultados em nosso idioma, incluídas as versões hábeis das árias (excetuados casos pontuais, de modo geral o tradutor conseguiu fazer as letras fluírem), essa ópera-canção deve ser feliz também quando encenada.

A ÓPERA DO MENDIGO, ATO III (1790), DE WILLIAM BLAKE. GRAVURA. TATE COLLECTION. LONDRES, INGLATERRA. DOMÍNIO PÚBLICO.

MULHERES, NUDEZ E CRÍTICA[1]

Todos sabemos de cor a letra e a melodia de "Aquarela do Brasil" ou de "No tabuleiro da baiana", canções de Ary Barroso, e podemos cantarolar com certa eficiência "Brasil pandeiro", de Assis Valente — esta, para quem não se lembra, afirma que "o Tio Sam está querendo conhecer a nossa batucada". Mas nem todo mundo sabe a origem dessas músicas. Ou sabe? Dez segundos para os palpites, combinado?

Sinto muito, tempo esgotado. Acertou quem respondeu: essas e outras canções hoje clássicas foram compostas para os espetáculos do teatro de revista — ou, quando menos, foram incorporadas e divulgadas por eles. As revistas, como se chamavam aquelas montagens, levavam humor, encanto visual, dança e música a plateias amplas e populares.

O pesquisador e diretor teatral Delson Antunes narra a história do gênero em *Fora do sério*: um panorama do teatro de revista no Brasil, livro republicado há pouco pela Funarte. O ensaio historiográfico, enxuto, soma-se às 500 fotos selecionadas por Delson para o volume. Palavras e imagens relatam a trajetória das revistas desde quando se

---

1 Resenha publicada no jornal *Correio Braziliense*, suplemento Pensar (Brasília, 10 dez. 2005).

Ver *Fora do sério*: um panorama do teatro de revista no Brasil, de Delson Antunes (Rio de Janeiro: Funarte, 2004).

fixaram no país, nas duas últimas décadas do século XIX, até os anos 1960, quando o gênero agonizou e sumiu.

A revista nasceu nas feiras e praças francesas, na primeira metade do século XVIII. Sua maior característica, por longo tempo, residiu em fazer desfilarem, diante do público, os fatos mais importantes a cada ano que terminava, pretexto para a sátira política e a crítica de costumes. Além da comicidade, havia números musicais e as mais diversas atrações, que nas antigas revistas francesas confundiram-se com as do circo.[2]

As revistas de ano ganharam esse nome, portanto, por serem espetáculos nos quais eram repassados os acontecimentos sociais, artísticos e mundanos do ano anterior — epidemias, carestia, greves, escândalos, sucessos de teatro. Elas chegaram a Portugal em 1850 e, nove anos depois, criava-se a primeira revista brasileira, *As surpresas do senhor José da Piedade*, de Figueiredo Novaes, encenada no Rio de Janeiro. A peça teve temporada curta: a crítica política (ou a sensualidade) que acompanhava "as surpresas" irritou as autoridades, e a censura retirou o espetáculo de cartaz em três dias.

Em 1875, Joaquim Serra escreveu e fez encenar *Rei morto, rei posto*, ainda sem conseguir afirmar a revista entre os hábitos cariocas. O feito seria alcançado em 1884, quando Arthur Azevedo e Moreira

---

2   Em resenha do livro *Não adianta chorar*: teatro de revista brasileiro... Oba!, de Neyde Veneziano (Campinas: Unicamp, 1997), publicada no jornal *O Estado de S. Paulo* (São Paulo, 5 jul. 1997), anotei: "Em 1728, uma peça chamada *A revista dos teatros*, dos italianos Romagnesi e Dominique Filho, estreava em Paris, inaugurando o gênero. O argumento trazia Momo, 'pequeno deus da caçoada, filho da Noite e nascido dos prazeres obscuros', que, a mando de Apolo, devia passar em revista a vida teatral parisiense. No caminho, o discurso empolado de Marivaux, dramaturgo dos mais prestigiosos na época, era alvo de crítica: 'Para julgar o vosso discurso, seria preciso entendê-lo', dizia Momo à figura feminina que, na peça, representava alegoricamente o palavreado de pretensões aristocráticas. Certos traços peculiares ao teatro de revista já estavam presentes no texto de Romagnesi e Dominique Filho, entre eles a perspectiva popular e as intenções satíricas".

Sampaio criaram *O mandarim*, que lotou o Teatro Príncipe Imperial, na Praça Tiradentes. Situada no centro do Rio, a Tiradentes viria ser o principal endereço das revistas.

Delson resume o mote: "O mandarim chinês Tchi-tchan-fó desembarca no Rio de Janeiro com o objetivo de verificar se a terra tinha condições de receber imigrantes do seu país. Foi recebido pela Política, acompanhada por uma comitiva das mazelas da cidade: o Mendigo, o Cortiço, o Engraxate, o Vagabundo, o Jogo, a Escravidão, o Comendador e o Bacharel, entre outros". A revista transformava entidades, problemas ou grupos sociais em alegorias, personificando-os e fazendo-os dialogar entre si. Convenções revisteiras como a da apoteose, com homenagens a figuras célebres ou datas nacionais, além das alegorias, parecem ter sido assimiladas depois pelo carnaval.

Outros textos de Arthur Azevedo e Moreira Sampaio iriam fixar a revista no país, interpretados por artistas como Xisto Baía, Machado Careca ou Brandão, "o popularíssimo". Entre essas peças, destaque-se *O bilontra* (1886), exemplo da repercussão que os espetáculos podiam ter. "Bilontra" era gíria para malandro, farsante, e o tema do texto baseava-se em fato do noticiário: um golpe aplicado pelo tal bilontra contra um abonado mas ingênuo comerciante português, a quem o malandro vendeu falso título de nobreza. O caso chegou aos tribunais; o sucesso da peça foi tamanho que influiu sobre o destino da causa, encerrada com a absolvição do tratante (segundo conta outro estudioso do gênero, Fernando Mencarelli, no livro *Cena aberta*).

A evolução da revista no Brasil confundiu-se com a do carnaval, e não seria fácil precisar se foi a festa que incorporou processos do teatro ou se foi este que aproveitou convenções da folia. O certo é que as revistas de ano foram sucedidas, no país, pelas chamadas revistas carnavalescas. O motor destas últimas, que se firmaram nas primeiras décadas do século XX, já não era a crônica dos acontecimentos do ano transcorrido, mas o balanço dos maxixes, sambas e marchas. O teatro de revista, a essa altura, estreitava a parceria com a música popular, tornando-se o principal veículo de divulgação das canções.

Uma terceira modalidade do gênero consiste nos espetáculos feéricos, que irão dominar os anos 1940 e 1950, sobretudo com a companhia de Walter Pinto, empresário atento aos modelos francês e norte-americano de teatro musical. Os aspectos visuais — escadarias, luzes, cenários, figurinos e, claro, atrizes exuberantes — ganham ênfase nesse estilo, que visa causar impacto sobre os sentidos. Elencos numerosos, com mais de cem integrantes, entre cômicos, vedetes, músicos e coristas, somados ao luxo e aos efeitos de palco, tornaram as montagens caras demais, acelerando a morte das revistas. Admite-se que o passamento tenha ocorrido em 1961, quando se produz "o último êxito" do gênero, O *diabo que a carregue lá pra casa*, de Walter e Roberto Ruiz.

As revistas feéricas seduziam olhos e ouvidos, mas se afastaram do cotidiano dos espectadores, criticamente abordado justamente nos quadros de humor que se fizeram escassos nos espetáculos de Walter Pinto (o que constitui a tese de Neyde Veneziano em *Não adianta chorar*). Seja como for, a herança revisteira — a comicidade, os alumbramentos sonoros e visuais, a malícia sexual, a irreverência com o poder — transferiu-se para o cinema, nas chanchadas da Atlântida, e mais tarde para os programas televisivos. Nos anos 1960 e 1970, a geração de Augusto Boal, Oduvaldo Vianna Filho e Gianfrancesco Guarnieri tomou emprestados elementos do gênero para compor um teatro popular, de intenções engajadas.

Os dramaturgos Luiz Peixoto e Geysa Bôscoli, os empresários Paschoal Segreto e Jardel Jércolis, os atores Oscarito e Grande Otelo (dois dos maiores cômicos do mundo), as atrizes Aracy Cortes, Lódia Silva, Dercy Gonçalves, os compositores Vicente Paiva, Mário Lago, Custódio Mesquita dedicaram-se à carreira, sempre instável, de fazer o público rir e cantar. A trajetória desses artistas condensa-se no texto de *Fora do sério* de modo direto e claro, próximo do didático, ao mesmo tempo que o autor procura delinear a moldura histórica sob a qual eles trabalharam. Os espetáculos que Delson Antunes registrou no livro, com apoio em ampla pesquisa iconográfica, refletem o rosto de nossos pais e avós. A nossa própria cara, portanto, por afinidade e empatia.

O TESTAMENTO DO JOVEM GOETHE[1]

Há obras que perseguem seus autores. Foi assim com o romance *Os sofrimentos do jovem Werther*, de Goethe. O próprio Goethe, no entanto, contribuiu para a confusão que, durante anos, se fez entre o exasperado Werther e o romancista — como se sabe, as fofocas alimentam as vendas. Entre outras pistas capazes de induzir os leitores a relacionar a criatura ao criador, há esta: a data de aniversário do personagem, 28 de agosto, é a mesma de Johann Wolfgang von Goethe. Elementos autobiográficos marcavam a obra que tornaria o escritor famoso de uma hora para outra, aos 25 anos.

O livro desencadeou uma série de suicídios na Alemanha, atingindo em cheio a sensibilidade dos mais frágeis, que resolveram imitar o personagem nas suas desventuras sentimentais. Nas edições posteriores, o autor viu-se obrigado a incluir a advertência: "Seja homem e não siga meu exemplo". Os leitores mais ingênuos não se deram conta de

---

1 Artigo publicado no jornal *Correio Braziliense*, suplemento Pensar (Brasília, 29 ago. 1999), em matéria nos 250 anos de Goethe.
Ver *Os sofrimentos do jovem Werther*, de Goethe, com tradução de Leonardo César Lack e posfácio de Willi Bolle (São Paulo: Nova Alexandria, 1999), e *Trilogia da paixão*, de Goethe, com tradução e ensaio de Leonardo Fróes (Rio de Janeiro: Rocco, 1999).

que, enquanto o personagem resolvia seus problemas amorosos com o suicídio, o autor do livro permanecia vivo para contar — magistralmente — a história.

O romancista, dramaturgo, poeta e cientista alemão nasceu há exatos 250 anos, em Frankfurt, e morreu em Weimar, em 1832, aos 82 anos. Uma nova tradução de *Os sofrimentos do jovem Werther* chegou às livrarias em julho, publicada pela Nova Alexandria. Outro livro, *Trilogia da paixão*, com poemas traduzidos por Leonardo Fróes e ensaio assinado pelo tradutor, foi lançado há poucos dias pela Rocco no Rio de Janeiro.

O romance, em que as aventuras sociais e íntimas do jovem burguês são narradas através de cartas, foi uma das primeiras obras publicadas por Goethe e tornou-se um dos textos fundamentais do movimento *Sturm und Drang*, isto é, Tempestade e Ímpeto, com o qual a geração do autor entrava ruidosamente na cena literária. Uma peça de Klinger daria nome ao movimento, revolta de escritores contra o império da razão e da ordem. Do grupo, fariam parte ainda o dramaturgo Lenz, admirado por gerações posteriores, e o jovem Schiller, autor de *Os bandoleiros*, peça escandalosa por exaltar as supostas qualidades existentes nos criminosos, vistos como rebeldes.

A figura de Werther encarna os ideais românticos — aliás, pré-românticos — do sentimento autêntico e da espontaneidade, que a ordem aristocrático-burguesa na Alemanha de então tendia a sufocar. Para Werther, a ética de respeito às emoções genuínas corresponde, no plano estético, a uma arte que já não pode ser concebida em termos clássicos, segundo gêneros dados de antemão. O personagem tem talento de desenhista e encontra, na natureza, a fonte de seus trabalhos. Mas, quando a paixão insolúvel começa a asfixiá-lo, o mundo à volta, natureza incluída, parece conspirar contra ele. "As próprias relações sociais são questionadas em bloco, sucedendo-se as imprecações e denúncias contra o mundo cortesão e burguês", escreve Leonardo Fróes em *Trilogia da paixão*. Nos salões pretensamente elegantes, Werther "sente-se em face de uma exibição de fantoches".

A marca maior da trajetória de Goethe, no entanto, é justamente a de ter praticado diversos estilos e ideologias estéticas ao longo da vida. Esgotadas as energias do grupo Tempestade e Ímpeto, Goethe, associado a Schiller, inaugurava o movimento classicista na Alemanha, voltando a gregos e latinos. Para esse retorno, foi fundamental a viagem que fez à Itália em 1786. Dessa viagem, em que visitou ruínas clássicas em várias cidades, nasceram as *Elegias romanas*. Uma de suas peças mais importantes, *Ifigênia em Táurida*, baseada em modelo grego, foi terminada e publicada no ano seguinte. A passionalidade romântica cedia lugar à busca do equilíbrio, na vida e na arte.

O interesse de Goethe pelos clássicos liga-se a uma atitude mais ampla de curiosidade pelas formas artísticas praticadas por outros povos, distantes no tempo ou no espaço. O professor Flávio Köthe, do Departamento de Teoria Literária e Literaturas da UnB, define essa atitude como "busca da essência do literário no plano transnacional e supranacional". Trata-se de ver a cultura em "perspectiva mundial, acima de qualquer nacionalismo estreito", diz Flávio Köthe. Goethe filiava-se à linha humanista que, vinda do filósofo Kant, no século XVIII, se estende até a atualidade.

Prova desse interesse são trabalhos como o *Divã ocidentoriental*, em que faz a paráfrase de temas e formas árabes, ou as *Estações do ano e horas do dia sino-alemãs*, em que cultiva técnicas inspiradas na poesia chinesa, ambos escritos na maturidade. Deve-se a Goethe o conceito generoso de literatura do mundo ou literatura universal, segundo o qual, de acordo com Leonardo Fróes, as obras literárias do futuro "acabariam por transpor as barreiras nacionais".

É duvidoso que a globalização em voga possa responder satisfatoriamente aos ideais de uma literatura universal. Goethe não pensava em uniformização dos procedimentos literários segundo regras de mercado, mas em realidade menos mesquinha. Exaltando a tradução como instrumento básico dessa aproximação entre literaturas de diversas latitudes, disse em resenha publicada em 1828: "Em cada obra literária particular, serão reconhecidos e irão transparecer cada vez mais aqueles elementos comuns, apesar das características nacionais e pessoais". Esse objetivo se liga a outro, mais amplo: "Não devemos esperar que daí resulte a paz universal, mas ao menos que as divergências inevitáveis aos poucos se tornem menos violentas, a guerra menos cruel e a vitória menos arrogante".

A obra maior de Goethe, *Fausto*, consumiu cerca de 60 anos de esforços. Na peça, terminada poucos meses antes da morte, um homem dedicado a estudos filosóficos e científicos lamenta que o empenho humano resulte em coisa alguma, diante dos mistérios renitentes de vida e finitude. Ele aposta a própria alma com o diabo: irá entregá-la ao demônio caso este lhe abra as portas do poder e do conhecimento.

Ao final, Fausto, derrotado, é redimido porque, diante de Deus, valeria o esforço humano em compreender os próprios limites justamente para superá-los. "A esse sentido, enfim, me entrego ardente: à liberdade e à vida só faz jus quem tem de conquistá-las diariamente", diz Fausto, na tradução brasileira de Jenny Klabin Segall. Goethe, identificado a seu personagem, diria o mesmo.

GOETHE CIENTISTA

Goethe consolidou a literatura alemã, ainda muito influenciada pelos vizinhos franceses quando ele começou a escrever, por volta de 1770. Foi também desenhista hábil. E exerceu cargos administrativos importantes em Weimar, inclusive o de diretor do teatro local.

É surpreendente, portanto, que tenha encontrado tempo para se dedicar às ciências. Estudou anatomia, botânica, física, geologia. Se a dissertação com que terminou o curso de direito foi rejeitada pela Universidade de Estrasburgo, temas científicos, além da literatura e do teatro, viriam a interessá-lo.

Goethe escreveu o *Ensaio para esclarecer a metamorfose das plantas* em 1790, o mesmo ano em que publicou o Fragmento do *Fausto*. Para ele, a origem de animais e vegetais estaria ligada à existência de um oceano primitivo. As ideias de Goethe sobre plantas e animais teriam prenunciado a teoria da evolução, exposta por Darwin em *A origem das espécies*.

Os estudos de anatomia feitos por Goethe o levaram à descoberta do osso intermaxilar nos seres humanos. E, ao mesmo tempo que retomava seu projeto narrativo mais ambicioso, o ciclo do *Wilhelm Meister*, publicava em 1810 a *Teoria das cores*, ainda hoje polêmica. Foi, como diz Leonardo Fróes, "um renascentista tardio".

FUNDAMENTOS DA ENCENAÇÃO[1]

Há uma linha de ideias estéticas e políticas que liga pensadores do século XVIII, como Denis Diderot, a escritores do século XX, particularmente Bertolt Brecht. Entre os traços gerais, comuns a esses autores, acha-se o empenho em desmoralizar e ultrapassar dogmas de todo tipo.

Essa linha de ideias encontra ponto importante na obra do dramaturgo e teórico Jakob Michael Reinhold Lenz (1751-1792), um dos escritores do movimento conhecido como *Sturm und Drang*, Tempestade e Ímpeto, surgido na Alemanha por volta de 1770.

Também chamado de pré-romantismo, o movimento durou cerca de 15 anos, para depois ceder lugar ao classicismo de Goethe e Schiller. Estes haviam sido adeptos da turbulência pré-romântica, mas a trocaram pela sobriedade inspirada na herança greco-latina e nas peças e ideias neoclássicas de autores franceses como Racine e Corneille.

As *Notas sobre o teatro*, publicadas por Lenz em 1774, como prefácio à tradução que ele fizera da comédia *Trabalhos de amor perdidos*,

---

1   Resenha publicada no jornal *Correio Braziliense*, suplemento Pensar (Brasília, 26 ago. 2006).

Ver *Notas sobre o teatro*, de J. M. R. Lenz, e *Regras para atores*, de J. W. Goethe, em volume único, com tradução e prefácio de Fátima Saadi (Rio de Janeiro: 7 Letras, 2006).

de Shakespeare, aparecem agora em português, ao lado das *Regras para atores*, de Johann Wolfgang von Goethe (1749-1832). Vertidas por Fátima Saadi, as relativamente breves mas densas obras, dispostas num só volume, revelam as diferenças existentes entre o pré-romântico Lenz e o Goethe maduro da fase clássica. Substancial texto introdutório, redigido por Fátima, acompanha as traduções.

As *Notas* exibem autor inquieto e irreverente, mas agudo e ambicioso, sem sorte na luta pelo poder literário em seu próprio tempo. Já Goethe, malgrado a inegável importância de seu amplo trabalho, surge nas *Regras para atores*, de 1803, como conscienciosos guardião das boas maneiras teatrais; papel, de todo modo, necessário no período em que os alemães buscavam disciplinar e afirmar o seu teatro.

Três aspectos podem ser destacados nas *Notas*, originalmente divulgadas em forma de palestra. O primeiro deles consiste na polêmica em torno da noção de arte como imitação da natureza, que remonta ao grego Aristóteles. Ligados a esse, acham-se dois outros problemas: o da importância do enredo, por oposição ao maior ou menor relevo que se atribua aos personagens; e o das unidades de ação, lugar e tempo, balizas que, segundo o cânone clássico, deveriam reger a composição das obras teatrais.

Interessa a Lenz opor a anárquica criatividade e a densidade humana das peças do inglês Shakespeare, referência maior dos pré-românticos, ao prestígio literário dos franceses, com sua obediente atenção às regras clássicas, levadas ao paroxismo nas tragédias de Racine. Este e outros dramaturgos foram zelosos em observar o que julgavam ter sido prescrito por Aristóteles. A ação devia mostrar-se una e coerente, concentrar-se num só lugar e se desenvolver durante cerca de concisas 24 horas. Com base nessas regras, fez-se o teatro neoclássico, modelo prestigioso que Lenz pretende contestar.

Assim, ele volta a Aristóteles e à noção de imitação que consta da *Poética* do autor grego, qualidade inerente ao homem. As artes, para Aristóteles, manifestam e reafirmam o dom mimético dos seres humanos. Lenz põe em dúvida, com ironia, que seja mesmo assim:

Aristóteles anota que "o homem é um animal eminentemente destinado à imitação", e o teórico alemão retruca: "Ainda bem que ele diz: 'eminentemente', senão o que seria dos macacos?".

O que importa, quanto a esse primeiro aspecto, é que o artista reproduz a realidade, sim, mas o faz segundo determinado ponto de vista singular, que marca precisamente a sua condição de criador. Nos termos de Lenz, o artista deve agir como "pequeno deus" diante do mundo que lhe cabe não só apreender, mas recriar no plano estético.

Os verdadeiros poetas portam-se à maneira de "pequenos deuses que, com uma centelha no peito, sentam-se nos tronos da Terra" e, seguindo o exemplo da própria divindade, "mantêm um pequeno mundo". Lenz não explicita exaustivamente as suas noções, tampouco fornece fórmulas, mas pede que os artistas sustentem atitude diversa da simples subserviência às convenções em torno do conceito de natureza e dos caminhos para representá-la.

Mais incisiva e definida é sua crítica ao preceito aristotélico de que a tragédia é imitação de ações, mais do que de caracteres. Os eventos do enredo importavam mais que os personagens, diz Lenz, porque para os gregos não havia o que no século XVIII se iria entender por liberdade individual. Édipo, Electra, Antígona afinal respondem ao que os deuses ou a ordem cósmica predeterminaram. Não são livres e, por isso, a "pintura de caracteres" é preterida por Aristóteles, que elege, como objeto principal das peças teatrais, o enredo, a trama dos fatos.

Lenz constata que não há enredo sem personagens e que, modernamente, importa perceber os acontecimentos a partir da alma das criaturas, da qual os lances do enredo não se podem separar. Ele provoca seu público: "Que culpa temos nós se queremos ver homens onde eles [os gregos] só viam o destino inexorável e seus misteriosos influxos? Ou os senhores temem ver um homem?".

Por fim, observa quanto à questão das unidades, sobre a qual se gastou muita tinta: "O que significam as três unidades? Posso apontar-lhes cem unidades que, todas, serão sempre uma. Unidade de nação, de língua, de religião, unidade de costumes. É preciso que o poeta e o público sintam a unidade, não que a classifiquem".

Lenz deixou peças (entre elas, *O preceptor* e *O novo Menoza*) em que ressaltam a inquietude literária e o inconformismo político. Morreu louco, aos 41 anos, mas, redescoberto por naturalistas e expressionistas, integrou-se à linhagem dos grandes escritores alemães. Linhagem na qual o vitorioso Goethe ocupa lugar privilegiado.

As *Regras para atores* não têm o ardor polêmico das *Notas*, pelo contrário. Procedem da experiência de Goethe como diretor de casas de espetáculo, constituindo receituário destinado a ordenar estética e moralmente (no palco e mesmo na vida) a conduta dos intérpretes. As *Regras* distribuem-se em seções, sob subtítulos como "Pronúncia", "Recitação e declamação", "Gestual", "Observações sobre ensaios" ou "Postura do ator na vida cotidiana".

O credo é o neoclássico: a tônica recai na busca da harmonia entre palavras e gestos, na consonância dos vários elementos que formam a cena. Goethe fornece conselhos precisos, de ordem técnica, aos intérpretes, percorrendo todos os aspectos do desempenho. A importância das *Regras para atores* reside, sobretudo, em nos dar ideia do teatro clássico alemão, baseado em normas contra as quais o insubmisso Lenz provavelmente continuaria a lutar, se tivesse vivido um pouco mais. Hoje, as *Regras* se tornaram simples referência histórica, ao passo que as anárquicas *Notas*, esquecidas em seu tempo, permanecem inspiradoras.

TRAGÉDIA ROMÂNTICA[1]

Há mais de um caminho para iniciar esta resenha de *A noiva de Messina*, tragédia em versos do alemão Friedrich Schiller (1759-1805). Escolho mencionar, de saída, o teatro brasileiro. Explico: a peça de Schiller, um dos autores clássicos em língua alemã, foi traduzida por Gonçalves Dias, morto em 1864, aos 41 anos. Traduzir a peça, "excelente no seu gênero", diria o poeta, seria um dos últimos trabalhos realizados pelo maranhense, autor de quatro textos teatrais, entre eles o drama *Leonor de Mendonça*.

Vale ressaltar a importância que o teatro teve para os escritores românticos (e depois para os realistas) no Brasil. Os decassílabos sem rimas, carregados de palavras raras ou arcaicas e de inversões sintáticas, nos quais Gonçalves Dias traduziu a obra, retomam a tradição portuguesa que remonta ao século XVI. A dedicação à dramaturgia encontra-se também nos modernos: *A noiva de Messina*, agora reeditada,

---

1   Resenha publicada no jornal *Correio Braziliense*, suplemento Pensar (Brasília, 17 jul. 2004).

Ver *A noiva de Messina ou Os irmãos inimigos*, de Friedrich Schiller, com tradução de Gonçalves Dias, notas de Manuel Bandeira e organização de Márcio Suzuki e Samuel Titan Jr. (São Paulo: Cosac Naify, 2004).

tem revisão e notas de Manuel Bandeira, ele próprio tradutor de *Maria Stuart*, outra peça de Schiller.

O dramaturgo, poeta e pensador Schiller foi um dos responsáveis pela emancipação cultural dos alemães, que até fins do século XVIII estiveram presos aos modelos franceses, ao menos no campo das letras. Importa frisar essa circunstância porque se costuma esquecer que as culturas não nascem prontas: ao ler *A noiva de Messina*, texto de 1803, deparamos justamente com um desses momentos em que se reelaboram processos e propósitos artísticos. Schiller ambicionava reinaugurar, em língua alemã, o ilustre e sempre esquivo teatro grego. Conseguiu — em parte.

A história apresenta a família que reina em Messina, cidade da Sicília. A ação se passa na época medieval, mas sugere tempo e espaço indefinidos, míticos. Isabel, a princesa-mãe, perdeu o marido há poucos meses e angustia-se com os dois filhos: Manuel e César se odeiam, tangenciando a morte; Beatriz, a noiva do título, será objeto de paixão e de disputa fatal entre ambos. Os irmãos transitam por Messina acompanhados de homens armados. Reunidos, os grupos rivais constituem o coro — nesse aspecto, o da "tragédia com coros", reside a proposta básica de Schiller para trazer de volta as práticas teatrais gregas.

Os espetáculos alemães de seu tempo, influenciados pelos franceses e sua noção estrita de arte como imitação do real, achavam-se limitados pelo "naturalismo", pensava Schiller. Empenhado em retratar natureza e civilização de modo não literal, mas essencial, o autor busca no uso do coro, que implica melodia e movimento, o recurso para alcançar a dignidade clássica legada por Ésquilo e Sófocles: "O poeta fornece apenas as palavras e, para vivificá-las, é preciso acrescentar música e dança", diz em prefácio.

Para o dramaturgo, a linguagem em versos "já foi um grande passo para se aproximar da tragédia poética". O uso do coro será o passo seguinte e "decisivo", declarando-se, assim, "guerra ao naturalismo na arte". As falas confiadas ao coro destinam-se a emoldurar os eventos, comentando-os e, com isso, impedindo que o espectador se envolva demais com a sorte dos personagens. O público deve ser levado a pensar, alcançando a atitude indispensável a homens e mulheres adultos: a síntese entre a sensibilidade aos estímulos e a capacidade de refletir sobre eles.

Schiller buscava espectadores plenos, mais do que simples receptores, gente apta a exercer a própria liberdade, como deixou expresso no ensaio *A educação estética do homem* (1795). Alguns de seus contemporâneos, no entanto, escreveram sobre a peça questionando a eficácia do projeto (os textos estão reproduzidos no livro). E. T. A. Hoffmann, por exemplo, mostrou-se irônico ao afirmar que os atores soaram "como se alunos repetissem sua lição". Ele apontava sobretudo o fato de não se ter, e não se tem até hoje, noção exata do tipo de música praticado pelos gregos. Schiller, segundo Hoffmann, tampouco encontrou sucedâneo adequado.

Há outros problemas. Entre eles, este: um dos modelos de Schiller foi o mito grego de Etéocles e Polinices, os irmãos que, disputando o poder de Tebas, acabam por se engalfinhar, matando-se um ao outro. Mas, na lenda clássica, há motivo forte para o ódio fraterno: a luta pelo poder. Em *A noiva de Messina*, não se sabe qual seja a causa da permanente contenda entre os irmãos — muito anterior à competição pelo afeto de Beatriz, a noiva —, a não ser que se insinue aqui a disputa pelo amor da mãe. A figura do fado implacável, tão cara aos gregos, resulta meio deslocada na peça alemã.

Hoje o texto destina-se a ser lido, mais do que a ser encenado — o que não se dá com *Maria Stuart*, também uma tragédia em versos, graças à tradução mais leve de Bandeira. De todo modo, deve-se visitar *A noiva de Messina*, vertida por Gonçalves Dias em tom rebuscado e solene. Beatriz, afinal, se descobre irmã de Manuel e César: assombra-nos "a súbita impressão de incesto". É uma dessas belas e trágicas mulheres idealizadas pelos autores de teatro.

O OLHAR PIONEIRO[1]

Ao contrário do que nos parece hoje, à distância de mais de século e meio, o movimento romântico teve muito de socialmente combativo, na Europa e no Brasil, ainda que tenha abrigado tendências moderadas e mesmo reacionárias, lá como aqui. O diplomata, poeta, ensaísta e dramaturgo Gonçalves de Magalhães (1811-1882), a quem coube iniciar o romantismo brasileiro, na poesia, com os tênues *Suspiros poéticos e saudades*, de 1836, foi também o responsável por inaugurar o teatro nacional em seu aspecto literário, seguindo à sua maneira a voga romântica. Já tínhamos teatro popular, de que hoje há poucas notícias; Magalhães, ao lado de Martins Pena, deu início à nossa dramaturgia.

Em março de 1838, Gonçalves de Magalhães fez encenar, no Rio de Janeiro, sua tragédia *Antônio José ou O poeta e a Inquisição*, pelo ator-empresário João Caetano, outro pioneiro. Composta em versos decassílabos sem rimas, a peça registra os momentos finais do comediógrafo Antônio José da Silva, o Judeu, autor de "óperas" como *Guerra de alecrim e manjerona*. Esse escritor popular tinha sido acusado

---

[1] Resenha publicada no jornal *Correio Braziliense*, suplemento Pensar (Brasília, 23 abr. 2005).

Ver *Gonçalves de Magalhães: tragédias*, em edição preparada por Mariangela Alves de Lima (São Paulo: Martins Fontes, 2005).

de "judaísmo", no feroz Portugal da Contrarreforma, e acabou condenado à morte pela intolerância católica, em 1739. Junto à outra peça de Gonçalves de Magalhães, chamada *Olgiato*, a tragédia inaugural de nosso teatro aparece agora em volume organizado e apresentado pela pesquisadora Mariangela Alves de Lima.

A história real viria a se transformar, como enfatizou Magalhães em prefácio, em tragédia "de assunto nacional" (embora a ação se passe em Lisboa e o que há de nacional se limite a Antônio José ter nascido no Rio). Os fatos foram modificados ou tingidos de fantasia para atender às convenções morais e estéticas vigentes. Apesar das boas intenções neoclássicas, timidamente mescladas a novidades românticas, o autor incide em processos de enredo que lembram o tom moralizador ou contemporizador dos melodramas. É o caso no quinto e último ato, quando faz que o delator de Antônio José, o sombrio frei Gil, se arrependa até as lágrimas e peça perdão à sua vítima. A instituição religiosa, com suas práticas brutais — forca e fogueira esperavam pelos infiéis —, sai apenas levemente arranhada do episódio. Magalhães, ligado a D. Pedro II, não estava aí para grandes embates.

Mas a proximidade do poder, embora marque de algum modo a obra de Magalhães, não deve servir para alimentar a nossa má vontade. Seria um erro depreciá-lo: Gonçalves de Magalhães foi bastante hábil no manejo do decassílabo, metro com o qual a tradição clássica, em língua portuguesa, está especialmente identificada. E se, do ponto de vista do enredo, ele preferiu as soluções moralizantes, assimiláveis por espectadores de todos os matizes, ainda assim guarda o mérito de ter tocado na ferida histórica da Inquisição.

Alguns podem imaginar ser anacrônica a cobrança de lealdade aos fatos, quando feita a um autor do século XIX — como se usássemos critérios atuais para avaliar obras vetustas. Que se pense, nesse caso, em *Leonor de Mendonça*, peça de Gonçalves Dias, poucos anos posterior às de Magalhães. O autor da "Canção do exílio" não fez concessões de qualquer tipo ao denunciar a sorte socialmente subalterna das mulheres, mesmo as nobres como Leonor (morta em público pelo marido, sem que ninguém ousasse enfrentá-lo). É verdade: o drama de Gonçalves Dias só seria encenado no século XX.

Em 1839, as comemorações do dia 7 de setembro envolveriam a montagem da outra peça de Gonçalves de Magalhães, *Olgiato*, também uma tragédia. O dramaturgo recorre mais uma vez aos decassílabos para abordar o tema da tirania, defendendo a legitimidade da revolta civil, com o assassinato dos déspotas. Mariangela Alves de Lima anota: "Gonçalves de Magalhães aproveitou a oportunidade e fez uma peça política, ou pelo menos uma peça onde se debatia política. E pode-se dizer que usou para isso os recursos do teatro de um modo muito inteligente, embora não tenha resolvido com a mesma astúcia os problemas técnicos decorrentes do modelo trágico".

Um dos reparos liga-se ao fato de os personagens passarem os quatro primeiros atos a discutir: planejam matar Galeazzo Sforza, que usurpara o poder e espalhava o terror na Milão de 1476. Os conspiradores, entre eles o herói que dá nome à peça, debatem longamente a validade do gesto e os meios de praticá-lo, em lugar de agir. Outra restrição remonta à estreia e vem comentada por Magalhães no prólogo: o dramaturgo havia sido criticado por não trazer Sforza à cena, sendo o tirano apenas referido nos diálogos. O que se deu por decoro — afinal, tratava-se de um monstro. Aqui, Magalhães deixou claro o seu romantismo mitigado, distante do que julgava excessivo: "Não posso de modo algum acostumar-me com os horrores da moderna escola", admitiu.

Apesar das ressalvas, Gonçalves de Magalhães foi feliz em diversos aspectos de ambas as peças, relativos ao projeto de dar autonomia e substância ao texto e à cena brasileiros nas décadas seguintes à Independência. Entre esses aspectos, acham-se a intenção de pôr grandes temas em debate e, sobretudo, a técnica do verso, praticado por ele com perícia e elegância.

MARTINS PENA COMPLETA 150 ANOS DE INGÊNUA MALÍCIA[1]

Por volta de 1845, dois episódios movimentaram o noticiário policial fluminense. Um deles referia-se a um rapaz de boa família que, apaixonado, enfrentou as interdições do tempo, arranjando meio de chegar, pelo telhado, ao interior da casa de sua amada "para falar-lhe", como se diria na ocasião. Outro acontecimento, bem mais grave, envolvia o assassinato de um escravo, cujo corpo foi posto num saco e despejado nalgum reduto remoto, talvez no mar. O rapaz afoito, embora pertencesse a uma "família respeitável", segundo testemunho da época, foi deportado. Os assassinos do escravo, presume-se, permaneceram impunes.

O dramaturgo Luís Carlos Martins Pena, nascido em 1815 e morto a 7 de dezembro de 1848, há exatos 150 anos, aludiu aos dois episódios em *Os ciúmes de um pedestre*, comédia em um ato levada ao palco em 1846, naturalmente reelaborando-os. As referências àqueles fatos denunciavam a tirania imposta aos sentimentos, motivo de galhofa desde

---

1   Artigo publicado no jornal *O Estado de S. Paulo*, suplemento Cultura (São Paulo, 12 dez. 1998), nos 150 anos de morte de Martins Pena.

o romano Plauto, e a perfídia com que eram tratados os escravos, mais de 40 anos antes da Abolição.

Vista assim, essa peça pode resumir ou exemplificar a postura que define a originalidade de Martins Pena. Ao mesmo tempo que retomava os tipos e as situações da comédia clássica, de que Plauto e Molière são autores fundamentais, Pena dirigia o olhar desabusado para a vida brasileira de seu tempo. De quebra, o pedestre ciumento fazia a paródia do *Otelo* de Shakespeare, então representado, na versão amaciada do francês Ducis, por João Caetano, um dos maiores atores brasileiros do século XIX.

Convenções de comédia como a do final feliz compareciam diligentemente a suas peças, mas nem sempre se aplicavam a todas as personagens. Veja-se, por exemplo, *O Judas em Sábado de Aleluia*, de 1844: o fim da história serve a Faustino e a sua namorada, mas desserve às outras figuras, justamente as que representam o poder, como o Capitão, denunciadas como corruptas. Martins Pena esteve longe de ser um escritor inocente.

No caso de *Os ciúmes de um pedestre*, a censura, exercida pelo Conservatório Dramático, de que o próprio Pena foi funcionário, não o perdoou ("Deus me dê paciência com a censura!", escreveu ele a um amigo). Um dos pareceres sobre a peça, assinado pelo presidente do Conservatório, Diogo Soares da Silva de Bivar, determinava: "Suprimindo-se o que vai aspado nos seus competentes lugares, no que se terá a mais escrupulosa atenção, e podendo ser alterando-se a cena do saco [...], como requer a censura, com a qual me conformo, nos termos do Imperial Decreto, pode representar-se".

Um segundo parecer era contrário à exibição da peça, que acabou subindo à cena em julho de 1846 com o título mudado para *O terrível capitão do mato* (a palavra "pedestre" designava o perseguidor de escravos fugidos). Conhecemos hoje o texto original de *Os ciúmes de um pedestre* e suas variantes graças aos esforços de Darcy Damasceno que, em 1956, publicou a edição crítica do teatro de Martins Pena — 20 comédias e seis dramas. Sabemos das relações entre algumas das principais comédias do autor e os fatos da época porque a pesquisadora Vilma Arêas deu-se ao trabalho de revirar os jornais do tempo — nos quais Martins Pena, aliás, faria crítica de ópera de 1846 a 1847. Vilma é autora de *Na tapera de Santa Cruz*, livro de 1987, provavelmente o estudo mais amplo dos dedicados ao escritor de *O noviço*.

A recepção crítica ao teatro de Martins Pena pode ser vista como uma história de idas e vindas, de debates constantes. A alegação de ingenuidade — nem sempre desabonadora — é posta em dúvida pelas próprias peças. As opiniões, felizmente, nem sempre coincidiram: de José Veríssimo, que deixou registradas as suas impressões sobre o autor na *História da literatura brasileira*, de 1916, a Iná Camargo Costa, que dedicou um artigo relativamente longo ao dramaturgo, publicado no recente *Sinta o drama*.

Ninguém jamais negou talento a Martins Pena, mas pioneiros como Veríssimo não viram nele mais que o autor capaz da "observação superficial dos tipos e ridículos sociais", dono de "graça um pouco vulgar", como afirmou ao compará-lo a um de seus supostos sucessores, França Júnior (este seria também levemente vulgar, para o crítico). Em resumo, o espírito farsesco, característico de Pena, "fugia por completo ao austero José Veríssimo", nota Décio de Almeida Prado no prefácio ao livro de Vilma Arêas. É verdade que, na mesma fase, Sílvio Romero faria o elogio de Pena, saudando principalmente o valor de documento que seus textos conservam.

Fica difícil conciliar, do ponto de vista contemporâneo, a "observação superficial" afirmada por Veríssimo, precedido nisso por José de Alencar e Machado de Assis, com a denúncia de uma das mazelas da sociedade brasileira do século XIX, a escravidão — denúncia gaiata, mas incisiva, que não aparece apenas em *Os ciúmes de um pedestre*, mas também noutras comédias, ainda que de forma indireta.

Vilma Arêas disse em entrevista recente que o talento de Pena "era o de um miniaturista". O que se explica pela própria dimensão das peças: das 20 comédias, apenas duas têm três atos, *O noviço* e *O usurário* — esta última, no entanto, nos chegou incompleta (dela, só se conhecem os dois primeiros atos). As demais têm infalivelmente um ato, marcado pela agilidade com que o autor define os tipos e arma as situações. Suas peças são mais propriamente farsas.

Muito do que há de importante a notar nas comédias de Martins Pena já ficou dito no *Panorama do teatro brasileiro*, de Sábato Magaldi. A capacidade de aproveitar-se das convenções clássicas, segundo as quais os jovens e espertos têm o direito de lograr os velhos e tolos (para lembrar a fórmula de Décio de Almeida Prado), ao mesmo tempo que retrata o Brasil, foi percebida por Sábato em 1962: "Na preocupação com a qual escreve sempre ao estímulo da realidade à volta, mesmo quando toma um assunto eterno e convencional do teatro, pinta um retrato de sua época", diz.

Também no *Panorama*, encontramos a afirmação exata de que as peças de Martins Pena são "uma escola de ética". Seria interessante, neste ponto, comparar suas comédias a uma peça do tipo de *Como se fazia um deputado*, escrita por França Júnior em 1881.

Não se trata de cobrar efeitos moralizantes, mas apenas de observar que o final feliz, convenção da comédia, será usado em Martins Pena com objetivos diversos dos visados por França Júnior em um de seus textos mais famosos. Um deputado, no Brasil da época, se fazia à base de pancada e corrupção nas chamadas "eleições de cacete": eleitores multiplicavam o voto individual por três ou quatro, defuntos tinham suas opiniões e as expressavam nas urnas, tudo de acordo com os interesses dos chefes políticos. Em suma: um carnaval, bem expresso por França Júnior. Mas, depois dos conflitos e problemas, todos, sem exceção, terminam felizes. Tudo vai bem no Brasil dos coronéis.

Martins Pena age diferentemente. O final feliz lá está, infalível, mas utilizado para castigar os costumes de maneira cáustica. Faustino, o herói de *O Judas em Sábado de Aleluia*, começa perseguido pelo Capitão para, ao fim da história, virar o jogo e tê-lo nas mãos. Disfarçado em Judas, parado e quieto a um canto da sala, o rapaz passa a conhecer as patifarias praticadas por seu chefe (Faustino é um soldado relapso da Guarda Nacional) e pelo pai da moça que ele corteja. Assim, de caça passa a caçador, chantageando os que o perseguiam. O final é auspicioso apenas do ponto de vista de Faustino e de sua namorada, a cândida Chiquinha. A farsa tem apenas 12 cenas e é um pequeno milagre, uma obra-prima.

A questão da ingenuidade também merece uma palavra. Se lemos as peças em chave dramática, buscando acreditar que o que se vê em cena deve coincidir, de alguma forma, com o que as personagens veem, só num esforço de boa vontade podemos aceitar o recurso frequente ao aparte, fórmula pela qual as figuras pensam em voz alta, sendo escutadas pelo público, mas não pelas demais personagens. Nesse caso, a "suspensão da incredulidade" precisa nos tornar pueris, retornamos à infância, de certo modo.

Ocorre que o aparte é recurso épico, não dramático. O que o autor faz, quando o utiliza, é romper os limites do drama fechado em si mesmo e nos abrir uma janela para o que as personagens pensam ou para o que diriam verdadeiramente, noutras circunstâncias. É como se houvesse, agora, um segundo plano, distante do primeiro, que é o do imediatamente visível. Considerado assim, o aparte perde um pouco de sua aparente ingenuidade, tornando-se processo legítimo no âmbito da farsa — que tem seus próprios instrumentos expressivos, alguns deles distintos dos usados pelo drama ou pela chamada alta comédia.

Apontando a pobreza como "foco de infecção social", percebendo a situação de dependência do país recém-saído da Independência, Martins Pena fez a sátira de um Brasil que precisava de remendos, de reformas que até hoje não se completaram. Podemos, portanto, acompanhar Vilma Arêas quando, em *Na tapera de Santa Cruz*, relaciona Machado de Assis a Mário de Andrade, especialmente o Mário de *Macunaíma* (com base em sugestão de Gilda de Mello e Souza), e ambos a Martins Pena.

Sob certos aspectos, como o da singularidade nacional em relação às matrizes europeias, Pena antecipa Machado e Mário. Isso deve ser ressaltado "não só na intenção de resolver os fundamentos da nossa nacionalidade (aquele *profundo* que se encontra no cotidiano, conforme ponderou Bandeira), mas na meditação consequente sobre a arte brasileira, que foram, os três, capazes de levar a cabo, a despeito da diferença que os separa, até por força da época em que viveram e das novas coordenadas acrescentadas a nossos crônicos problemas", escreve a pesquisadora.

Revalorizar Martins Pena, autor popular, percebendo a sua modernidade, nos ajuda a rever o sentido de nossa história literária.

UM BRINDE A GEORG BÜCHNER[1]

Se o presente reescreve constantemente o passado e com isso redireciona o futuro, os valores da história literária jamais estarão lançados de uma vez por todas. Esse gênero de operações, nas quais o acaso não deixa de jogar seu papel, envolveu a obra do escritor alemão Georg Büchner (1813-1837), morto aos 23 anos. Autor de repertório breve, mas seminal — composto por três peças teatrais, um panfleto político e uma novela —, Büchner teve a obra publicada na íntegra apenas em 1879, inspirando gerações de criadores desde então. Naturalistas e expressionistas viram no dramaturgo um precursor, tanto no plano dos temas, que ele tornou socialmente incisivos, quanto no plano das formas, alteradas para a expressão de novos conteúdos. O escritor nasceu há exatos 200 anos, que se completaram a 17 de outubro.

A tragicomédia *Woyzeck*, provavelmente sua peça mais conhecida, foi levada à cena pela primeira vez a 8 de novembro de 1913, em plena febre expressionista na Alemanha. O centenário de estreia da peça assinala outra data a convidar à releitura de seus textos — além

---

[1] Artigo publicado no jornal *Correio Braziliense*, suplemento Pensar (Brasília, 26 out. 2013), nos 200 anos de Georg Büchner e 100 anos de estreia da peça *Woyzeck*, e republicado no *site* Teatrojornal (21 fev. 2014).

de *Woyzeck*, Büchner escreveu o drama *A morte de Danton* e a comédia *Leonce e Lena*. Produziu ainda o panfleto *O mensageiro de Hesse* e a novela *Lenz*, na qual reelaborou passagens da vida de Jakob Lenz (1751-1792), dramaturgo ligado ao movimento *Sturm und Drang* (Tempestade e Ímpeto), autor com quem Büchner possuía afinidades e que ajudou a salvar do esquecimento.

Há uma linha a relacionar Lenz a Büchner e este aos naturalistas e expressionistas. Essa tendência, socialmente crítica e esteticamente inquieta, viria a ser uma das mais férteis da literatura alemã, alcançando o dramaturgo Bertolt Brecht (1898-1956) e se espraiando por outros idiomas. A história do soldado raso Franz Woyzeck, exemplar nesse contexto, chegou ao Brasil pelas mãos pioneiras de Ziembinski, diretor e ator de *Lua de sangue*, título usado na montagem — então pouco compreendida — feita no Rio de Janeiro em 1948.

Büchner ligou-se a atividades políticas em seu estado natal, Hesse; seu texto de estreia, *O mensageiro de Hesse: primeira mensagem*, foi escrito em parceria com o pedagogo Friedrich Weidig e divulgado clandestinamente em 1834. A Alemanha àquela altura não passara por uma revolução, como a França; a renovação industrial, em moldes semelhantes aos da Inglaterra, apenas começava. Ideias revolucionárias contrastavam com a prática autoritária das elites e com a atitude politicamente apática dos mais pobres.

O texto afirma anunciar "a verdade", "mas aquele que diz a verdade é enforcado". Ressalta que "a vida dos 'nobres' é um longo domingo", enquanto a dos camponeses não passa de "um longo dia de trabalho". Os autores contavam, todavia, com a precaução dos leitores, pedindo que estes mantivessem *O mensageiro de Hesse* longe do alcance das autoridades. Em vão: por medo ou subserviência, alguns entregaram o panfleto à polícia.

A obra não se limita a reclamar justiça e a exortar ao combate público, mas o faz baseada em dados objetivos, que assinalam o homem de ciência que Büchner também foi. Apresentados os números do que se paga em impostos no estado, Weidig e Büchner denunciam: "Este dinheiro é o dízimo de sangue, que é tomado do corpo do povo. Cerca de 700.000 homens suam, suspiram e passam fome para isso", numa população que soma, naquele momento, 718.000 pessoas.

Büchner escapa da cadeia por pouco. Em cinco semanas no início de 1835, antes de fugir para a cidade francesa de Estrasburgo, escreve sua primeira peça, *A morte de Danton*, na qual aborda sem idealizações a Revolução Francesa na fase do Terror, com os rebeldes dos tempos iniciais a lutarem brutalmente, poucos anos depois, uns contra os outros. As execuções se multiplicam, cabeças rolam às dúzias.

A situação contemplada por Büchner opõe "o incorruptível" e paranoico Robespierre, dedicado a salvar a revolução de supostos desvios, ao desencantado e dissoluto Danton, a essa altura exausto da violência na qual os adversários insistem. Questões sociais e metafísicas se enlaçam nesse drama (a que não faltam momentos de humor), assim como nas outras obras de Büchner. A condição de suas criaturas revela-se ao mesmo tempo terrena e transcendente — ainda que transcendência, neste caso, tenha antes a ver com ironia e desalento do que com esperanças de qualquer tipo.

A estrutura literária na qual se traduzem esses temas tende para o modo épico de compor, que privilegia aspectos sociais, iluminando o contexto em que se dá a trajetória dos indivíduos (embora a forma dramática tradicional, centrada no indivíduo, em parte se conserve aqui). A história apresentada aos solavancos, com laços tênues entre as cenas, busca o efeito de painel, de mosaico, para ressaltar as tendências exteriores, públicas, que ultrapassam a estrita vontade dos personagens e que determinam seu destino. Danton, no centro do quadro, revela-se um herói paradoxal: lúcido e eloquente, mas incapaz de ação efetiva, inclina-se a desistir de todas as lutas, pessoais ou políticas, vistas por ele como inúteis.

Um debate teológico acontece quando o ex-líder e outros revolucionários vencidos pelo grupo de Robespierre se encontram presos, à espera da guilhotina. Discute-se a existência de Deus. O inglês Payne afirma: "Eliminai a imperfeição; somente assim podereis demonstrar

Deus". Ele explica seu ponto de vista: "Pode-se negar o mal, mas não a dor. Somente a razão pode demonstrar Deus; o sentimento se insurge contra isso. Toma nota desta pergunta, Anaxágoras: por que sofro? É essa a cidadela do ateísmo. A mais leve contração de dor, ainda que se produza apenas num átomo, abre na criação uma fenda de alto a baixo".

Em Estrasburgo, Büchner tem notícia da obra de Jakob Lenz e pensa em escrever uma dissertação sobre o dramaturgo. Termina optando pela forma ficcional. Lenz havia atuado na década de 1770, a do movimento Tempestade e Ímpeto, ao lado de Goethe e Schiller, estes depois convertidos ao credo neoclássico. Autor de comédias como *O preceptor ou Vantagens da educação particular* e *O novo Menoza*, o anticlássico Lenz trata com sarcasmo as interdições impostas aos alemães de seu tempo: em *O preceptor*, o herói, diante das dificuldades amorosas, acaba por se castrar, autopunindo-se por não poder conter o próprio desejo...

Em ambas as peças, o andamento acelerado torna as ações inverossímeis, conduzindo os enredos a uma espécie de autoparódia. Büchner interessa-se pela trajetória do escritor que morreria louco, em plena rua, em Moscou, e compõe relato em terceira pessoa, mas empático, atento a sua lucidez — os debates sobre arte são especialmente vivos — e a seus delírios, traduzidos por imagens enfáticas.

O tema do tédio e da liberdade existencial, tocado em *A morte de Danton* e em *Lenz*, reaparece na comédia *Leonce e Lena*. O príncipe Leonce, expressando não só o fastio de sua classe, mas o de toda gente, lastima-se: "O que as pessoas fazem por causa do tédio! Estudam pelo tédio, rezam pelo tédio, apaixonam-se, casam-se, multiplicam-se pelo tédio e finalmente morrem de tédio e — aí está a graça — tudo isso com os rostos mais compenetrados, sem saber por que e pensando que Deus sabe".

No entanto, alguma coisa vem movimentar essas águas plácidas. O rapaz e a moça do título não se conhecem, mas tiveram o casamento combinado pelas respectivas famílias, que o fizeram por mera conveniência, sem levar sentimentos em conta. Leonce e Lena, cada um por seu lado, então fogem para evitar o casamento à força. Perambulando, encontram-se por simples acaso e se apaixonam. Enfim retornam aos domínios do patético rei Peter, pai de Leonce, e terminam por descobrir que o prometido de Lena era o próprio Leonce, e vice-versa. O casamento por interesse coincide ironicamente com o casamento por amor; a liberdade e seu oposto, ou seja, a submissão à ordem, afinal se equivalem.

Büchner encontrou o mote para *Woyzeck* em relatos sobre o crime praticado por um homem com esse nome, que matara a namorada por ciúmes, tendo sido executado em 1824. A busca do tema na realidade e não nas convenções literárias antecipa o naturalismo em várias décadas. Ao mesmo tempo, a imaginação que deforma o real — para representá-lo com mais vigor — indica a filiação aos valores do grupo Tempestade e Ímpeto. E vai inspirar os expressionistas já no século xx.

O escritor quebrou a tradição segundo a qual o herói de tragédias e dramas tinha de proceder, sempre, das classes privilegiadas. Em sua última e inacabada peça, quem assume o papel principal é um pé-rapado, perdedor da cabeça aos sapatos; o humor que tempera a história volta-se contra o Capitão e o Médico, símbolos do poder arrogante e obtuso. Trazer o proletário para o centro da cena equivalia a tomar o seu partido — no caso de Woyzeck, não para justificá-lo, mas para compreendê-lo. Providência corajosa, capaz de interrogar o teatro até agora.

ANÚNCIO DE *LUA DE SANGUE* [*WOYZECK*] NO JORNAL *DIÁRIO DE NOTÍCIAS* (RIO DE JANEIRO, 26 AGO. 1948). © FUNDAÇÃO BIBLIOTECA NACIONAL.

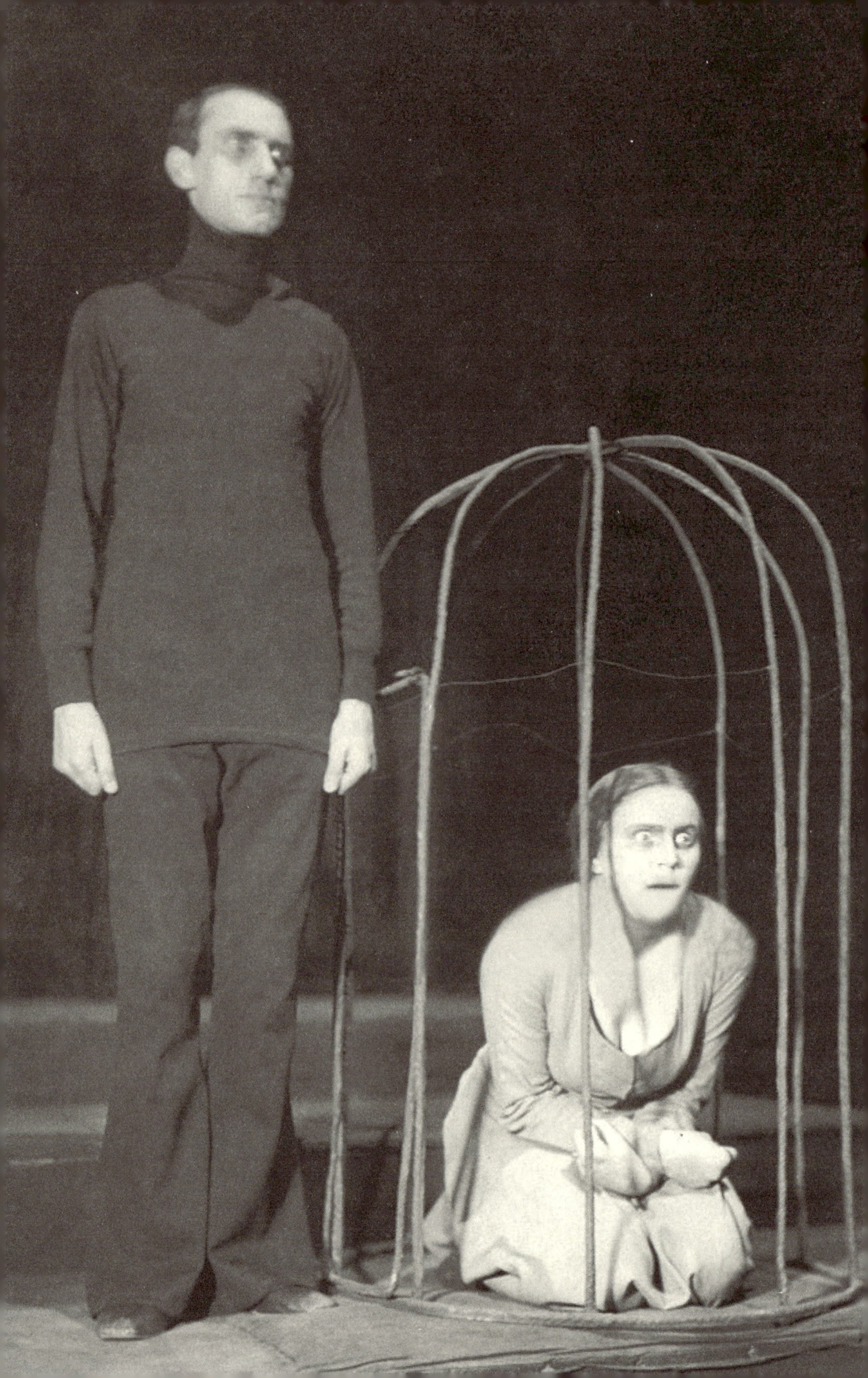

TEATRO MODERNO
séculos XIX a XXI

O TEXTO TEATRAL

p. 120
JOSEF BUNZL E MARY DIETRICH EM *AS MASSAS E O HOMEM* [*MASSE MENSCH*], DE ERNST TOLLER. VOLKSBÜHNE BERLIN, ALEMANHA (1921). FOTOGRAFIA DE LISI JESSEN. DOMÍNIO PÚBLICO.

O LEGADO DOS MONSTROS SAGRADOS[1]

ABERTURA

Uma coincidência liga dois grandes dramaturgos, muito diferentes entre si: o ano de 1906, quando morre o norueguês Henrik Ibsen, em maio, e nasce o irlandês Samuel Beckett, em abril. As homenagens a Ibsen nos 100 anos de sua morte impressionam pelo número: boa parte dos países ocidentais mobiliza-se para lembrá-lo. No Brasil, festival dedicado ao dramaturgo (promovido pelo SESC do Rio de Janeiro) e montagens com estreia prevista para os próximos meses (no Rio e em São Paulo) releem a obra. As homenagens ao centenário Beckett talvez sejam menos caudalosas, mas não são menos enfáticas, segundo atestam as páginas que vêm sendo dedicadas a ele na imprensa.

Ibsen, mestre do teatro realista no século XIX, enxergou seus heróis em situação social, buscando iluminar o indivíduo e seu entorno. Beckett, o nome mais festejado, ao lado de Eugène Ionesco, da corrente conhecida como Teatro do Absurdo, insistiu em denunciar a precariedade de nossa condição, o céu vazio, o sem-saída físico e metafísico.

---

1 Artigo publicado no jornal *Correio Braziliense*, suplemento Pensar (Brasília, 20 mai. 2006), nos 100 anos de morte de Henrik Ibsen e 100 anos de nascimento de Samuel Beckett.

Ibsen e Beckett são antípodas, mas, por isso mesmo, revelam traços complementares. A seguir, breve panorama da obra teatral de Ibsen (que também foi poeta e pintor) e flagrante de Beckett (também narrador) no momento em que seu *Esperando Godot*, encenado em 1953, ajudava a mudar o rosto do teatro.

SOBRE HENRIK IBSEN

"Todos aqueles que vivem de mentiras devem ser exterminados como ervas daninhas! Vocês acabarão por infectar todo o país! E se todo o país ficar infectado com este nível de corrupção, merecerá ser reduzido ao nada junto com seu povo!"

Essas palavras não foram pronunciadas por algum parlamentar do bem diante de qualquer plenário cínico, mas pelo doutor Stockmann, personagem de *Um inimigo do povo*, texto de Henrik Ibsen. O dramaturgo norueguês, nascido em 1828 e morto a 23 de maio de 1906, convida a refletir sobre a tangível atualidade de suas peças. Algumas delas permanecem vivas mais de um século depois de escritas.

Duas observações ajudam a entender a longa trajetória de Ibsen, que soma 26 textos teatrais, compostos entre 1850 e 1898. De saída, nota-se a diversidade de estilos, correspondentes às três grandes fases nas quais se costuma dividir a sua obra. Temos a tendência romântica em peças como *Peer Gynt*, de 1867; a realista, em que ressaltam *Casa de bonecas*, *Espectros* e *Um inimigo do povo*, de 1877 a 1890; e a fase simbolista, com *O pequeno Eyolf* e a derradeira *Quando nós, os mortos, despertarmos*, entre outras peças.

No entanto, "confinar as obras em grupos estanques é arriscado", pondera a tradutora e ensaísta Fátima Saadi, que, ao lado do norueguês Karl Erik Schøllhammer, já trouxe para o português três textos de Ibsen. Fátima percebe traços "poético-simbólicos que perpassam a obra como um todo", além da discussão ética, insistentemente desenvolvida no decorrer de meio século de atividade ininterrupta, outro aspecto a sublinhar nos trabalhos do autor.

Pode-se resumir o mote recorrente: a vida natural e social pressiona os indivíduos, atirando-os em situações de conflito — eles se chocam contra outros indivíduos ou contra toda a sociedade, e não contam com as ideias consensuais e os lugares-comuns para resolver os dilemas. A liberdade das pessoas, tentando afirmar-se em ambientes estreitos e hostis, eis um dos temas trabalhados pelo dramaturgo.

Em *Peer Gynt*, comédia armada à maneira de larga história épica, com saltos de anos ou décadas entre os cinco atos, o personagem-título, provido de hilariante egoísmo, busca "ser fiel a si próprio", relacionando essa meta a dinheiro e poder. Espécie de Macunaíma nórdico, Gynt vive à deriva, jogando-se em aventuras que o levam da Noruega aos Estados Unidos, Marrocos e Egito, onde, num hospício, chega a ser proclamado "imperador de si mesmo". No decorrer da história, Ibsen alude a fatos políticos como a ascendência da Dinamarca sobre a Noruega e a luta deste país para se libertar.

O diretor Antonio Guedes, da companhia carioca Teatro do Pequeno Gesto, a que Fátima Saadi também está ligada, prepara montagem do monumental *Peer Gynt*, criando coro encarregado de narrar as confusões em que se mete o aventureiro. O coro conduzirá o enredo com apoio de música, destinada a "fazer a narrativa caminhar" (outra montagem, com bonecos, deverá estrear no Rio em 2006, dirigida por Miguel Vellinho).

Antonio lembra que o dramaturgo "se manteve atento às muitas formas de representar o mundo", tendo experimentado técnicas distintas. O diálogo com o país natal, às vezes perturbado por polêmicas em torno de seus textos, e as viagens pela Europa (Ibsen viveu na Itália e na Alemanha) contribuíram para que dominasse o que se fazia em sua época. Não raro, esteve à frente dos contemporâneos.

Foi o que se deu em *Casa de bonecas*. O texto de 1879 afirma a escola realista, rompendo com as idealizações românticas, e confere projeção internacional a Ibsen. O modelo da peça benfeita dos franceses foi assimilado pelo dramaturgo e posto a serviço de tema socialmente relevante, a emancipação feminina.

Nora Helmer, a heroína, vive casamento aparentemente estável com o advogado Torvald Helmer, com quem tem três filhos. Questões de família e dinheiro geram impasses éticos, e Nora afinal compreende a natureza possessiva do amor de Torvald, que a tornará sempre a sua "bonequinha", incapaz de pensar e de tomar decisões. Em desfecho controverso, a moça abandona o lar, deixando marido e crianças. Restam chances de reconciliação se o casamento puder ser, um dia, "uma verdadeira vida em comum", declara Nora antes de dizer adeus ao perplexo Torvald.

Nova polêmica instalou-se a propósito do drama *Espectros*, no qual os fantasmas do título vêm "assombrar" os personagens; trata-se de doença hereditária de origem sexual, a sífilis. Pesaram acusações de imoralidade sobre o dramaturgo. Ele respondeu aos equívocos escrevendo *Um inimigo do povo*, peça em que uma pequena cidade norueguesa se vê na circunstância de fazer dinheiro atraindo turistas para suas águas, que possuiriam dons terapêuticos.

O coro dos contentes, porém, é desafinado pelo médico e pesquisador Thomas Stockmann: segundo ele descobre, as águas acham-se contaminadas pelos curtumes, que depositam lixo industrial nas fontes. O problema só se corrigiria com obras e investimentos altos. Os banhos, no momento, produzem doenças ao invés de curá-las.

Quando quer divulgar a descoberta, contrária aos interesses locais, Stockmann depara-se com reações ferozes, que pretendem silenciá-lo. A situação evolui para a conferência proferida pelo médico diante de seus concidadãos, sob apartes, apupos e ameaças. Ibsen não faz de Stockmann um herói absoluto, mas deixa perceber sua vaidade e certa postura aristocrática a que a opinião pública, desonesta ou burra, acaba por conduzi-lo, convertendo-o em "inimigo". Mas as simpatias do autor estão com o médico, homem obstinado e lúcido. O diretor Sérgio Ferrara prepara montagem de *Um inimigo do povo* que deve estrear até setembro, em São Paulo.

A fase simbolista inclui a bela *O pequeno Eyolf* (em cartaz no Rio de Janeiro), onde se fala do amor e da difícil responsabilidade para com os sentimentos alheios, e *Quando nós, os mortos, despertarmos*. Nesta peça, Ibsen interroga o sentido da existência ou do que fazemos dela, perguntando ainda sobre o lugar da arte. Mas, em vez da questão social de *Casa de bonecas* (o papel das mulheres numa sociedade governada por homens) ou do problema político em *Inimigo do povo* (o valor subalterno da verdade diante do poder econômico), o que há são indagações mais largas, de resposta imponderável.

O escultor Arnold Rubek se dá conta, na maturidade, da vida que teria desperdiçado enquanto se dedicava ao que seria sua maior obra, chamada *O dia da Ressurreição*, estátua que mostra mulher a despertar da morte para a mística ressurreição do título. O reencontro com a modelo que, anos antes, havia inspirado a escultura conduz Rubek a rever o passado e a desejar resgatar os sentimentos intensos que negligenciara. A obsessão por viver e amar plenamente termina, por paradoxo, em tragédia, quando o artista e sua ex-modelo sobem ao topo de uma montanha, desatentos à avalanche de neve que se anuncia.

Ibsen torna precisos, completos, os modelos que elabora, transformando-se em referência maior para o teatro realista, embora também ajude a dar impulso aos movimentos de renovação no século XX — que começam justamente pelo simbolismo com que ele encerra a carreira.

SOBRE BECKETT E *ESPERANDO GODOT*

No ano em que desaparece Ibsen, nasce Beckett (a 13 de abril de 1906), dramaturgo importante nas vanguardas que movimentam o século XX. Ibsen afirmara o modelo da peça realista, que faria fortuna nos Estados Unidos com a obra de escritores como Tennessee Williams e Arthur Miller, ainda que o modelo fornecido por *Casa de bonecas* aparecesse mesclado, nesses dramaturgos, às conquistas expressionistas que se deram a partir dos anos 1910, na Alemanha.

No expressionismo, os enredos lógicos do teatro realista se veem desestabilizados pelo que se passa na cabeça dos personagens. A verdade subjetiva tende a se emancipar dos eventos objetivos, confundindo-se com eles. A literatura, nos livros e no palco, desconfia dos fatos e os mostra conforme o olhar dos personagens e seus pesadelos. O expressionismo parece ter sido fenômeno essencialmente alemão, mas abriu caminhos ou foi contemporâneo de outras tendências renovadoras: o futurismo e suas "palavras em liberdade", o dadaísmo e suas farras estéticas, o surrealismo (este já nos anos 1920).

Em 1921, surgem o italiano Luigi Pirandello e seus *Seis personagens à procura de um autor*, texto no qual a fantasia como que se libera fisicamente da realidade aceita como tal: figuras imaginárias invadem o palco onde um grupo de atores ensaia, exigindo que eles deem vida a seu drama particular. Alguns anos mais tarde, o francês Jean Anouilh e o espanhol García Lorca escrevem o que se irá chamar de drama poético. De Lorca, veja-se por exemplo a passional, exasperada *Yerma*, com suas falas carregadas de imagens e de ritmo.

O que há de comum entre esses dramaturgos e Samuel Beckett? Simplificando as coisas, muito. Beckett desfere golpe de misericórdia no enredo linear ou, antes, descarta a ideia de enredo; reduz as psicologias a fios esparsos, a quase nada, e desmoraliza a linguagem, fazendo com que expresse trivialidades.

A revolução operada por Beckett deflagra-se com *Esperando Godot*, que estreou em Paris, em 1953, sob a direção de Roger Blin. Não por acaso, *Sonata dos espectros*, peça do pré-expressionista Strindberg, dirigida por Blin, foi a ponte que atou o dramaturgo, então inédito, ao encenador.

Beckett já havia publicado a novela *Molloy*, mas experimentava, como dramaturgo, a indiferença por parte daqueles que o poderiam levar à cena. Viu a *Sonata* encenada por Blin, voltou para revê-la e, depois, pediu à própria mulher que levasse o manuscrito de *Godot* ao diretor. Ao encenar *Godot*, Blin promoveu empreendimento polêmico a que não faltaram admiradores e detratores.

Em Londres, em 1956, as reações à peça de Beckett foram as mais diversas e extremadas. Espectadores debochavam, da plateia, do fato de que, na peça, nada acontecia. Aspecto a que o dramaturgo Jean Anouilh, simpático à obra, já se referira em artigo na imprensa por ocasião da estreia parisiense.

Anouilh cita uma fala do texto: "Nada acontece, ninguém vem, ninguém vai, é terrível". E acrescenta: "Esta fala, dita por um dos personagens da peça, é seu melhor resumo. *Godot* é uma obra-prima que vai provocar desespero nos homens em geral e nos dramaturgos em particular. Acho que a estreia no Théâtre de Babylone é tão importante quanto a de Pirandello em Paris, em 1923". O dramaturgo ressalta o humor ambíguo de Beckett: *Godot* são "os *Pensamentos* de Pascal num esquete de *music-hall* encenado pelos palhaços Fratellini".

Na peça, os vagabundos Vladimir e Estragon conversam aleatoriamente, à toa. Não se trata de insuficiência da linguagem: as falas são propositalmente reduzidas à comunicação mínima porque a própria experiência vital debilitou-se, tornando-se vazia. Tudo o que os dois vadios fazem é esperar pelo tal Godot, que não virá. Beckett é autor de alguns dos silêncios mais bem escritos da história da dramaturgia...

A existência monótona só se quebra quando chegam Pozzo e Lucky — este preso, como um animal, por uma corda que Pozzo manipula, em alegoria cáustica das relações entre dominador e dominado. Beckett, porém, evitou chancelar interpretações políticas da imagem composta por Pozzo e Lucky. Quando estes personagens retornam, no segundo ato, ao local onde se instalaram Vladimir e Estragon, Pozzo está cego e Lucky, mudo.

Ao reduzir a arquitetura da peça aos jogos formais — paralelismos, repetições, variações em torno dos mesmos gestos —, o dramaturgo expulsa dos palcos o tema, o argumento, o enredo, elementos básicos do realismo. A significação de suas peças deve ser buscada mais nas formas do que nos temas. A literatura aproxima-se, aqui, da música instrumental ou da pintura abstrata; com isso, o sentido dos textos tende a se associar ao dos depoimentos intemporais — não imediatamente históricos ou políticos — sobre a condição humana.

Eis a glória e o limite de Beckett. Depois de *Godot* e dos romances *Malone morre* e *O inominável*, ele revela a Roger Blin: "Não sei mais o que fazer com os personagens. Não posso mais escrever romances. Ainda tenho algo a dizer no teatro, mas na mesma direção". Reiterando as opções da primeira peça, lança *Fim de partida* (1957), *Dias felizes* (1961) e *Play* (1966), entre outros textos, compostos em francês ou em inglês.

As palavras e elipses de Beckett o levam a ganhar o Prêmio Nobel em 1969 (ele morre 20 anos depois). Sua obra tem inegável impacto, mas, sobretudo se encarada excessivamente a sério, pode produzir cansaço, à revelia da habilidade dos encenadores. Ou seria justamente esse o efeito desejado?[2]

---

2   Nova leitura das principais peças do autor nos induz a opinião mais compreensiva.

OS DOIS LADOS DO PALCO[1]

Eventos e edições no centenário da morte de Machado de Assis, ano passado, acabaram por ofuscar o de outro grande escritor: o dramaturgo, contista, poeta e cronista Arthur Azevedo, nascido em São Luís em 1855 e, a exemplo de Machado, morto no Rio de Janeiro em 1908. Ambos foram amplamente reconhecidos em vida, embora por motivos diversos. A obra de Arthur, no entanto, esteve em certa medida negligenciada até meados do século XX, ao contrário do que se deu com a de Machado de Assis, divulgada e analisada por gerações de intérpretes.

O paralelo entre os dois autores pode ser instrutivo porque as razões pelas quais um e outro ganharam fama, relacionadas a diferentes gêneros e objetivos, talvez expliquem a sorte póstuma das respectivas produções. Machado voltou-se para a sondagem psicológica e

---

1   Resenha publicada no jornal *Correio Braziliense*, suplemento Pensar (Brasília, 17 out. 2009).

Ver *O theatro: crônicas de Arthur Azevedo (1894-1908)*, com organização de Larissa de Oliveira Neves e Orna Messer Levin, estudo de Larissa e CD-ROM com a íntegra das crônicas do autor no jornal *A Notícia* (Campinas: Unicamp: 2009), e *Contos de Arthur Azevedo: os "efêmeros" e inéditos*, com organização, introdução e notas de Mauro Rosso (Rio de Janeiro: PUC-Rio; São Paulo: Loyola, 2009), reedição de *Contos efêmeros* somada a sete inéditos do escritor.

metafísica, lançando seus personagens numa região intemporal, onde os costumes e os dados de época se limitam a emoldurar conflitos perenes, situados acima ou à margem da história imediata (embora tenha sido, também, comentarista preciso da vida brasileira, sobretudo no que diz respeito às classes dominantes, criticadas, por exemplo, na figura do ocioso Brás Cubas).

Já Arthur Azevedo, com seu talento de comediógrafo, deteve-se naturalmente na esfera dos costumes, descrevendo o Rio de Janeiro das últimas décadas do século XIX e início do século XX em sátiras amenas, apoiadas sempre em boa técnica teatral ou narrativa. A mestria com que registrou o dia a dia urbano, da carestia às pendências amorosas, do cotidiano doméstico às reviravoltas políticas, desautoriza qualquer negligência. Seria equivocado preterir o humor benévolo de Arthur, por sua eventual superficialidade, dedicando-se atenção exclusiva à ironia sentenciosa de Machado. Neste, o país real tende a desaparecer ou a habitar as entrelinhas; em Azevedo, ressalta o documento transformado em obras leves, destinadas a todos os paladares. Fiquemos com os dois.

De todo modo, o que se dá em 2009 (e vem ocorrendo desde os anos 1980, quando os volumes do *Teatro de Arthur Azevedo* começaram a ser publicados) nada mais tem a ver com esquecimento ou descaso. Em abril, comentamos neste Pensar uma seleção de suas comédias; agora, podemos noticiar dois outros lançamentos. Um desses livros chama-se *O theatro: crônicas de Arthur Azevedo (1894-1908)* e traz parte importante da sua produção de crítico dramático. Outro volume reúne *Contos de Arthur Azevedo: os "efêmeros" e inéditos*, reeditando os *Contos efêmeros*, terceira e última coletânea publicada em vida, e divulgando sete histórias inéditas em livro. É pouco?

REVISTAS E ALMANAQUES

Ao menos por ora, bastante. Comecemos por *O theatro*, título tomado à coluna mantida pelo autor no diário *A Notícia*, de setembro de 1894 a outubro de 1908, isto é, até dez dias antes de morrer. O livro apresenta estudo crítico das crônicas e as reproduz, na íntegra, em CD--ROM que acompanha o volume (são cerca de 680 textos). Nelas, Arthur passava em revista os espetáculos, abria polêmicas, reclamava do estado das salas e defendia, às vezes pateticamente, a profissão de ator, além de manter acesa, por uma década, sua campanha pela construção do Teatro Municipal do Rio, inaugurado em 1909.

O cronista às vezes fala com indignação e ênfase, quando trata do desprezo do governo pelas artes; outras, com zelo professoral, ao dar conselhos aos atores; outras, ainda, simplesmente com humor, como ao se queixar dos transportes públicos. O estudo, que ajuda a compreender o momento, o tom e o assunto das crônicas, tem origem na dissertação de mestrado defendida por Larissa de Oliveira Neves na Unicamp, orientada por Orna Messer Levin, que assina a introdução. O ensaio de Larissa é um dos bons trabalhos publicados sobre Arthur nos últimos anos.

O final do século XIX, no Brasil, assiste "a uma verdadeira explosão de ofertas para leitura", diz Orna Levin, multiplicadas em diários, semanários, revistas e almanaques, a gerar demanda por profissionais do texto e do traço. Arthur, que colaborou "em mais de 45 jornais" ao longo da vida, encarna esses tempos nos quais escrever se torna profissão (circunstância que se vinha desenvolvendo desde meados daquele século).

O jornalista abre os trabalhos anunciando que a seção será destinada "a trazer os leitores da *Notícia* a par do movimento dos nossos teatros". Prudente, acrescenta: "Quando estes não me deparem assunto suficiente para encher as necessárias tiras de papel — o que naturalmente sucederá muitas vezes — recorrerei aos estados e ao estrangeiro". Espetáculos literários ou musicais (óperas, operetas e revistas eram numerosas) constituiriam "o objeto exclusivo e obrigado destas crônicas". A própria liberdade concedida ao gênero permitirá, contudo, que o escritor trate de temas outros, ainda que os palcos permaneçam assunto central. As classes médias se ampliam, e o cronista manifesta-se em seu nome abordando, por exemplo, os transportes.

Nos bondes cheios em dias chuvosos, o espectador, de volta para casa, depois de acomodar os parentes como pode, "faz a viagem de pé, no estribo, agarrado a uma coluna, encharcado, com a água a escorrer--lhe pela manga abaixo!". O pior vem depois: "Ora aí está um cidadão que nunca mais, em ameaçando chuva, irá ao teatro, nem mesmo para ver a Pepa [Ruiz] em trinta e seis papéis!".

Arthur e companheiros de geração exerceram papel renovador ao ocupar os jornais com vistas a *civilizar* o país, estimulando o senso crítico (atitudes iluministas foram constantes nos intelectuais brasileiros desde Martins Pena, autor elogiado na coluna). Mas o cronista exibiu também traços conscientemente conservadores, evidentes em dois momentos: em 1899, quando trata da inovadora *Casa de bonecas*, do norueguês Ibsen, peça polêmica na Europa e no Brasil; em 1903, quando comenta o trabalho do diretor francês Antoine, representante do movimento naturalista.

O cronista não quis entender a peça de Ibsen, em parte construída sobre a subjetividade da protagonista Nora Helmer (personagem que anuncia a emancipação feminina). Teve boa vontade com relação a Antoine, que visitava o Brasil com seu repertório, mas o idílio se interrompeu quando o diretor o acusou de conservadorismo e de ser o "Sarcey brasileiro" (Sarcey fora o principal crítico francês, bastante tradicionalista). Arthur então hostiliza o encenador, ironizando seu conceito de uso da luz, "a alma do teatro": "Opinião que me parece menos do revolucionário Teatro Livre que do empregado da companhia do gás". O drama naturalista não frutificou por aqui, porém não custa lembrar que Aluísio Azevedo, irmão de Arthur, chegou a escrever peças nesse estilo.

PERSPECTIVA REALISTA

É interessante notar, com Mauro Rosso, organizador dos *Contos de Arthur Azevedo*, que as mudanças políticas e de costumes, no Brasil das últimas décadas do século XIX, concorrem para "a transformação da perspectiva romântica em realista — no caso de Azevedo, condimentada esta por irresistíveis doses de humor, ironia e sátira". Situa-se assim o autor, ao lado de outros nomes, à frente daquela troca de estilos literários.

Rosso relaciona os 238 contos de Arthur Azevedo identificados até o momento, a maioria deles publicada primeiro em periódicos (os 32 *Contos efêmeros* agora reeditados datam de 1897). Nos aspectos técnicos, percebemos a presença do diálogo — obviamente originário do teatro — e do verso, recursos utilizados com alguma frequência. Os episódios domésticos, eventualmente postos contra pano de fundo político, e a vida amorosa fornecem os temas, tratados em tom coloquial. Esse tom de conversa prenuncia valores da Semana de 1922, ainda que não tenha ocorrido influência direta de Arthur sobre os modernistas. O que vale ressaltar, nesse plano, é a atitude avessa ao beletrismo, ou seja, profissional: literatura não é ornamento, mas prática diária.

Entre os inéditos, o relato "A minha carteira" mostra amargura pouco usual no escritor, sensível aos estragos que a vida opera. Já "A viúva" foi inscrito, sob pseudônimo, em concurso de contos aberto pelo jornal *Correio da Manhã*, em 1906, para escolher o substituto de um de seus colaboradores: o substituído era o próprio Arthur Azevedo! O escritor participou do certame sob a alcunha de Tibúrcio Gama. O falso Tibúrcio venceu, devolveu o prêmio ao jornal e se transferiu, "sobejamente vingado", para outro veículo.

150 ANOS DE PÂNDEGA[1]

Brasileiros, uma notícia boa: estamos ficando velhos. Finalmente, hein? Uma data redonda confirma o quanto nossa história coletiva já vai se tornando longeva: em 2009, podemos comemorar os 150 anos de nascimento do teatro cômico e musical no país. Século e meio de pândega, não menos.

Dois eventos relativamente independentes entre si, mas relacionados ambos a modalidades do espetáculo cantado, ocorreram em 1859, no Rio, capital do Segundo Império, cidade ainda provinciana que começava a se renovar.

A 15 de janeiro, encenava-se a primeira revista de ano brasileira, *As surpresas do senhor José da Piedade*, escrita por Figueiredo Novaes. A 17 de fevereiro, inaugurava-se o café-concerto Alcazar Lyrique, misto de sala de espetáculo e casa noturna que nos trazia, sem grande atraso, a novidade francesa da opereta, com suas canções e vedetes maliciosas.

A revista de Novaes não teve repercussão imediata nos hábitos culturais da capital (que a essa altura conhecia montagens de ópera

---

1 Matéria publicada no jornal *Correio Braziliense*, suplemento Pensar (Brasília, 17 out. 2009), acompanhando a resenha anterior, "Os dois lados do palco".

desde algum tempo, comentadas por Martins Pena na imprensa já em 1846). Mas lançava exemplar pioneiro de um tipo de espetáculos que fariam furor mais tarde, nas últimas décadas do século XIX e nas primeiras do seguinte.

Sabe-se pouco a respeito de Novaes, funcionário do Tesouro Nacional. Seu texto obedecia ao figurino das revistas francesas e portuguesas — estas, no entanto, de voga muito recente. A condição de funcionário público não o livrou da censura: a peça ficou apenas três dias em cartaz; as autoridades teriam achado imoral o texto ou o espetáculo e por isso o proibiram. Depois de algumas tentativas sem sucesso (como as do bom Joaquim Serra, na década de 1870), as revistas enfim conquistaram os cariocas em 1884, quando Arthur Azevedo e Moreira Sampaio lançaram *O mandarim*, outro marco do estilo.

Programas de variedades, compostos por cenas avulsas, e operetas de Jacques Offenbach integravam o repertório do Alcazar Lyrique, teatro que se instalou no centro da cidade para revolucionar as noites tediosas do velho Rio. Melodias francesas foram logo assimiladas: uma delas, misturando-se ao batuque do Zé Pereira, deu origem à primeira canção de carnaval por volta de 1870.

A revista de Novaes e as "excentricidades burlescas" do Alcazar divulgaram modelos de teatro cantado que Arthur Azevedo, Moreira Sampaio e Oscar Pederneiras desenvolveram e adaptaram ao país. Mais tarde, as revistas se transformaram nas chanchadas do cinema e influíram sobre os programas humorísticos da televisão.

Em teatro, Dias Gomes, Vianinha, Guarnieri e Flávio Rangel retomariam aqueles modelos, utilizando-os livremente e acrescentando a eles recado político mais incisivo. O que já é outra história.

TEATRO PROFÉTICO[1]

Uma foto famosa, estampada em edições das peças teatrais de Anton Tchekhov no Brasil e reproduzida nesta página, pode nos dizer algo sobre o que foi o tratamento dado aos textos inovadores do autor russo, nascido em 1860 e morto em 15 de julho de 1904, há 100 anos redondos.

Além do dramaturgo, a fotografia mostra alguns dos atores e os dois diretores do Teatro de Arte de Moscou, a companhia responsável pelo relançamento, em 1898, de *A gaivota*, a primeira das quatro principais peças escritas por Tchekhov. A sugestiva comédia estreara dois anos antes com outro elenco, em São Petersburgo, e havia sido rejeitada pelo público. Na ocasião, desolado com o fracasso teatral, o autor — que já era contista de sucesso — jurou nunca mais escrever para o palco.

A foto data de maio de 1899 e foi tirada na fase da redentora remontagem de *A gaivota* pelo Teatro de Arte. Tchekhov, aos 39 anos, de pincenê, está no lado esquerdo do quadro. É o único no grupo que olha para a câmera; seu olhar incisivo parece mirar contemporâneos e pósteros. À sua direita está Danchenko, um dos diretores da companhia,

---

[1] Artigo publicado no jornal *Correio Braziliense*, suplemento Pensar (Brasília, 17 jul. 2004), nos 100 anos de morte de Anton Tchekhov.

defensor, desde a primeira hora, das qualidades da peça. No lado direito do quadro, de pé, livro nas mãos, encontra-se o outro diretor, o depois mundialmente famoso Stanislavski, que se confessou entediado ao ler o texto pela primeira vez, para depois se render à novidade dessa e de outras peças de Tchekhov. Descontada a pose, o retrato é revelador ao sugerir dois campos de força, um deles formado em torno do dramaturgo, outro em torno de um dos encenadores.

As divergências entre Tchekhov e Stanislavski arrastaram-se por seis anos, até a montagem da peça mais importante do autor, *O jardim das cerejeiras*. O dramaturgo julgava ter escrito uma comédia, e assim rubricou a peça; Stanislavski a tratou como drama, como já o fizera com outros textos, tornando-a "chorona". Impõe-se a solução conciliatória: os dois tinham razão, dado que essas obras — *A gaivota*, *O tio Vania*, *As três irmãs* e *O jardim das cerejeiras* — importam, afinal, numa das mais originais misturas de registros, o cômico e o trágico, já formuladas em teatro.

Abordando a esterilidade da vida russa na passagem do século XIX para o XX, ao mesmo tempo que prenunciavam mudanças sociais, as quatro peças corresponderam a um ponto de inflexão na história do gênero dramático. Os desacordos que cercaram as estreias, marotamente figurados na foto, incorporaram-se ao significado que os textos mantêm para nós, um século mais tarde.

Anton Tchekhov procedia de Taganrog, cidade no sul da Rússia. Na Universidade de Moscou, formou-se em medicina. A escolha dessa profissão relaciona-se à atitude socialmente preocupada que revelará em seus contos e peças, sobretudo os da maturidade. Em breve autobiografia, afirma: "Sem dúvida, a prática da medicina exerceu forte influência sobre minha atividade literária; aumentou consideravelmente o campo de observação, enriqueceu meus conhecimentos, e o verdadeiro valor disso para mim como escritor só pode ser percebido por aqueles que são médicos". Talvez os médicos a que se refere devam representar, mais amplamente, os homens de ciência. Tchekhov praticou e defendeu a razão e a cultura como remédio para as mazelas de seu país, dominado por elites parasitárias, cercadas de imensa massa de miseráveis.

Seus primeiros contos foram textos satíricos. A rígida sociedade imperial russa, com suas hierarquias impermeáveis, dava pretexto a que se fizessem piadas de "um diácono simplório, um funcionário que agita as pernas dançando num baile, o dentista, as maneiras do chefe de polícia", enumera o escritor alemão Thomas Mann, em artigo escrito nos 50 anos da morte do autor russo.

Importa notar dois aspectos desenvolvidos na obra de Tchekhov, da juventude à maturidade. O primeiro deles liga-se ao fato de que a crença na ciência, com o que pudesse ter de positivista (do positivismo ao dogmatismo basta um passo), não se traduzia em crença absoluta no naturalismo que dominava em boa parte a literatura de então. Ele acreditava em arte como jogo que recria a vida humana, sem copiá-la literalmente. Outro aspecto importante, este notado por Mann, é o da "relação entre a ascensão à mestria da forma e o aumento de uma sensibilidade moral-crítica da época", relação, portanto, "do estético e do ético".

Assim, no contista e dramaturgo, o humor pelo humor e a piada gratuita aos poucos serão substituídos pela comicidade carregada de melancolia e compaixão, o típico humor tchekhoviano (que não descartará por completo os exageros farsescos). Humor característico das peças maduras, mas já visível num conto como "O beijo", escrito aos 27 anos.

Lembrado sobretudo por seu teatro, que substitui as ações melodramáticas pelas sutilezas, elipses e meios-tons, Tchekhov parece ter escrito sempre a mesma peça. Os personagens, às vezes comoventes, e os enredos, em geral sem grandes peripécias, sofrem alterações de um texto para outro, é claro, mas o conteúdo permanece: as histórias mostram a classe média russa, sem dinheiro no bolso, ou a aristocracia já em decadência e igualmente empobrecida, a andarem em círculos num país em que todos os caminhos parecem fechados ao desenvolvimento dos indivíduos. A atmosfera, malgrado o humor, é asfixiante, pressagiando o malogro de todos os projetos, intelectuais ou amorosos.

Escritos em bases realistas, esses textos são, contudo, ricos em símbolos. Entre eles, encontram-se a gaivota, o pássaro abatido que dá título à primeira das quatro peças, e o "ressoar da corda de um instrumento se rompendo", signo que aparece em *O jardim das cerejeiras*. A reincidência de temas e de atmosfera sugere que essas peças compõem, mesmo informalmente, uma tetralogia, painel de uma ordem social insustentável.

Em *A gaivota*, o jovem dramaturgo Trepliov anseia por modificações na arte e se contrapõe ao mundo dos mais velhos, representado por sua mãe, atriz de algum sucesso, e por Trigorin, celebridade como escritor. O artista iniciante pode ser visto como caricatura dos ideais literários chamados decadentistas. Mas existe algo de sério nestas palavras do patético Trepliov: "Cada vez mais me convenço de que a questão não consiste em formas novas e formas velhas, mas sim em que a pessoa escreva sem pensar em formas, sejam quais forem, que ela escreva porque isso flui livremente da sua alma".

O tio Vania critica a figura do intelectual feito apenas de aparência, nulo por dentro. A peça desmente a noção de que as ações sutis, vizinhas da inação, marcariam sempre o teatro do autor: em *O tio Vania*, o ponto culminante opõe, aos gritos, o personagem-título a seu antigo modelo, professor universitário prestigioso e fátuo. Eles discutem aos berros numa cena tragicômica que termina em tiros. Aqui não há meios-tons. Já em *As três irmãs*, a volta à distante Moscou é idealizada pelas moças, residentes na província, como saída para a falta de perspectivas. No entanto, nada acontece, com o peso de uma morte fútil, ocasionada por duelo, no desfecho.

O maior texto teatral do autor é *O jardim das cerejeiras*. A família de aristocratas em decadência, liderada pela aérea Andreievna, nega-se a enxergar o óbvio: a nova classe burguesa, representada por Lopakhin, descendente de servos, prepara-se para engolir os antigos senhores. O retrato social desenha-se com extraordinária eficácia, mas os personagens não deixam de ser humanos até a medula, apesar do humor que tende a tipificá-los.

As peças de Tchekhov ajudaram o Teatro de Arte de Moscou a fixar o seu "realismo interior", atento à psicologia dos personagens, mais tarde influente em todo o mundo. Elas condensam o quadro de uma época esgotada e os sinais, já visíveis, de novos tempos — bons ou maus, mas novos. Suas peças podem ser encenadas em qualquer país ou época, sobretudo naqueles em que a ordem social faz água. No Brasil de hoje, por exemplo.

LEITURA DE *A GAIVOTA*, DE ANTON TCHEKHOV, PELA COMPANHIA DO TEATRO DE ARTE DE MOSCOU (1899). DOMÍNIO PÚBLICO.

A FANTASIA DA TRANSFORMAÇÃO[1]

Conta-se que Mário de Andrade, o jovem Mário pré-modernista, foi a uma exposição de pinturas de Anita Malfatti, artista igualmente jovem que voltava ao Brasil depois de uma temporada de estudos na Europa. Lá, ela captara a novidade do expressionismo, tendência de vanguarda então pouco divulgada no país. Diante de quadros como *O homem amarelo*, o escritor teria lançado, naquele ano de 1917, uma de suas gargalhadas espalhafatosas. Não foi um riso hostil, porém; a beleza estranha das telas produziu nele o efeito das descobertas. Foi um riso de espanto.

Pois é: aquele sentimento de descoberta pode, guardadas as proporções de toda sorte, repetir-se ainda agora. Ao abordar o expressionismo, uma das vanguardas que convulsionaram as artes nas três primeiras décadas do século passado, aprendemos que o movimento, desencadeado há 100 anos, condensa traços contraditórios, reunidos em sínteses que se pretenderam explosivas. Poemas, peças teatrais, quadros e composições musicais não raro tiveram "por finalidade mudar o mundo", ambicionando fazê-lo a partir de tratamento radicalmente subjetivo dos temas e conteúdos.

---

1 Artigo publicado no jornal *Correio Braziliense*, suplemento Pensar (Brasília, 3 abr. 2010), nos 100 anos do expressionismo.

Tendências distintas como evasão e participação política ou, no plano do estilo, o discurso telegráfico e o retórico, o elíptico e o panfletário, convivem no repertório dos escritores, pintores e músicos que atuaram — como vanguarda organizada — de 1910 a meados da década de 1920, sobretudo na Alemanha. Tais artistas beberam em fontes francesas e russas, dialogaram com seus contemporâneos, entre eles o futurista Marinetti, e vieram a influenciar norte-americanos e brasileiros. As telas antirrealistas de Anita, que prenunciaram a Semana de Arte Moderna de 1922, e o teatro de Nelson Rodrigues, duas décadas mais tarde, constituem exemplos de como os processos expressionistas se aclimataram por aqui.

A maioria das fontes crava o ano de 1910 como aquele em que o movimento expressionista começou, embora se achem sinais dessa estética já no final do século XIX e nos primeiros anos do XX, em telas angustiadas como é o emblemático *O grito*, de Munch, nos quadros do grupo A Ponte e em peças de Strindberg e Wedekind. No mês de março, há um século, o semanário *Der Sturm* (A Tempestade) era lançado em Berlim pelo editor Herwarth Walden, marcando o início dos trabalhos. O jornal então publica desenhos de Kokoschka e, no ano seguinte, divulga em alemão o manifesto *O futurismo*, do italiano Marinetti — corrente dedicada a cantar a beleza agressiva das máquinas e a pregar a orgia das "palavras em liberdade", avessas ao discurso linear da herança clássica.

Em 1911, outro periódico chegava às ruas, mais político e menos metafísico que *Der Sturm*. Chamava-se *Die Aktion* (A Ação) e estampou, em seus primeiros números, dois poemas considerados as manifestações inaugurais do expressionismo em literatura, "Fim do mundo", de Van Hoddis, e "O crepúsculo", de Lichtenstein. Os rumores da Primeira Guerra Mundial que iria estourar em 1914, além da confusão urbana em Berlim, com o luxo e a miséria a coexistirem como nas ruas brasileiras hoje, exprimem-se nessa poesia não de maneira naturalista, mas cerradamente metafórica.

A segunda e última estrofe do breve poema de Van Hoddis anuncia: "A tempestade chegou, saltam à terra/ Mares selvagens que esmagam largos diques./ A maioria das pessoas tem coriza./ Os trens precipitam-se das pontes". Já os versos de Lichtenstein superpõem imagens que jamais se casam de todo, sugerindo o "labirinto de asfalto". Escrito em 1910 e publicado no ano seguinte, o poema "O deus da cidade", de Georg Heym, cria a alegoria de um deus obtuso a espreitar as pessoas, "escarrapachado sobre um quarteirão".

Pode-se falar, a respeito da poesia expressionista, em emancipação das imagens — que já não se destinam a reproduzir a realidade e a indicar objetos, mas a transformá-los pela fantasia. Processo paralelo ocorre nas artes plásticas, nas quais traço e cor já não imitam o real. Na poesia e na pintura, trata-se de projetar os estados de alma do artista, em lugar de descrever a realidade exterior, observável. Os conteúdos da realidade interna suplantam os materiais externos: veja-se a pintura semiabstrata do russo Kandinsky, pertencente ao grupo que lança o almanaque *O cavaleiro azul* em Munique, em 1912. Nesse mesmo ano, o compositor austríaco Schoenberg estreia, em Berlim, o etéreo (e áspero) *Pierrot lunaire*.

Eis a origem do nome dado ao movimento: em vez de apenas registrar as impressões que o mundo exterior impõe a nossos sentidos (como na arte impressionista e mesmo na simbolista), interessa agora expressar a realidade íntima, os sonhos e as visões despertas do pintor e do poeta, que eles projetam em suas obras e que se dispõem a ser imagens mais reais que as da própria realidade.

Tal atitude resulta nas atmosferas crepusculares e oníricas; na deformação caricata ou grotesca e, ainda, na tendência a compor alegorias, figurando tipos e arquétipos, procedimento também visto no teatro. Somos convidados a imaginar o deus da cidade, a estampa crudelíssima da guerra (gigante "a esmagar a lua com sua mão negra", noutro poema de Heym) ou o homem-massa do dramaturgo Ernst Toller, autor de *As massas e o homem*: uma peça da revolução social do século XX, texto de 1919, contrário às guerras e apaixonadamente engajado.

Outro dramaturgo importante é Georg Kaiser, autor de dezenas de textos, entre os quais se acham *Os cidadãos de Calais* e *Da manhã à meia-noite*, divulgados em 1914. No primeiro deles, Kaiser retoma episódio no qual a cidade francesa de Calais é ameaçada pelo cruel e caprichoso rei inglês, que exige o sacrifício de seis homens para não atacá-la e destruí-la. As opiniões se dividem: de um lado, os poderosos da França pretendem que os cidadãos defendam sua honra, mesmo sem chance de vitória; de outro, o líder de Calais sustenta ser melhor morrerem os seis cidadãos, inclusive ele, se isso garante que a cidade, seu povo e seu porto recém-construído se salvem. Obra de teor pacifista e de registro solene, contido, diferente do tom oligofrênico de outras peças da escola.

A obra mais famosa de Kaiser chama-se *Da manhã à meia-noite* e condensa as ideias e maneiras expressionistas mais características. O personagem principal, um caixa de banco, revolta-se "contra sua vida sem sentido, rouba 60 mil marcos e explode na busca de excitação desvairada", resume o crítico R. S. Furness. "A concentração é extrema: a cena de abertura no banco tem uma qualidade deliberadamente convulsiva, como se os atores fossem de fato bonecos, e em cada 'estação' o elemento grotesco se torna mais aparente", prossegue.

Furness completa: o personagem "alimentara a esperança de viver a vida plenamente, de rejeitar uma existência inautêntica, mas fora corrompido desde o início por seu crime; a confiança no ganho capitalista não era a premissa para a superação da sociedade mecanicista". A peça virou filme em 1920, ano em que aparece o exemplar mais frequentado do cinema expressionista, *O gabinete do dr. Caligari*, com seus cenários estilizados e maquiagem pesada, usados para tratar de assassinato e mistério. Os nazistas baniram a escola em 1937, chamando-a "degenerada".

A pintura brasileira assimilou as cores fortes e os delineamentos ambíguos do expressionismo não só nos quadros de Anita Malfatti, mas também, por exemplo, nos de Lasar Segall (aliás, pioneiro da escola no país). Em música, um dos desdobramentos expressionistas, a escola dodecafônica de Schoenberg, chegou aqui na década de 1930 pelas mãos do professor Koellreutter — com direito a polêmica brava entre nacionalistas e dodecafônicos em torno de 1950, hoje há muito pacificada.

A corrente parece ter lançado raízes num gênero que, no país, por muito tempo foi o primo pobre das artes, o teatro. O dramaturgo Nelson Rodrigues viu filmes do estilo já nos anos 1920, fase de sua formação; mais tarde, tomou-se de amores pela obra de Eugene O'Neill, norte-americano herdeiro dos alemães, e resolveu parafrasear — com honestidade e extrema inteligência — o argumento da *Electra enlutada*, de O'Neill. O resultado: *Senhora dos Afogados*, de 1947.

A peça, um dos textos chamados míticos pelo autor, descola-se de qualquer veleidade realista, apresentando com trágica poesia a história de uma família que se entredevora. Houve uma bela montagem de *Senhora dos Afogados* em Brasília, dirigida por Hugo Rodas com atores iniciantes, em 1986. Lembram?

UM AUTOR EM BUSCA DE GRANDES PERSONAGENS[1]

Você entra no teatro: atores, no saguão, já deram início ao espetáculo. Dentro da sala, é possível que alguns intérpretes trabalhem nos corredores ou que cheguem ao palco transitando entre as poltronas. Você sai do teatro e o espetáculo terminará na rua. Esses recursos se incorporaram ao idioma da cena e já não se sabe quem os descobriu, nem quando. Ou, por outra, alguns aficionados sabem e poderiam informar: Pirandello.

O dramaturgo italiano Luigi Pirandello (1867-1936) talvez não tenha sido o primeiro a usar o espaço cênico de modo menos convencional, mas foi certamente um dos que sistematizaram o emprego dessas estratégias, a partir dos anos 1920. O livro *Pirandello: do teatro*

---

1 Resenha publicada no jornal *Correio Braziliense*, suplemento Pensar (Brasília, 19 dez. 1999).

Ver *Pirandello: do teatro no teatro*, de Luigi Pirandello, com tradução de J. Guinsburg e colaboradores e artigos de Sábato Magaldi e outros (São Paulo: Perspectiva, 1999), contendo as peças *Seis personagens à procura de um autor*, *Esta noite se representa de improviso* e *Cada um a seu modo* e o ensaio *O humorismo*.

no teatro, com três peças e um ensaio do autor, publicado pela Perspectiva, traz de novo à cena os sortilégios do velho mago siciliano.

Traduzidas por J. Guinsburg e colaboradores, as peças tratam, como sugere o título do volume, das relações entre palco e vida real, entre ficção e verdade. São elas: *Seis personagens à procura de um autor*, o texto mais famoso de Pirandello, de 1921; *Cada um a seu modo*, de 1924, e *Esta noite se representa de improviso*, de 1930. O livro contém, além das peças, o ensaio *O humorismo*, de 1908, no qual o autor expõe sua noção singular de humor, que envolve mas ultrapassa o simples conceito de comicidade. Artigos de Sábato Magaldi e de outros estudiosos completam o volume.

Os conflitos entre personagens e atores, ou seja, entre a substância a ser representada e as possibilidades de representá-la no palco, dão o tom a *Seis personagens à procura de um autor*. As seis figuras, diz Pirandello, "não deverão aparecer como 'fantasmas', porém como 'realidades criadas', construções imutáveis da fantasia e, por conseguinte, mais reais e constantes do que a volúvel naturalidade dos Atores".

As seis criaturas invadem a sala onde atores e diretor ensaiam a próxima estreia da companhia. As personagens, dadas à vida por um dramaturgo que depois as abandonou, trazem consigo história viva, talhada um pouco à moda dos melodramas: o Pai deixou a Mãe e, anos depois, reencontrou a Enteada num bordel, sem saber de quem se tratava. A Mãe havia casado uma segunda vez, tendo tido outros filhos, e ficara viúva recentemente. A Enteada fora parar no prostíbulo de luxo para colaborar no sustento do lar, a que o Pai voltou há pouco tempo. A história tem lances cômicos — mas termina tragicamente.

O conflito entre as figuras de ficção e os atores ou diretor, feitos de carne e sangue, é este: como levar ao palco a verdade das personagens, conforme essa verdade se impôs ao dramaturgo, se cada versão do texto é única e necessariamente diferente de qualquer outra? Aqui entram as ideias do bruxo, ainda hoje interessantes: segundo Pirandello, a personagem viverá para sempre e está fixada, em seus traços, de uma vez por todas. Já a pessoa, modelo da personagem, muda a todo momento, ainda que conserve a base mínima da identidade, e tem os dias contados. A obra da natureza prolonga-se, pela imaginação dos homens, na criação de personagens.

No início dos anos 1920, Pirandello ainda percebia o teatro principalmente do ponto de vista do escritor, imaginando que a cena viva deturpasse e corrompesse o projeto proposto pelo texto. Ele deixou de levar em conta que também o autor está sujeito a deformar a substância de vida que porventura pretenda expressar. Pirandello chegaria, mais tarde, a concepção mais ampla de teatro, de certo modo celebrando — sempre polemicamente — as figuras de autor, diretor e ator.

Em *Cada um a seu modo*, aparecem de novo os jogos entre ficção e realidade: Pirandello teria imitado, na peça, a história real de uma atriz flagrada com outro homem pelo noivo. O rapaz traído se matou. Ocorre que a moça teria agido assim exatamente para convencê-lo a não se casar com ela — e as opiniões quanto à moralidade do episódio, então, se dividem passionalmente.

Quando a peça (dentro da peça) vai à cena, a atriz, Amélia Moreno, e o amante, o Barão Nuti, estão na plateia, nervosos, dispostos a interferir ou mesmo a paralisar o espetáculo. Amigos de ambos tentam contê-los, fazendo-os prometer que irão comportar-se. Mas o tumulto, com tapas na cara, polêmica e ofensas generalizadas, acaba por acontecer. O tema, aqui, são as relações entre o teatro e seus modelos reais, ou seja, entre os deveres da ficção e os direitos da realidade. Humor e drama novamente se misturam.

Esta noite se representa de improviso destaca a figura do encenador, que pretende superpor sua competência à do dramaturgo. Ao mesmo tempo que Pirandello satiriza a vaidade autoral do diretor — a figura real, visada pela peça, seria o alemão Erwin Piscator —, aponta os limites do escritor diante do palco. O diretor, chamado Hinkfuss, diz: "Não se quer entender que o teatro é sobretudo espetáculo. Arte sim, mas também vida. Criação sim, mas não durável — momentânea. Um prodígio: a forma que se move!". O evento teatral, conclui-se, depende da soma de talentos.

As peças de Pirandello são radicalmente eficazes e, no entanto, podem conter trechos bastante discursivos, sentenciosos. Algumas das falas de *Seis personagens*, por exemplo, poderiam estar em *O humorismo*, ensaio escrito em 1908 e retomado em 1920. Não se trata, apenas, de tese sobre o riso ou sobre o teatro. O ambicioso Pirandello faz o comentário da própria condição humana.

A comicidade e o riso, diz ele, decorrem de uma "percepção do contrário". Observa-se uma pessoa e nota-se, por exemplo, a incongruência entre ela e a roupa que usa. O contraste produz o riso. Um passo adiante, a qualidade que Pirandello chama de "especial atividade da reflexão", buscando o avesso das aparências, faz o observador notar algo de triste na imagem que parecia simplesmente engraçada à primeira vista. A esta altura, chega-se ao que o italiano batizou como "sentimento do contrário": "E aqui está toda a diferença entre o cômico e o humorístico". O humor transcende a comicidade, ainda que a utilize como ponto de partida.

Pirandello desenvolveu, em suas peças, as potencialidades do que entendia por humor, instrumento de denúncia — piedosa ou feroz — das ilusões e mentiras que alimentamos para sobreviver. Dito assim, parece pouco. O melhor é ler as peças, esfuziantemente teatrais, e o ensaio, rebuscado, difícil, mas vital.

BRECHT E O BRASIL[1]

Se é verdade que escrever em português pode, ainda hoje, confinar um autor a circuitos relativamente restritos, produzir em alemão tampouco garante divulgação internacional imediata. Embora muito prestigiosa, a literatura de língua alemã precisou, frequentemente, do passaporte das traduções francesas ou inglesas para alçar os seus escritores à notoriedade global.

O alcance do idioma será, quando menos, um dos fatores capazes de explicar o fato de que o dramaturgo, poeta e pensador alemão Bertolt Brecht, nascido em 1898 e morto há 50 anos, a 14 de agosto de 1956, só viria a ser mundialmente festejado depois que peças como *Mãe Coragem e seus filhos* chegaram às salas de Paris e Londres. Outro fator liga-se ao exílio: Brecht, a exemplo do que fizeram tantos intelectuais, fugiu da Alemanha encampada pelos nazistas em 1933, trocando de país "como quem troca de sapatos" (até o retorno em 1948), o que terá dificultado difusão menos tardia de suas peças e ideias.

Costuma-se marcar a data de chegada de Bertolt Brecht ao Brasil pela primeira montagem profissional de um de seus maiores textos, *A alma boa de Setsuan*, encenado em São Paulo com Maria Della Costa,

---

1 Artigo publicado na revista *Cult* (São Paulo: Bregantini, n. 105, ago. 2006), nos 50 anos de morte de Bertolt Brecht.

sob a direção do italiano Flaminio Bollini, em 1958. A fase de deglutição local do autor vai de 1958 a 1978, ano em que estreia a *Ópera do malandro*, de Chico Buarque, resposta à *Ópera de três vinténs*, de Brecht e Kurt Weill.

No entanto, diga-se, o contato brasileiro com o teatro brechtiano não se fez esperar demais. Ao mesmo tempo que se começava a falar amplamente de Brecht na Europa, devido a "uma versão bastante comovente de *Mãe Coragem*" em Paris, segundo informa o biógrafo Frederic Ewen, ocorria por aqui a montagem — com alunos da Escola de Arte Dramática, em São Paulo — de *A exceção e a regra*. Esta é uma das peças que o autor denominou "didáticas", breves textos destinados à elaboração de questões éticas e políticas. O ano era o de 1951.

A exceção e a regra, escrita em 1930, e a bem-humorada (e pungente) *A alma boa de Setsuan*, de 1940, abordam, ambas, o tema da bondade impossível, num mundo monitorado pelo egoísmo; ficaram como marcos inaugurais da recepção de Brecht no país certamente porque obtiveram registros na imprensa. Mas (sem querer exasperar o leitor com problemas de genealogia) anoto que, de acordo com Wolfgang Bader, organizador da coletânea *Brecht no Brasil* (1987), o marco inicial cabe mesmo a *Terror e miséria do Terceiro Reich*, encenada em 1945, em São Paulo, "por alemães exilados, que nos anos 40 começam diversas atividades teatrais aqui".

O sentido inicial das montagens brechtianas no país, sentido que se vai desdobrar em caminhos correlatos nos anos seguintes, relacionou-se à luta contra o fascismo, verberado já no título da peça. Bader e Fernando Peixoto (que, na mesma coletânea, também alude a *Terror e miséria do Terceiro Reich*) apenas mencionam a montagem de 1945, sem fornecer outros dados a seu respeito, sinalizando que a memória do espetáculo em boa parte se perdeu. Mas o texto seria revisitado, nos anos 1960, pelos encenadores Antonio Abujamra, Paulo Afonso Grisolli e Amir Haddad.

Significativa, também, foi a inclusão de um dos episódios que compõem a peça, chamado "O delator", no espetáculo-colagem *Liberdade,*

liberdade, de Millôr Fernandes e Flávio Rangel, sucesso no Rio de Janeiro de 1965, já, portanto, em tempos pós-Golpe. Paulo Autran e Tereza Rachel representavam os pais que temem ser denunciados como opositores do regime pelo próprio filho, não mais que um menino. Evidenciava-se um dos traços da presença brechtiana: o dramaturgo ajudou a politizar o teatro nacional ou, por outra, emprestou instrumentos de análise e crítica, ideológicos e estéticos, a dramaturgos, atores e diretores brasileiros, na fase em que os palcos se tornaram praça de resistência ao regime militar instalado em 1964.

A tradução para o inglês de *A alma boa de Setsuan* e de *O círculo de giz caucasiano*, pelo norte-americano Eric Bentley, peças publicadas em 1948 (Bentley divulgou a obra de Brecht nos Estados Unidos, onde o dramaturgo passou a fase final do exílio), permitiu ao crítico Décio de Almeida Prado ler o autor, para depois comentá-lo a propósito de *A exceção e a regra*, poucos anos mais tarde. Já Sábato Magaldi viu pela primeira vez uma peça de Brecht em Paris, em 1953. Era *Mãe Coragem*, a história da tragicômica mulher que se sustenta como vendedora ambulante em plena guerra, metáfora dos que pretendem se valer das situações de conflito e caos, delas auferindo vantagens (a obtusa Coragem perde seus três filhos, um a um, ao longo da história).

Sábato não gostou, contudo, da encenação de Jean Vilar: "Não vou esconder que fiquei muito decepcionado: achei o espetáculo por demais cansativo, e o público se enfadava todo o tempo". Efeito, quem sabe, de tratamento excessivamente literal do teatro épico proposto pelo escritor, teatro em que a ação dramática está constantemente emoldurada por expedientes narrativos (cartazes e canções, entre outros), destinados a evitar a simples identificação emocional entre público e espetáculo, privilegiando-se a atitude racional. Para Brecht, o mundo (resumido em cena) deve aparecer como passível de ser modificado pela vontade consciente, jamais como inacessível a mudanças objetivas.

Houve acertos e desacertos na recepção dada à obra na França ou aqui. O crítico Yan Michalski inicia depoimento de 1986 dizendo precisamente isto: "Brecht forneceu a matéria-prima literária e teórica para alguns dos mais equivocados momentos da cena brasileira dos últimos trinta anos, e para alguns dos seus momentos mais iluminados e enriquecedores". Compreensão limitada do famoso "efeito de distanciamento", preconizado pelo também diretor Brecht (o ator deve *afastar-se* de seus personagens, buscando pensar e fazer pensar sobre eles), possivelmente responde por alguns daqueles equívocos.

Já os acertos se devem a uma utilização criadora, pouco subserviente, das ideias do autor. O que se verificou também nos espetáculos que não se basearam em textos de Brecht, mas foram de algum modo inspirados por suas concepções, caso da comédia *Se correr o bicho pega, se ficar o bicho come*, de Oduvaldo Vianna Filho e Ferreira Gullar, integrantes do Grupo Opinião. O espetáculo estreou no Rio, em 1966, sob a direção de Gianni Ratto.

No prefácio ao *Bicho*, os autores aludem a procedimentos não realistas que ajudariam a representar melhor a própria realidade. Depois de situar as fontes da comédia na literatura popular (no caso, o cordel e a farsa nordestina), dizem: "A literatura popular e a grande literatura sempre tiveram um ponto fundamental em comum: a intuição da arte dramática como uma manifestação de encantamento, de invenção". Encantamento, segundo eles, é justamente "o que Brecht repõe na literatura dramática".

Vianna e Gullar esclarecem referindo-se, implicitamente, ao humor e ao caráter lúdico também presentes nas peças do escritor alemão: "Mas quando falamos em encantamento, não estamos querendo dizer envolvimento passional. Com encantamento queremos dizer uma ação mais funda da sensibilidade do espectador que tem diante de si uma criação, uma invenção que entra em choque com os dados sensíveis que ele tem da realidade, mas que, ao mesmo tempo, lhe exprime intensamente essa realidade". O efeito, no *Bicho*, seria o de uma incisiva caricatura das relações políticas no Nordeste dos coronéis e, por analogia, em todo o país. Já nos anos 1970, o Grupo Opinião recorre, em *O último carro* (1976), de João das Neves, peça ambientada num trem de subúrbio, à técnica de composição por cenas isoladas, eminentemente épica.

O Teatro de Arena de São Paulo esteve fortemente relacionado à estética de Brecht, reelaborando-a criativamente. Dois espetáculos musicais devem ser destacados nesse sentido: *Arena conta Zumbi*, de 1965, e *Arena conta Tiradentes*, de 1967, ambos escritos por Augusto Boal e Gianfrancesco Guarnieri.

As lições relativas às técnicas épicas reaparecem no Arena sob a forma da narração coletiva e da dissociação de atores e personagens (um mesmo papel pode ser interpretado por diversos atores, o que dilui a empatia e reforça o exame crítico das situações), como se deu em *Zumbi*. Ou, ainda, sob a figura do Coringa, espécie de mestre de cerimônias que conta a história e encarna o ponto de vista autoral, como em *Tiradentes*. Boal articula, na ocasião, o Sistema do Coringa e, depois, as técnicas do Teatro do Oprimido, em certa medida derivadas de matrizes brechtianas.

De volta aos textos do próprio Brecht, lembre-se *Galileu Galilei*, encenado pelo Grupo Oficina em 1968, com estreia no mesmo dia em que se editou o AI-5, pelo qual os militares cassavam as liberdades públicas. Tendências racionalistas, de índole marxista, e irracionalistas, estas ligadas à contracultura que então se afirmava, batiam-se dentro do grupo, o que resultou em espetáculo híbrido (e bem-sucedido): o texto de Brecht narra a história do astrônomo renascentista para ressaltar os poderes críticos e a responsabilidade política da ciência, enquanto a montagem dirigida por José Celso Martinez Corrêa sublinhava uma das cenas, a do carnaval, até a embriaguez, como se correntes contrárias se chocassem no interior do mesmo espetáculo.

A *Ópera do malandro* vem atualizar a *Ópera do mendigo* (1728), do inglês John Gay, e sua descendente alemã, duzentos anos posterior, a *Ópera de três vinténs*, de Brecht e Weill. Esta já havia sido encenada (por exemplo) sob a direção de José Renato, em 1964; a adaptação de Chico Buarque, apoiada em convivência já extensa dos brasileiros com a obra de Brecht, traz a ação para o Rio de meados dos anos 1940, quando a ditadura de Vargas chegava ao fim e o país entrava numa fase de ambígua modernização capitalista.

Em lugar de replicar o niilismo existente na *Ópera de três vinténs*, Chico e o diretor Luís Antônio Martinez Corrêa acentuaram seus aspectos de crítica política, satirizando o clima de engodo que se armava no segundo pós-guerra, quando os Estados Unidos se confirmavam no papel de líderes do mundo "cristão e ocidental". Propunha-se analogia do passado, os anos 1940, com a atualidade, a década de 1970, momento em que se continuava a promover, por aqui, o banquete das elites.

O que permanece válido em Brecht, agora? Conforme notou Roberto Schwarz no artigo "Altos e baixos da atualidade de Brecht", de 1999, a obra do dramaturgo carece hoje de revisão e de crítica, dado que pressupostos importantes de seu trabalho perderam força. O primeiro pressuposto vencido é o de que o mundo caminharia para uma ordem solidária ou socialista: não foi o que ocorreu. Já o segundo refere-se ao arsenal das técnicas épicas, que parecem gastas. Os recursos de quebra da ilusão cênica e, por extensão, política, tomados tal e qual Brecht os compreendeu, apropriados inclusive pela publicidade, deixaram (ou teriam deixado) de ser eficazes.

Schwarz diz também, no entanto, que o reexame das peças pode nos reconduzir a bons achados. Um exemplo: o ácido retrato de um capitalismo amoral, como que *absoluto*, isento de culpas ou recalques, exposto em *A Santa Joana dos Matadouros*. Ao parodiar a literatura clássica alemã, fazendo-a falar o jargão das negociatas, a peça ilustra o quanto há de vivo na ampla obra do dramaturgo. (A peça foi encenada em 1998 pela Companhia do Latão, de São Paulo, montagem também apresentada em Brasília.)

A receita vale para outros grandes textos do autor, que se mantêm atuais, até porque a realização das esperanças de mundo melhor teve mesmo de ser adiada por tempo indeterminado. Nosso mundo, meio século mais velho que o de Brecht, guarda pontos de contato fundamentais com o dele. O que, aliás, não é de se comemorar.

NO OFÍCIO DE FAZER RIR[1]

O ofício de contar histórias, no teatro ou no cinema, e a bossa de escrevê-las com humor aproximam dois autores, para além da mera coincidência das publicações recentes: o brasileiro Oduvaldo Vianna (1892-1972) e o norte-americano Woody Allen, nascido em 1935. Outras afinidades entre os comediógrafos residem na produção torrencial (a de Vianna não deve ser menos numerosa que a de Allen) e nas tiradas críticas acerca de hábitos sociais e relacionamentos amorosos — mais ingênuas e diretas em Oduvaldo, mais irônicas e céticas em Woody.

Vianna, que anda esquecido, foi dramaturgo, encenador, cineasta e homem de rádio, veículo para o qual produziu copiosamente. Seu nome volta a circular com a publicação de *Comédias*, três peças entre as quais se encontra a inovadora *Amor*. O texto, encenado em São Paulo, em 1933, com Dulcina de Moraes no papel da compulsiva Lainha, merece lugar na história do teatro brasileiro moderno — fato até aqui

---

1 Resenha publicada no jornal *Correio Braziliense*, suplemento Pensar (Brasília, 27 dez. 2008).

Ver *Comédias*, de Oduvaldo Vianna, com edição preparada por Wagner Martins Madeira (São Paulo: Martins Fontes, 2008), e *Conversas com Woody Allen*, de Eric Lax, com tradução de José Rubens Siqueira (São Paulo: Cosac Naify, 2008).

pouco ressaltado. Pai de Oduvaldo Vianna Filho, o dramaturgo terá influenciado a geração de Vianinha sobretudo pela busca da linguagem coloquial.

Allen começou redigindo piadas para a televisão, apresentando-se em casas noturnas e, depois, escrevendo comédias para a Broadway — uma delas chama-se *Sonhos de um sedutor* e foi transformada em cinema. Roteirista e diretor de 38 filmes realizados a partir de 1969, Woody atuou em boa parte deles, em geral usando a máscara cômica do homem urbano, inteligente e culto, mas emocionalmente frágil.

Seria óbvio dizer que o diretor aparece de corpo inteiro em *Conversas com Woody Allen*, livro do jornalista Eric Lax, que nele editou entrevistas feitas ao longo de 36 anos. Mas é verdade: lá está Woody, reflexivo, engraçado, às vezes contraditório, expondo-se da cabeça aos sapatos nas várias seções, que cobrem todas as etapas de realização, do roteiro à trilha sonora.

CENAS SIMULTÂNEAS

Oduvaldo Vianna escreveu cerca de 30 peças teatrais desde a estreia em 1916, com *A ordenança do coronel*, até 1941, quando voltou ao Brasil após temporada na Argentina. Aqui ele então se tornará, na Rádio Nacional, do Rio de Janeiro, "o principal diretor brasileiro de radionovelas, carreira a que se dedica como autor e diretor até a década de 60", anota Wagner Martins Madeira, organizador das *Comédias*.

As peças no livro são *O clube dos pierrôs, Feitiço* e *Amor*. A primeira, opereta em três atos de 1919, traz um homem que, desastrado ao abordar uma mulher e rejeitado por ela, funda o tal grêmio com o objetivo de conquistá-la. Prosa cômica e versos idílicos se alternam; a presença da música sanciona a atmosfera de fantasia. O dramaturgo é hábil em criar confusões de enredo, ao mesmo tempo que se vale de diálogos poéticos e brilho visual nas passagens líricas.

Certo virtuosismo de palco já se mostra no *Clube dos pierrôs*, prenunciando as inovações de outras obras. Por exemplo, atores carregam luzes no próprio corpo ao ambientar uma cena sentimental: "No palco, em lugares determinados, fios elétricos que, em contato com a chapa de ferro que os pirilampos trazem nos sapatos, façam acender e apagar, rapidamente, na cena meio escura, duas pequenas lâmpadas à cabeça de cada um". Se os versos se ressentem da concessão a fórmulas batidas, a mescla do cômico e do lírico torna o texto interessante ainda hoje.

A segunda peça, *Feitiço*, é de 1932 e trata de ciúme, sentimento promovido com a armadilha organizada, pela mulher e seus aliados, em torno do marido. A trama pretende persuadi-lo de que sua mulher o trai — quando ela, na verdade, é a mais fiel das companheiras. O texto critica as ilusões de propriedade, além de ironizar as pretensões liberais pouco realistas (o marido propõe que ambos tenham direito à infidelidade, mas, quando a mulher finge fazer uso desse direito, ele não aguenta...). *Feitiço* traz o engenho das peças benfeitas de tradição francesa, nas quais o enredo é geometricamente costurado.

Amor, o terceiro e último texto, de novo denuncia, com leveza, a obsessão da posse. O ciúme, transformado em mania, surge relacionado ao casamento, à época dificilmente dissolúvel. Defendendo a tese do divórcio, algo distante em 1933, o texto clama por liberdade afetiva.

A peça inaugurava, em palcos brasileiros, o sistema das ações simultâneas. *Amor* foi recebido, na estreia, como espetáculo criativo, ainda que não propriamente revolucionário; os historiadores, contudo, têm negligenciado os méritos do texto e da montagem. Deve-se destacar com mais ênfase o método das cenas simultâneas — depois ampliado por Nelson Rodrigues em *Vestido de noiva*.

O realismo, em teatro, esteve obrigado à narração sucessiva (isto é, uma ação após outra). Inspirando-se no cinema, Vianna rompeu esses limites quando imaginou ações ocorrendo ao mesmo tempo, em cenário que previa cinco planos independentes. Assim, vale endossar a tese de Wagner Madeira: Oduvaldo experimentou processos modernos, com sucesso, dez anos antes de Nelson Rodrigues e seu genial *Vestido*.

FILMES METAFÍSICOS

Em 1971, quando o jornalista Eric Lax encontrou-se com Woody Allen pela primeira vez, o escritor já emplacara duas comédias na Broadway e começava a dirigir os seus filmes. Esses primeiros trabalhos em cinema eram, como o próprio Allen admite, simples sequências de piadas alinhavadas por um fio tênue de enredo. Trama e personagens importavam menos do que fazer a plateia rir, se possível sem parar. É a fase de *Um assaltante bem trapalhão* e de *Bananas*.

Seu terceiro filme chama-se *Tudo o que você sempre quis saber sobre sexo mas tinha medo de perguntar*, uma coleção de esquetes ligados pelo tema do título, visto pelos ângulos mais absurdos. Mas ganha unidade também pela presença do ator Woody Allen em algumas das histórias; sua personalidade cômica acha-se plenamente delineada. Nesse e em tantos outros filmes, com variações do naturalismo à caricatura, ele fará o sujeito a um só tempo arguto e inseguro, afiado nas palavras, inepto em quase todo o resto.

A comédia lançada a seguir, no original intitulada *Amor e morte*, propõe o paradoxo da história engraçada na qual se discutem temas trágicos — sem perder a leveza jamais. A virada para os filmes cômico--metafísicos que se tornariam marca do cineasta reafirma-se em 1977 com o premiado *Annie Hall* (*Noivo neurótico, noiva nervosa*).

O filme serve-se de recursos não convencionais: legendas utilizadas para revelar o pensamento dos personagens (enquanto eles dizem determinadas coisas, outras, distintas, surgem na tela), imagens duplas e desenho animado ajudam a contar uma história moderna de amor. Guardadas as naturais diferenças de época e estilo, nota-se atitude similar nas peças de Oduvaldo Vianna.

Allen volta e meia se aventura no território do drama — ele próprio considera o belo e sombrio *Match point*, de 2005, uma de suas melhores realizações. Aspectos sérios e humorísticos comparecem a seu filme de 2008, *Vicky Cristina Barcelona*, embora, nesse caso, Allen esteja mesmo de volta à pândega. De toda maneira, não há por que opor comédia e drama, riso e especulação metafísica, polos entre os quais se equilibra a obra do cineasta, amplamente comentada no ótimo livro de Lax.

ODUVALDO VIANNA, AO CENTRO, DIRIGINDO PEÇA DE RADIOTEATRO NA RÁDIO NACIONAL (ANOS 1950). © CEDOC/FUNARTE.

O VISIONÁRIO E A FARSA[1]

O teatro brasiliense existe? Imagina-se que sim: pode-se vê-lo, ouvi-lo e farejá-lo nas salas, com certa constância. Mas, se existe mesmo, por que até agora não se encenou a peça *O homem e o cavalo*, de Oswald de Andrade, na Praça dos Três Poderes ou na Esplanada dos Ministérios? Falo sério: o texto requer cenários largos — algumas vezes, o próprio céu — e seria bom ter o espetáculo ali, no centro da cidade.

Uma das três peças teatrais importantes de Oswald de Andrade (1890-1954), a épica e bem-humorada *O homem e o cavalo*, escrita há 70 anos, corresponde à busca visionária de fazer com que o teatro retorne ao ar livre, aos espaços amplos e abertos — como aconteceu entre os gregos, entre os povos da Europa medieval ou nas festas populares brasileiras do século XIX. As demais peças inovadoras do autor chamam-se *O rei da vela* e *A morta*.

Textos como *O homem e o cavalo* divergem do "teatro de câmara" dominante há 200 anos, feito em recintos fechados para público pagante, em geral formado não por trabalhadores, mas pelas elites. A esse respeito, diz Oswald no artigo "Do teatro, que é bom...", recolhido no livro *Ponta de lança*: o espetáculo teatral a partir do século XVIII

---

1   Artigo publicado no jornal *Correio Braziliense*, suplemento Pensar (Brasília, 30 out. 2004).

"deixou o seu sentido popular e educativo", tornando-se "uma simples magnésia para as dispepsias mentais dos burgueses bem jantados".

Nos 50 anos de morte do mestre modernista que, falecido a 22 de outubro, se desdobrou em poeta, romancista, ensaísta e dramaturgo, vale revisitar as suas ideias sobre a cena. Oswald não negava o teatro de câmara — frequentemente o único possível. Mas, inspirado nos textos e montagens que se realizaram na ainda incorrupta União Soviética dos primeiros tempos (entre eles *O mistério bufo*, de Maiakovski), defendeu a necessidade de reconduzir o teatro à sua terra natal, a praça pública, politizando-o.

Pode-se refletir ainda sobre o seguinte: desde os anos 1970, alega-se que a televisão produz o verdadeiro teatro popular e, para sustentar o argumento, recorre-se ao "sufrágio do número". Ou seja, a tevê atinge milhões de espectadores ao mesmo tempo, coisa que o teatro, é claro, não pode fazer. Mas, se a televisão alcança tantos espectadores, necessariamente os afasta uns dos outros; a tevê divide, atomiza o seu público.

Assim, o teatro continua insubstituível não apenas porque oferece o contato vivo entre artistas e plateia, mas também porque liga os espectadores uns aos outros; se a televisão separa, o teatro congrega. Hoje, supostamente libertos dos entraves autoritários, podemos pensar outra vez em espetáculos teatrais ao ar livre, que utilizem sem preconceitos os microfones, telões e refletores da música popular. Oswald sonhou esse teatro (com a natural ressalva de que o problema da televisão não existia para ele). Quem patrocinaria hoje essa ingênua loucura? As universidades, os sindicatos, as entidades de classe. Alguém se habilita?

A estreiteza dos palcos brasileiros na década de 1930 condenou *O homem e o cavalo*, a expressionista *O rei da vela* e a onírica *A morta a dormirem nos livros*. *O rei da vela* só viria a ser encenada em 1967, trinta anos depois de publicada, na histórica montagem do Teatro Oficina, sob a direção furibunda de José Celso Martinez Corrêa. Em Brasília, vimos a peça polêmica em 1987, dirigida por Hugo Rodas, com os atores João Antonio e Bidô Galvão nos papéis do usurário Abelardo I, retrato do agiota sem escrúpulos, e da desfrutável Heloísa, flor venal da aristocracia do café em decadência.

Oswald escreveu ao todo cinco peças, sem contar três textos manuscritos que ficaram inacabados. Além das obras pelas quais ele tem o direito de ser considerado precursor do teatro brasileiro moderno, há dois textos em francês, compostos em parceria com Guilherme de Almeida e publicados em 1916: *Mon coeur balance* (Meu coração balança) e *Leur âme* (A alma delas, as mulheres), estudados por Sábato Magaldi no livro *Teatro da ruptura: Oswald de Andrade*. Sábato destaca certa habilidade na construção dos personagens e situações, que chegam a questionar os costumes (o casamento por interesse, por exemplo). Mas, segundo o crítico, apesar de revelar bossa, a produção do jovem Oswald não ultrapassa o realismo convencional, somado a tintas simbolistas.

A crise econômica de 1929, disseminada com a quebra da Bolsa de Nova York, debilitou as fortunas apoiadas no café, concentradas em São Paulo. Oswald, filho de uma daquelas famílias ricas, viu-se pobre de repente. A crise e a ciranda de empréstimos e dívidas o levaram a uma visão menos juvenil do sistema capitalista ("Só se pode prosperar à custa de muita desgraça. Mas de muita mesmo...", diz um dos personagens de *O rei da vela*). Oswald torna-se marxista e escreve, entre outros trabalhos, as três peças dos anos 1930.

O rei da vela foi composto em 1933; *O homem e o cavalo* é do ano seguinte; *A morta* foi escrita em 1937 e seria publicada nesse ano, ao lado de *O rei da vela*. Cada uma dessas obras corresponde a atitude literária distinta. Tragicomédia de linhas exacerbadas, *O rei da vela* mostra a trajetória de Abelardo I, sócio de Abelardo II, usurários que crescem com a crise, valendo-se das dificuldades da maioria. *O homem e o cavalo* narra, em meio a viagens ao céu e outras fantasias humorísticas, a aventura coletiva de mudança social e, a seguir, a construção cotidiana do mundo comunista, que Oswald idealiza um pouco ingenuamente (os crimes do ditador soviético Stalin só seriam denunciados nos anos 1950).

Por fim, *A morta* define-se como "ato lírico em três quadros", exprimindo em falas e cenas metafóricas, próximas do delírio, "o drama do poeta", preso de um lado aos desastres do amor e, de outro, à ambição legítima de influir publicamente: "As catacumbas líricas ou se esgotam ou desembocam nas catacumbas políticas", nota Oswald.

Os três textos, e aqui eles se assemelham, estão carregados de humor farsesco. No primeiro ato de *O rei da vela*, à maneira de um circo surreal, Abelardo II trata os inadimplentes a chicote, como faria um domador de bichos. O segundo ato da peça foi inspirado no teatro de revista, com as obsessões e vigarices sexuais transformadas em chanchada. No último ato, no instante extremo da morte, Abelardo I (que some para dar lugar a um cretino idêntico, seu sócio) estica as mãos trêmulas para as mesmas velas que ele produziu aos montes, num Brasil em marcha a ré que abandonava a energia elétrica para voltar às lamparinas.

Em *O homem e o cavalo*, Lord Byron e o gângster Mister Capone, emblemas cômicos do conservadorismo, trocam ideias gaiatamente. Diálogos espirituosos também constam de *A morta*, quando o Turista Precoce e o Polícia Poliglota são associados a anacrônicas regras de gramática: "O mundo é um dicionário. Palavras vivas e vocábulos mortos. Não se atracam porque somos severos vigilantes. Fundamos para isso as academias... os museus... os códigos". Sem essas providências, "não haveria mais os céus da literatura, as águas paradas da poesia, os lagos imóveis do sonho", dizem os personagens, misturando lirismo e galhofa.

Oswald de Andrade não chegou a ver as próprias peças encenadas. Só a partir dos anos 1960 o teatro brasileiro estaria técnica e intelectualmente apto a tornar concretas as suas intuições. E, no caso de *O homem e o cavalo*, talvez as condições propícias se deem apenas agora — o texto, lembre-se, jamais foi realizado em lugar algum. O hipotético espetáculo na Esplanada significaria a simbólica e salubérrima tomada dos espaços públicos pelos habitantes da cidade. Não é?

MOMENTO DE DECISÃO[1]

O primeiro e mais claro sinal de que, na noite de 28 de dezembro de 1943, já se adivinhava que algo inusitado estava por vir terá sido o número de espectadores presentes ao Teatro Municipal do Rio de Janeiro: 2.205 pessoas lotavam a sala. Intelectuais como Manuel Bandeira haviam emprestado prestígio à peça em cartaz — em fevereiro, o poeta escrevera artigo elogioso sobre o texto. Cercado de cochichos e palpites, estreava *Vestido de noiva*, a segunda peça do ainda obscuro Nelson Rodrigues, jornalista de 31 anos. Os amadores da companhia Os Comediantes formavam o elenco, dirigido pelo profissional e exigentíssimo Ziembinski, polonês chegado ao país dois anos e meio antes. Por volta das 21h30, um dos membros do grupo veio à cena ler breve explicação, redigida pelo dramaturgo, a respeito do que se ia ver. E o espetáculo começava: "Buzina de automóvel. Rumor de derrapagem violenta. Som de vidraças partidas. Silêncio. Assistência. Silêncio".[2]

---

[1] Artigo publicado na revista *Cult* (São Paulo: Bregantini, n. 75, dez. 2003), nos 60 anos de estreia da peça *Vestido de noiva*, de Nelson Rodrigues.

[2] Alguns dos dados utilizados nesse parágrafo se encontram em *O anjo pornográfico*: a vida de Nelson Rodrigues, de Ruy Castro (São Paulo: Companhia das Letras, 1992).

O primeiro dos três atos transcorreu diante de uma plateia perplexa — houve poucas palmas ao final. O autor mantinha-se "escondido no camarote, transido de timidez, numa expectativa dilacerante", recorda o jornalista Augusto Rodrigues, 85 anos, irmão de Nelson. Este temia que o público não entendesse nada. Terminado o segundo ato, os aplausos foram ainda mais escassos. Mas, ao final do espetáculo, após uma pausa que a Nelson deve ter parecido interminável, "explodiram as palmas em todo o teatro. Foi uma unanimidade", diz Augusto, testemunha da noite de estreia. Amigos ou vagos conhecidos exigiam "o autor, o autor!". Nos dias seguintes, as críticas iriam chamar *Vestido de noiva*, "no mínimo, de obra-prima", lembra o jornalista.

Surgida há exatos 60 anos, a peça tornou Nelson Rodrigues famoso da noite para o dia, ao menos nos meios literários (a popularidade irrestrita viria mais tarde). O enredo inovador reparte-se em três planos: realidade, memória e alucinação. A personagem principal, Alaíde, originária da alta classe média carioca, foi atropelada e, no hospital, em estado de choque, relembra momentos de seus 25 anos de vida, misturando-os ao puro delírio. A memória dos embates travados com a irmã Lúcia, sua rival no amor de Pedro — o homem com quem Alaíde se casou —, e as fantasias alimentadas a partir da leitura do diário de madame Clessi, prostituta elegante morta em 1905, constituem o argumento, sem dúvida folhetinesco. Lembranças e alucinações se materializam fragmentariamente sobre a cena, enquanto, no plano da realidade, a moça agoniza na mesa de operações.

As cenas de *Vestido de noiva* correspondem sobretudo ao que se passa na mente de Alaíde, em estrutura radicalmente nova para 1943. No Brasil sob a tutela de Vargas, pontificavam as "peças frívolas", registra Augusto Rodrigues, espetáculos que raramente se aventuravam para além do realismo da sala de visitas. Augusto afirma ter acreditado desde sempre no sucesso da peça, por considerar Nelson "um gênio" e porque o dramaturgo pôde reunir "uma equipe extraordinária" — que se esfalfou em oito meses de ensaios, outra prática inédita na época. Ziembinski, com "a variedade das luzes empregadas", e o cenógrafo

Tomás Santa Rosa, que deu forma física às indicações do autor nos célebres arcos em que se distribuíram realidade, memória e delírio, foram colaboradores fundamentais para o êxito da peça. *Vestido de noiva* assinalou o nascimento do teatro brasileiro moderno, tendo sido episódio decisivo para a revolução que se vinha delineando desde o final dos anos 1930.

A importância histórica da peça está acima de qualquer polêmica. Pode-se perguntar, porém: e a sua vigência estética? O diretor Luís Artur Nunes levou diversos textos de Nelson Rodrigues à cena, inclusive *Vestido de noiva*, em 1993, nos 50 anos da peça. Ele não tem dúvidas quanto à permanência do texto e diz que as montagens presentes e futuras devem eximir-se, tranquilamente, de "preocupações museológicas". Luís Artur ressalva apenas que, já na montagem feita há dez anos, pôde dispensar a separação estrita, espacialmente definida, dos três planos. No espetáculo de estreia, Ziembinski e Santa Rosa precisavam utilizá-la "para que o público pudesse acompanhar a história", um tanto quanto "estilhaçada". "Hoje o público está preparado para acompanhar o enredo sem essa ajuda tão explícita. Até porque os planos, afinal, se confundem", diz o diretor.

Um dos exemplos nesse sentido encontra-se na cena em que Alaíde, Lúcia e Pedro se reúnem diante de uma cruz, símbolo ambíguo de amor e morte, quando as duas moças usam vestidos de noiva. A mãe das meninas, dona Lígia, aparece, dando ensejo a uma prosaica cena de família, mas temperada por elementos suprarrealistas (Nelson indica estarmos no plano da alucinação). Memória e delírio superpõem-se aqui. Outro exemplo, ainda mais incisivo, é o da cena final. Alaíde, já morta, vem entregar o buquê à irmã, que nesse instante se casa com o viúvo Pedro. Nelson "abandona o recurso narrativo" utilizado em quase toda a trama — o de mostrar o que se passa na cabeça de Alaíde — para projetar o que terá ocorrido tempos depois de sua morte, quando a personagem comparece ao palco na condição de "poético fantasma", define Luís Artur lembrando uma das rubricas. Ao mesmo tempo que certas dificuldades se esclarecem (a misteriosa Mulher de véu, vai-se saber no segundo ato, é Lúcia; Alaíde não matou o marido Pedro, apenas sonhou tê-lo feito), novos desafios são propostos ao público, à medida que a história avança.

Outros diretores ocuparam-se de *Vestido de noiva*. O próprio Ziembinski voltou a ele em 1976. Márcio Aurélio, Eduardo Tolentino, Adriano e Fernando Guimarães foram alguns dos encenadores que, a partir dos anos 1980, também enfrentaram a peça que Nelson considerava (com peculiar autocrítica) o seu "soneto" perfeito. O texto alinha-se entre as "peças psicológicas", uma das três fases em que se divide a obra do dramaturgo. As demais correspondem às "peças míticas" e às "tragédias cariocas".

Se Nelson Rodrigues encontrou todo tipo de lisonjas com sua segunda peça, a terceira, *Álbum de família*, o faria deparar-se com o fracasso — ainda que fracasso ruidoso, altamente promocional. Ele próprio diria: "*Vestido de noiva* teve o tipo de sucesso que cretiniza um autor. Parti para *Álbum de família*, que é um anti-*Vestido de noiva*. [...] Teatro não tem que ser bombom com licor".

Crivado de incestos e assassinatos, o *Álbum* foi submetido à Censura no início de 1946 — e proibido para o palco, embora liberado para sair em livro. A peça foi publicada em meados daquele ano, ao lado de *Vestido de noiva*. Acompanhava-as prefácio escrito por Prudente de Morais Neto, que naturalmente defendia o *Álbum* das acusações de imoralidade. Essa parece ter sido a deixa para o influente Álvaro Lins, que elogiara o *Vestido*, desancar *Álbum de família*. O crítico, "dengoso do estilo", como o chamou Nelson, mostrou-se perdulário nos sinônimos para negar valor ao texto, embora desaprovando qualquer espécie de censura: a peça de Nelson, dizia Lins referindo-se aos aspectos literários, "soçobra num mar de enganos, equívocos, erros, atrapalhações e insuficiências".

Seu principal argumento: a tragédia, gênero a que Nelson filiou o texto, exige que os episódios que a deflagram sejam excepcionais, únicos, tendo, por isso, força bastante para arrastar suas personagens à queda. Assim, em *Édipo rei*, o protagonista comete um assassinato (mata o pai, sem o saber) e um incesto (casa-se com a mãe, também na ignorância do que fazia). No *Álbum*, diferentemente do que se passa no clássico grego, o que há são vários incestos e vários assassinatos, conduzindo a história, afirmava o ferino Álvaro Lins, a cair no "abundoso numérico".

A polêmica em torno da peça espalhou-se pelos jornais e está relatada em *O anjo pornográfico*, biografia de Nelson escrita por Ruy Castro — que considera *Álbum de família* mais importante que o *Vestido*. Ruy, nesse ponto, ecoa opinião de Paulo Francis (sem os exageros de Francis) que, em artigo de 1980, afirmava ser "um erro cultural grave" privilegiarmos as formas redondas do *Vestido* preterindo a morbidez diabólica do *Álbum*. Há outras peças de Nelson mais significativas que o *Vestido*, segundo Ruy, como seria o caso de *Senhora dos Afogados* ou de *O beijo no asfalto*. Mas o biógrafo ressalva: "A melhor peça de Nelson, para mim, é a que estou lendo ou à que estou assistindo. Gosto de todas", declara.

Nelson participou da polêmica a respeito de *Álbum de família* com artigos que procuravam desqualificar, pelo humor, a autoridade de Álvaro Lins — artigos assinados não pelo próprio dramaturgo, mas por amigos. A sério, ele voltaria ao tema em depoimento de 1949, dado à revista *Dionysos*, argumentando ter visado a "um resultado emocional pelo acúmulo, pela abundância, pela massa de elementos". O argumento vale também para as demais peças do ciclo mítico — *Anjo negro*, *Senhora dos Afogados* e *Doroteia* —, nas quais as relações humanas são flagradas em suas fontes arquetípicas.

A terceira fase da dramaturgia rodriguiana, conforme a divisão operada pelo organizador do *Teatro completo*, Sábato Magaldi, é a das tragédias cariocas, inauguradas em 1953 com a genial *A falecida*. A peça foi influenciada pelo sucesso dos contos de "A vida como ela é...", coluna que Nelson vinha publicando desde 1951 no jornal *Última Hora*. As quatro peças míticas, entre elas *Álbum de família* e *Senhora dos Afogados*, tinham tido destino bastante problemático na segunda metade dos anos 1940. Nelson, em 1951, era um dramaturgo enjeitado

— sorte irônica para quem colecionara elogios em 1943. A divulgação dos contos de "A vida como ela é...", marcados por golpes melodramáticos e por lances cômicos, redirecionaria o seu teatro, que emergiu dos temas míticos para o cotidiano da Zona Norte carioca, sem abandonar, no entanto, os temas recorrentes de amor e morte.

Certa dança de convenções torna singulares as tragédias cariocas: cenas melodramáticas esvaziam-se com o recurso ao humor, assim como passagens cômicas frequentemente se exasperam ao contato de elementos mórbidos. O processo pode-se chamar de comicidade da desilusão — situações moralmente insustentáveis enervam o tom de farsa ou, ao contrário, a comicidade desmoraliza os temas graves, como ocorre na *Falecida*. Dez anos depois do *Vestido*, a história de Zulmira iria indicar rumos novos a essa dramaturgia.

Sábato Magaldi considera *Vestido de noiva* texto perene, um clássico a que vamos voltar como voltamos aos gregos ou a Molière. Não só a engenhosidade dos planos continua válida, como "a riqueza psicológica das personagens", diz o crítico. Ele situa a peça entre as melhores de Nelson, ao lado de *Senhora dos Afogados* e de *Toda nudez será castigada* — esta, uma das oito tragédias cariocas, a última e a mais numerosa das seções em que se reparte a obra.

As peças são, ao todo, 17 — e, entre elas, você não irá encontrar texto chamado *A estrela do mar*. Mas, na página 328 do livro *Cem anos de teatro em São Paulo*, de Sábato Magaldi e Maria Thereza Vargas,[3] lê-se: em 1951, "o Departamento de Cultura da prefeitura instituiu um prêmio para teatro, ao qual concorreram trinta e uma peças, julgadas por José Geraldo Vieira, Francisco Luís de Almeida Sales e Ruggero Jacobbi. Abílio Pereira de Almeida obteve o primeiro lugar com *Moinho de ouro*; Nelson Rodrigues e Helena Silveira o segundo, respectivamente com *A estrela do mar* e *A torre*; e A. C. Carvalho, o terceiro, com *O céu num dilema*".

---

3   São Paulo: Senac, 2000.

Sábato Magaldi, Ruy Castro, Luís Artur Nunes e Augusto Rodrigues não têm notícia de *A estrela do mar*, suposta peça perdida — aliás, desconhecida — de Nelson. É provável que se trate de *Senhora dos Afogados* com o título trocado, arrisca Ruy. Sábato prefere "não conjecturar no vazio" — não há outras informações. Maria Thereza Vargas também aposta em *Senhora dos Afogados* renomeada. Pois é: se a peça existe, o *Teatro completo* sobe a 18 textos. No aniversário de *Vestido de noiva*, cabe perguntar, mesmo que por mera curiosidade: onde andará *A estrela do mar*?

VESTIDO DE NOIVA, DE NELSON RODRIGUES. TEATRO MUNICIPAL, RIO DE JANEIRO (1943). FOTOGRAFIA DE CARLOS MOSKOVICS. DOMÍNIO PÚBLICO.

UM TEATRO HIPERBÓLICO[1]

Noite de domingo em 1980, as luzes da cidade acesas. Sem aviso, copos se partem, ruidosos, contra o piso do bar em Brasília. Dois ou três copos vazios ou semicheios de cerveja passam, zunindo, rente às pernas de frequentadores perplexos. O temerário autor dos lançamentos havia bebido demais e tinha, de quebra, motivo para o gesto: a notícia de que o dramaturgo e jornalista Nelson Falcão Rodrigues morrera pela manhã, aos 68 anos, no Rio de Janeiro. O então jovem candidato a cineasta, fã de Nelson, foi contido por amigos e garçons, que não chegaram a expulsá-lo — o rapaz era conhecido no lugar e, resmungando, sentou-se e prometeu comportar-se. Estava registrado, com ênfase, o seu protesto.

Houve reações mais sensatas, embora não menos sentidas, à morte de Nelson Rodrigues, ocorrida a 21 de dezembro, há 20 anos. A atriz Marilena Ansaldi, ao final do espetáculo que apresentava em São Paulo, lamentou serenamente, diante dos espectadores, o desaparecimento do autor pernambucano — gesto que deve ter se repetido noutras salas. Na manhã seguinte, os necrológios, é claro, louvaram Nelson, que não atravessava fase gloriosa quando faleceu. Pelo menos dois artigos o comparavam a Shakespeare. Embora alguns desses textos tenham

---

1 Artigo publicado na revista *Cult* (São Paulo: Lemos, n. 41, dez. 2000), nos 20 anos de morte de Nelson Rodrigues.

tom um pouco convencional, parecem sinceros; a comparação, de todo modo, procede.

O defunto é sempre um boa-praça, reflete uma das personagens da peça *Viúva, porém honesta*, farsa em que Nelson Rodrigues satirizou, entre outros problemas, os hábitos da imprensa. O fato de o chamarem "de Tchekhov para cima", porém, não constituiria novidade. Segundo ele próprio contou certa vez, Vargas Neto teria feito o mesmo em carta na qual recomendava a primeira peça de Nelson, *A mulher sem pecado*, a Abadie Faria Rosa, diretor da Companhia Brasileira. Em tempos de Estado Novo, a palavra de um Vargas, sobrinho de Getúlio, era lei. Abadie tomou o pedido de montagem como ordem, e o texto, de 1941, foi encenado pela companhia oficial no ano seguinte.

Décadas depois, o autor admitiria que até ali só havia lido, de teatro, a cândida *Maria Cachucha*, de Joracy Camargo, embora devorasse romances. O cinema também o influenciou. A peça de estreia, seja como for, já demonstrava talento e trazia certas marcas que iriam acompanhar seu trabalho até *A serpente*, de 1978, a última de suas 17 peças. Ninguém conhecia Nelson Rodrigues naquele momento, salvo alguns colegas de *O Globo*, mas o diálogo ágil, "sem literatice", agradou a Manuel Bandeira, que o elogiou em pequeno artigo. As personagens obsessivas, os golpes de teatro, o desfecho sombrio e melodramático eram outros desses traços. O humor, mais uma qualidade típica de Nelson, tampouco falta a *A mulher sem pecado* e decorre, em parte, dos próprios excessos folhetinescos.

Olegário, o protagonista, empresário sem problemas financeiros, alimenta uma única, obsedante preocupação, a de ser ou não ser... traído. Lídia, sua jovem mulher, não lhe dá quaisquer motivos para ciúme — mas tente dizer isso a Olegário. Apesar de a peça haver sido dividida em três atos, como era norma, a ação do segundo e do terceiro atos se inicia no ponto exato onde se encerra a do anterior. Esse recurso tem a ver com o ritmo tenso mas vertiginoso dos acontecimentos: Olegário, preso a uma cadeira de rodas há sete meses, passa a vigiar os movimentos de Lídia, remunerando empregados da casa para espioná-la.

Seu erro foi o de envolver o chofer, Umberto, nessas tarefas. Exasperada pelo ciúme mórbido e incessante do marido, Lídia acaba por traí-lo, fugindo com Umberto, conquistador sem maiores escrúpulos. A fuga se dá, ironicamente, pouco depois de Olegário ter-se levantado da cadeira de rodas — ele fingira a paralisia para pôr à prova a fidelidade da mulher. As esperanças das personagens são logradas, nessa e noutras histórias, afirmando-se a sarcástica "peça que a vida prega" a todas elas.

Mais do que meros traços avulsos, *A mulher sem pecado* já contém a mistura de gêneros e processos distintos que daria estrutura a grande parte do teatro de Nelson. Ao que parece, ele pretendeu realizar um teatro híbrido, em que tragédia, melodrama e farsa, entre outros gêneros, coexistissem. No plano das falas, Nelson instaura o diálogo coloquial em nossos palcos, ao mesmo tempo que é capaz de atribuir às personagens sentenças líricas ou humorísticas. Pode-se lembrar, na peça em pauta, o momento quando se menciona a condição de "namorada lésbica de si mesma" que, segundo afirma Olegário em conversa com Lídia, deveria ser o ideal das mulheres bonitas.

Com respeito à linguagem coloquial, cabe fazer a ressalva: já existia no Brasil, e existiu desde sempre, particularmente no âmbito da comédia, a tendência a se usar, no palco, a língua de todos os dias. Não se pode afirmar que Martins Pena, José de Alencar e Arthur Azevedo fugissem totalmente à fala natural, colhida nas ruas. Nelson, com seu "ouvido de repórter", levou essa tendência adiante e conseguiu fixá-la, contrariando hábitos beletristas e lusófilos que, de fato, pesavam sobre a cena nos anos 1940.

Já se disse que Nelson Rodrigues se repete — e ele próprio o confirmou, transformando o comentário restritivo em traço abonador, como era de seu feitio. Para o diretor Luís Artur Nunes, responsável, este ano, por montagens de *A mulher sem pecado* e *A serpente*, não se trata propriamente do uso de fórmulas, mas da "rica exploração de determinadas constantes". A cada vez em que volta a um tema — por exemplo, o incesto, que aparece em vários textos —, o autor "ilumina novas camadas" do assunto.

A trama simples de *A serpente* vem apoiar o que diz o diretor, já que "a situação do triângulo incestuoso é explorada inteiramente pela primeira vez". Paulo e Guida, Décio e Lígia, recém-casados, passam a dividir apartamento. Guida e Lígia são irmãs, e a primeira generosamente empresta o próprio marido à segunda, cujo companheiro falhara na primeira noite e nas seguintes. A história começa no que se poderia chamar de "ponto tardio de ataque": quando abre o pano, já se vai ver Décio, amargurado pela impotência, a abandonar Lígia. Pouco tempo depois, chega-se à proposta de empréstimo do marido válido e, sempre depressa, à crise e à catástrofe. A estrutura lembra a das tragédias clássicas.

Elementos melodramáticos, naturalistas e expressionistas comparecem tanto à primeira quanto à última peça de Nelson Rodrigues. *A mulher sem pecado* é ainda mais característica e instrutiva se quisermos inventariar alguns de seus procedimentos básicos. A técnica da hipérbole, que Nelson irá usar em todo o seu teatro — composto por peças psicológicas, peças míticas e tragédias cariocas —, já se evidencia na figura de Olegário, vítima de uma ideia fixa que não só o move, mas ainda impregna e envenena tudo à volta, técnica a que se pode chamar expressionista. Colaborando com ela, aparecem os recursos tomados ao melodrama, o gosto ou o mau gosto — tão prezado por Nelson — pela surpresa, a incoerência, o choque. Por fim, momentos como aquele em que Olegário briga com a sogra sugerem comédia ou mesmo farsa rasgada: "É um barraco", admite Luís Artur referindo-se à cena do bate-boca. Passar de um tom a outro, de uma convenção a outra, às vezes no interior da mesma cena — ou, para levar a questão ao extremo, da mesma fala —, é um desafio perene a atores e diretores que se aventurem a trabalhar com os textos.

A mulher sem pecado trazia também, discretamente, ousadias técnicas que espantaram o público e os críticos, como pensamentos projetados em *off*, mediante o uso do microfone, ou imagens fantasmáticas de Lídia quando menina e da primeira mulher de Olegário, já morta. Outra ousadia foi a de fazer uma das personagens, dona Aninha, passar todo o tempo a enrolar um paninho, mergulhada em mansa loucura. Essas singularidades não chegaram, no entanto, a espantar demais. O segundo texto de Nelson, *Vestido de noiva*, escrito e encenado em 1943, de estrutura fragmentária, formalmente radical, se encarregaria de revolucionar o teatro no Brasil em dezembro daquele ano, com os amadores do grupo Os Comediantes sob a direção do polonês Ziembinski. A revolução, de fato, já estava em marcha desde o final dos anos 1930; *Vestido* assinalou a data, o marco das mudanças. Estas incluíam os jogos de imaginação para além da sala de visitas, o trabalho do encenador como regente do espetáculo, o empenho em todos os aspectos da interpretação, o uso criativo da luz, os ensaios continuados e estafantes...

Já se escreveu muito sobre *Vestido de noiva*, que pode ser visto, afinal, como história folhetinesca apresentada sob a forma de quebra-cabeça. Quem conhece a peça pode fazer a experiência de relê-la como se a lesse pela primeira vez: torna-se claro que a sensação de estranheza, em 1943, era inevitável. E se entende por que, segundo Nelson Rodrigues contou mais tarde em crônica, o final do primeiro ato só teve cinco ou seis palmas esparsas, assim como o final do segundo (depois do terceiro ato, houve a apoteose). A reação da plateia não poderia ter sido outra; na verdade, parece ter-se ajustado maravilhosamente às sugestões da peça. Os segredos revelam-se aos poucos: quem é a Mulher de véu? Alaíde, a protagonista, matou de fato seu marido? O simples e convencional suspense complica-se no que passa a ser um desafio à inteligência do público.

Saberemos aos poucos que a Mulher de véu chama-se Lúcia, irmã de Alaíde, com quem disputou e para quem perdeu o namorado, Pedro, que veio a se casar com a personagem principal. Cenas como aquela em que Alaíde mata Pedro, depois de discutir com ele, vão-se revelar decorrentes das alucinações da moça. Ela foi atropelada e, na mesa de operações, inconsciente, revive momentos de sua vida, misturando-os à pura fantasia — estimulada pela descoberta de um diário em que se conta a história de prostituta elegante, madame Clessi, morta há 40 anos. A história, portanto, reparte-se em três planos, realidade, memória e alucinação. Antes da montagem que consagraria o autor e dividiria águas no teatro brasileiro, o amigo Roberto Marinho havia aconselhado Nelson a "perder a mania de gênio incompreendido".

A peça é fundamentalmente expressionista — grande parte do que se vê em cena constitui projeção do que se passa na mente da personagem principal. O plano da realidade limita-se a indicar a circunstância do acidente, o socorro no hospital, a frieza e a frivolidade de jornalistas e médicos. Memória e alucinação, sim, emprestam substância à história. Um exemplo: madame Clessi, que dialoga com Alaíde e a auxilia a reconstituir lances de sua vida, existe apenas em fantasia, não na realidade, ou terá existido até a morte em 1905, liricamente assassinada por um colegial: "As mulheres só deviam amar meninos de 17 anos!", suspira Clessi.

Aspectos de conteúdo, na peça, também soaram novos em 1943. Os diretores Adriano e Fernando Guimarães encenaram *Vestido de noiva* em Brasília, em 1994, e lembram que Clessi é "a prostituta íntegra", enquanto Alaíde e Lúcia, moças de família, são "mesquinhas, desonestas, dissimuladas". Pares de opostos como lar e lupanar, santa e meretriz, castidade e devassidão, maniqueístas, atravessam essa dramaturgia, mas surgem às vezes com os sinais trocados. É o caso no *Vestido*: sob o ângulo moral, Clessi "é a heroína"; em contrapartida, "Lúcia é ressentida, Alaíde mente". Mais: não se disfarça o fascínio que a mundana Clessi exerce sobre Alaíde, algo em si chocante — e talvez atraente — para as moças burguesas que foram à estreia no Teatro Municipal do Rio.

A história, portanto, e não só a maneira de contá-la, produziu certo escândalo — a polêmica se repetiria, por motivos mais estéticos que morais, na montagem dirigida por Flaminio Bollini, mostrada no Recife em 1955. A professora universitária Maria Thetis Nunes, hoje residente em Aracaju, assistiu a *Vestido de noiva* na temporada de estreia, no Rio de Janeiro, há 57 anos. Não se recorda do que viu em cena, mas afirma que a peça era considerada "escandalosa", fato que não se menciona muito: certa resistência a Nelson começou já em seu primeiro grande sucesso. Mas foi o tipo de escândalo que excita as pessoas: "Chocou muito mas tinha bastante público", informa a professora.

O ensaísta e professor Eudinyr Fraga, autor do livro *Nelson Rodrigues expressionista*, teve oportunidade de assistir à remontagem de *Vestido de noiva* realizada em 1945, ainda sob a direção de Ziembinski. Era adolescente e foi ao teatro em companhia dos pais: "Peça dificílima de entender", foi o que lhes pareceu naquele momento. Eudinyr pondera: "A gente vê como o código é importante", ou seja, sem as chaves para decifrar o enigma, muitos saíram perplexos do espetáculo. Ele recorda, bem-humorado, de seu pai ter dito: "Não gosto dessas coisas modernas".

Escândalo maior e mais corrosivo se daria com o terceiro texto teatral de Nelson, *Álbum de família*, que forma o ciclo das peças míticas ao lado de *Anjo negro*, *Senhora dos Afogados* e *Doroteia*. O *Álbum*, crivado de incestos, assassinatos e mutilações, seria proibido para o palco, embora não para o livro, no início de 1946 e só iria à cena cerca de 20 anos depois. Ainda em 1946, a peça foi publicada com prefácio de Pedro Dantas, pseudônimo de Prudente de Morais Neto. Naturalmente, o texto de Prudente fazia a defesa moral e estética da peça — e o influente Álvaro Lins, que elogiara *Vestido de noiva*, irá desancar impiedosamente *Álbum de família* em artigo de jornal que, sem o declarar, terá sido uma espécie de resposta ao prefácio. Lins fala nas "insuficiências e atrapalhações" de concepção, ataca a "linguagem chula e banalíssima", debochando ainda dos muitos homicídios e incestos, ao dizer que, com eles, o texto caía no "abundoso numérico".

Nelson resolve entrar na liça, escrevendo matérias contra Álvaro e assinando-as com o nome de amigos — Freddy Chateaubriand, por exemplo —, que consentem em participar da farsa. Do outro lado do *front*, tudo indica que Álvaro Lins tenha recorrido ao mesmo expediente para as tréplicas. Outras vozes passam a participar do bate-boca: o lúcido Pompeu de Sousa, bom crítico de teatro, ironiza artigo que vinha sob a assinatura de José César Borba, outro admirador do *Vestido* mas, segundo as aparências, adversário do *Álbum*. Borba, diz

Pompeu, é um rapaz sensível, "que cora a uma palavra mais máscula", e não escreveria linhas tão viris. Mesmo considerando as convenções da época — as polêmicas foram prática na vida cultural brasileira, prática de que hoje nos lembramos pouco —, os termos soam violentos (e cômicos). Boa parte da pendenga está relatada em *O anjo pornográfico*, biografia de Nelson escrita por Ruy Castro. O episódio envolveu pelo menos nove artigos e uma enquete; está à espera de quem se disponha a desencavá-lo — Ruy dá todas as pistas — e pô-lo em livro, com a peça em apêndice... Fica a sugestão de pauta, gratuita, a repórteres e pesquisadores de teatro.

O enredo de *Álbum de família* mostra Jonas, Senhorinha e filhos em ambiente como que desligado do mundo; o núcleo familiar, aqui, é "a entidade única, total", define Eudinyr Fraga. O fato de Nelson ter chamado a peça de "tragédia em três atos", somado à defesa de Prudente de Morais Neto, pode ter dado o mote ao ataque de Álvaro Lins. Vale a pena insistir sobre esse ponto porque a questão engloba ainda as três peças seguintes, denominadas míticas. Leia-se o que diz Prudente: "O que houve foi o medo, o horror a uma palavra: incesto. E o avestruz em pânico enfiou os olhos na areia. Se consentisse em desenterrá-los, veria, por certo, a *Oréstia* e *Édipo*, no nascedouro do teatro ocidental, aclamadas como duas obras-primas há mais de 2.000 anos". A substância dessas peças não se constitui "de outra matéria-prima que não a mesma trama dos sentimentos que agitam a tragédia moderna do sr. Nelson Rodrigues".

Foi a deixa para Álvaro Lins deblaterar contra o *Álbum* — "dengoso do estilo", como o chamou Nelson — no artigo "Tragédia ou farsa?". Lins reconhece a inépcia de "simples funcionários do Estado, policiais ou não", em matéria literária, solidarizando-se com Nelson, "como o faria em relação a qualquer outro autor, cuja obra fosse atingida pelo veto de um poder incompetente e ilegítimo". Depois, bate duro: "Literariamente, porém, não posso senão reconhecer que *Álbum de família* cai na vala comum das coisas malogradas". Um de seus principais argumentos era o de que, em *Édipo rei*, de Sófocles, tomado por modelo trágico, o incesto constitui exceção, fere leis coletivas e, por isso, pode desencadear toda a série de acontecimentos mórbidos: a descoberta, por parte de Édipo, de que matou o pai e se casou com a mãe, descoberta que o leva a furar os próprios olhos e a se exilar de Tebas. O que se sente no *Álbum*, em contraste, é "toda a confusão em que se debateu o autor dentro do próprio conceito de tragédia". Na peça brasileira, "não há um terrível caso de incesto, mas diversos e banalíssimos amores incestuosos, como se, em vez de tragédia, o autor houvesse desejado escrever uma farsa".

HUMOR E MITO

É possível que o zelo com os gêneros, sua pureza e seus rótulos tenha levado Lins a desancar a peça de Nelson Rodrigues. A impressão é de que chamar a peça — um drama expressionista, se for o caso de dar atenção aos nomes — de tragédia não foi dos menores pecados do autor, na visão de seu crítico. Mas não se deve imaginar ingenuidade em Nelson no que se refere ao mais importante, isto é, à fatura mesma do texto. Basta ler o depoimento dado por ele à revista *Dionysos*, em 1949, quando diz: "Eu poderia alegar, a favor de *Álbum de família*, várias coisas, inclusive que, para fins estéticos, tanto fazia um, dois, três, quatro, cinco incestos ou meia dúzia. Podiam ser duzentos. Na verdade, visei um resultado emocional pelo acúmulo, pela abundância, pela massa de elementos". A linguagem crua, coloquial, a sugerir que a história absurda pudesse acontecer na esquina, e as fotos do álbum, quadros de família nos quais, em contraponto ao enredo, a rigidez das máscaras e o desacerto do fotógrafo resultam engraçados, só podiam fazer aumentar a incompreensão. Que, no Brasil, durou pelo menos 20 anos.

Na França, outra peça mítica geraria incompreensão e desconforto ainda recentemente, em 1996. Foi *Anjo negro*. Um dos poucos textos de Nelson Rodrigues em que a comicidade não aparece, o *Anjo*, de 1946, adota a mesma medida, ou desmedida, de "acúmulo, abundância, massa de elementos". Muitos não gostaram. Acusaram a peça de ser racista, ameaçando artistas e produtores com o SOS Racismo. No limite, a polícia. Nelson tinha a intenção óbvia de denunciar, pelo incômodo, uma situação que perdura, a da discriminação racial no Brasil. No depoimento a *Dionysos*, o dramaturgo diz, referindo-se à figura de Ismael que, com a branca Virgínia, compõe a criminosa dupla de protagonistas: "Alegou-se que não existia negro como Ismael. Entre parênteses, acho que existem negros e brancos piores do que Ismael. Mas admitamos que a acusação seja justa. Para mim tanto faz, nem me interessa. *Anjo negro* jamais quis ser uma fidelíssima, uma veracíssima reportagem policial. Ismael não existe em lugar nenhum; mas vive no palco. E o que importa é essa autenticidade teatral". Era isso. Em 1999, montagem de *Toda nudez será castigada*, uma das oito tragédias cariocas, espetáculo de trajetória menos acidentada, parece ter conciliado os franceses com Nelson Rodrigues. Demoraram.

Senhora dos Afogados chegou a entrar em ensaios no Teatro Brasileiro de Comédia, o prestigioso TBC, em 1953. O diretor seria Ziembinski, mas, sem maiores explicações, os preparativos foram interrompidos e a estreia, cancelada. Pode-se imaginar o desconsolo de Nelson. Três anos antes, o mesmo Ziembinski havia encenado *Doroteia* como tragédia sombria; o espetáculo teve recepção problemática. Recentemente, montagens de *Doroteia* têm retomado a sugestão de "farsa irresponsável", palavras com que a peça foi batizada pelo autor. Ao que parece, o tom, afinal, foi encontrado.

Adriano e Fernando Guimarães, ao lado de Hugo Rodas, levaram o texto à cena em 1995. Como noutras obras, a tensão entre "a mulher virtuosa e a mulher do lupanar", vivida pela personagem-título, deflagra a história. Em *Senhora* e em *Doroteia*, a linguagem se esgarça, ultrapassa a fala coloquial (sem abandoná-la por inteiro), torna-se lírica. Montagem de *Senhora dos Afogados* realizada em 1986, sob a direção de Hugo Rodas, mostrou que a poesia de Nelson não se limita às falas, mas aparece também nas rubricas sugestivas: a imagem do mar, por exemplo, traduziu-se naquele espetáculo pela grande rede clara e circular que cobria todo o palco.

Nelson escreveu, depois da fase mítica, *Valsa nº 6*, que Sábato Magaldi definiu já em 1951 como "*Vestido de noiva* às avessas". Enquanto a peça de 1943 alimenta-se das lembranças e fantasias de Alaíde, materializando-as sobre o palco, a *Valsa* faz Sônia, sozinha em cena, chamar a si as palavras e os gestos das criaturas que, ao longo dos dois atos, participam do enredo: ela própria nos apresenta a mãe, o médico, o namorado. Os dois textos integram o bloco das peças psicológicas.

O diretor Antônio Guedes encenou o monólogo há alguns anos e comenta, comparando o Nelson de *Valsa nº 6* ao Pirandello de *Seis personagens à procura de um autor*, que o brasileiro "dá um passo à frente; Pirandello ainda se preocupa em tratar criaturas fictícias quase como se pudessem existir". Noutras palavras: Sônia, já morta, recorda-se de sua vida? Ou, agonizante, delira? Vigora, aqui, lógica semelhante à que foi alegada por Nelson na defesa das peças míticas: trata-se de teatro, e os limites da realidade não importam muito. Na *Valsa*, a própria linguagem enlouquece, enquanto Sônia procura articular suas lembranças: "Meus gritos se espalharam por toda parte. Meus gritos batiam nas paredes, nos móveis, como pássaros cegos". Ou: "Chovia, sim... E quando chove em cima das igrejas, os anjos escorrem pelas paredes...".

Em 1951, Nelson começa a escrever os contos de "A vida como ela é..." no jornal *Última Hora*. A princípio, a encomenda era de que trabalhasse a partir de episódios reais, mas ele contrariou a orientação e, com o sucesso, Samuel Wainer, dono do jornal, teve de aceitar sua fórmula para a coluna. Sábato Magaldi depõe: "Seria preciso ter vivido no Rio da época para entender o que era a popularidade de um jornalista". No ônibus, no lotação, no bonde, em todo lugar se viam pessoas com a *Última Hora* aberta na página de Nelson. Frequentemente, rindo. Nelson, diz Sábato, "passou a assumir esse lado", o do humor. Por algum tempo, ele havia se voltado contra a comicidade, afirmando que o teatro feito com o intuito de produzir o riso teria o aspecto de "uma missa cômica". Sábato conta ainda: "Na conversa com os amigos, nós nos divertíamos à grande com o Nelson", que "foi aceitando esse lado, essa natureza autêntica".

As histórias de "A vida como ela é..." influíram sobre o teatro do autor, redirecionando-o. Nelas, chegou a testar situações e personagens depois aproveitados nas peças: é o caso de "Um miserável", republicado na coletânea *A coroa de orquídeas* em 1993, conto que é *A falecida* em miniatura. O primeiro produto dessa nova guinada foi justamente *A falecida*, de 1953, uma das melhores peças de Nelson Rodrigues. O texto retorna à realidade prosaica sem deixar de lado os motivos míticos — o amor, a morte. O mito, pode-se dizer, brota mesmo do trivial. A "farsa trágica" de Zulmira e Tuninho abre o bloco das tragédias cariocas, de que também fazem parte, em ordem cronológica, de 1957 a 1978: *Perdoa-me por me traíres, Os sete gatinhos, Boca de Ouro, O beijo no asfalto, Bonitinha, mas ordinária, Toda nudez será castigada* e *A serpente*.

O traço mais saliente, e talvez o maior mérito das tragédias cariocas, consiste na mistura de humor e drama — com o rendimento teatral decorrente da mistura. As primeiras cenas de *A falecida* foram escritas em tom de comédia: Zulmira vai à casa de uma cartomante, ambiente e personagem que, segundo a rubrica, têm "um aspecto inconfundível de miséria e desleixo". A linguagem, coloquialíssima, inclui termos de gíria e sugere andamento nada solene ou grave. A vidente, madame Crisálida, abre a porta para Zulmira depois de alguma hesitação e confidencia: "É preciso estar de olho. A polícia não é sopa. Outro dia fui em cana". Ao término da rapidíssima consulta, Crisálida perde o sotaque e cobra 50 cruzeiros da atabalhoada Zulmira. Leitores ou espectadores percebem com facilidade que se trata de uma vigarista — Nelson não economiza tintas na caricatura —, enquanto a heroína, alvar, nem desconfia ter sido lograda. Tudo o que a cartomante lhe disse resumiu-se na advertência: "Cuidado com a mulher loura!". Depois, vamos ver Tuninho, seu marido, a discutir com os amigos sobre o jogo Fluminense e Vasco. Ao final da cena, Tuninho corre para casa, monitorado pela dor de barriga causada por um pastel. Seu diálogo com Zulmira, pouco adiante, não chega a desqualificar, mas tampouco recomenda os dotes intelectuais do casal.

A atmosfera é, portanto, cômica. A cisma com a mulher loura, no entanto, permanecerá com Zulmira e, como bola de neve, será projetada sobre sua vida no que se pode chamar de ficção fatal. Ela identifica, ajudada por Tuninho, a tal mulher: só pode ser Glorinha, sua prima e vizinha, "oxigenada, mas loura!". A parente deixou de cumprimentá-la por motivo que Tuninho e o espectador só conhecerão no terceiro e último ato, em *flashback*: Glorinha havia flagrado Zulmira, na rua, de braços dados com o amante, o milionário Pimentel. Negando o bom-dia à prima, faz disparar, na adúltera, o sentimento de culpa.

Zulmira, que já não gostava de Glorinha, passa a detestá-la. Ainda no primeiro ato, a comédia se soma a inflexões de melodrama que, levadas ao paroxismo, também podem provocar o riso: exasperada, a moça incita o marido a tentar seduzir a virtuosa Glorinha, "o maior pudor do Rio de Janeiro". Ao final desse ato, a mistura de humor e drama complica-se com a morbidez, lançada à cena de maneira violenta, numa das situações moralmente insustentáveis de que Nelson se serve para produzir choque. Tuninho sai e, quando volta, traz a notícia: "Sabe por que a tal da Glorinha é o maior pudor do Rio de Janeiro? E por que toma banho de camisola? E não vai à praia? E tem nojo do amor? Sabe?". Zulmira implora: "Fala, criatura!". Tuninho informa, eufórico: "Porque teve câncer e tiveram que extirpar um seio!". A rubrica acrescenta: o rapaz "ri às gargalhadas. Zulmira está num verdadeiro deslumbramento".

Se as personagens, a essa altura, acham graça de alguém ter tido câncer e ter perdido um dos seios, o espectador moralmente sadio já não pode rir, ou rirá de modo mais tenso do que nas cenas anteriores. Ainda que o aspecto discutível da sanidade moral seja descartado, o fato é que, com a menção ao câncer, o texto quebra o acordo que vinha propondo até ali, acordo comum às comédias ligeiras — o de não trazer à baila nada de excessivamente desagradável, já que o objetivo é o de divertir o público, sem confundi-lo, sem fazê-lo sofrer. Em Nelson, os elementos cômicos têm fundo falso, assim como o drama, sem aviso, pode desmoralizar-se, degradando-se em farsa. Da comédia ao drama e do drama à comédia, a dança de convenções, enriquecida por elementos aflitivos, sórdidos ou escatológicos, responde em boa parte pelo impacto e pela originalidade das tragédias cariocas.

Em *Bonitinha, mas ordinária*, passagens como aquela em que Werneck, o milionário pulha, decide "entupir de maconha" alguns delinquentes juvenis para que eles estuprem, à vista de uma plateia de grã-finos, três moças modestas de família, podem ser vistas como pueris, ingênuas, incomodamente inverossímeis. Mas essa lógica de desenho animado será quebrada quando Maria Cecília, a corrupta bonitinha do título, tiver o rosto rasgado pelo amante, armado de uma garrafa. De novo, aparece a situação moralmente insustentável, que deve surpreender o público ao subverter o ritmo de comédia leve. A peça, ferozmente moralista, é uma das duas que terminam bem (não para Maria Cecília, é claro) em meio dos 17 textos; a outra é *Anti-Nelson Rodrigues*. *Viúva, porém honesta* acaba, digamos, em pândega: poucos se salvam, mas se trata de uma farsa. As demais terminam em catástrofe.

A história de *Toda nudez será castigada*, contada em longo *flashback* na voz de Geni, que se matou legando gravação ao marido Herculano, tem momentos de humor — mórbido ou grotesco, não importa. O patético Herculano, no bordel, "de gatinhas" sobre a cama, procurando as próprias calças ou xingando Geni de "mictório público", inspira riso, mas provavelmente não o riso irresponsável, capaz de desopilar o fígado dos espectadores. Trata-se aqui do riso-cirrose, se me permitem a imagem. Há um personagem de Antônio Callado, Carvalhaes, em *Reflexos do baile*, capaz de garantir que "grande teatro não purga, envenena". Perfeito.

As peças de Nelson, em especial as tragédias cariocas, carregam o que chamei, em trabalho acadêmico, de comicidade da desilusão. Esta última palavra pode ser tomada em dois sentidos: o da falência das esperanças alimentadas pelas personagens e o da desalienação dos espectadores, impossibilitados de identificar-se completamente com o que veem no palco. O humor nos leva a pensar que a nossa sorte não tem de se parecer com a de criaturas tão trágicas e tão pueris. O efeito de catarse que Nelson reclamou para suas peças é algo de bastante duvidoso diante do mencionado jogo de convenções contraditórias nas tragédias cariocas — jogo que não deixa a plateia quieta nas poltronas; a empatia frustra-se, assim como a comédia se exaspera. Quanto a humor e drama andarem juntos, ele próprio nos apoia em depoimento dado ao Serviço Nacional de Teatro em 1974: "Quer dizer, isto é um mistério claríssimo, um mistério nada misterioso da minha obra: o patético e o humorístico indo lado a lado". Arnaldo Jabor, ainda que acentuando o lado cômico, soube vê-lo no filme *Toda nudez será castigada*, de 1973.

Nelson Rodrigues foi conservador em política, mas vale a pena perceber que, também nesse terreno, ele não se comportou de maneira linear. Para confirmá-lo, basta ler, por exemplo, a crônica "Esmagados pelo Anti-Brasil", republicada na coletânea *O remador de Ben-Hur* em 1996. Menos de uma semana depois do espancamento dos atores de *Roda-viva*, em São Paulo, a 17 de julho de 1968, ele protestava contra o fato: "Desde a Primeira Missa, nunca se viu, aqui, indignidade tamanha".

Não se trata de desentender o que escreveu em defesa da ditadura. É lamentável, é pena que ele o tenha escrito. Lembra-se apenas que a suposta indiferença do dramaturgo pelas questões sociais não se sustenta a uma leitura compreensiva de suas peças. Nelson esteve atento ao homem comum, ao brasileiro das classes média e pobre, à fala cotidiana — que se tornaria naturalisticamente hesitante, tatibitate, a partir de *O beijo no asfalto*, texto que incorpora a frase inacabada, tão frequente no idioma vivo. Essa atenção compassiva a figuras modestas, ingênuas, obsessivas soma-se aos gêneros eminentemente populares — a farsa, o melodrama — que praticou e a que soube atribuir novas significações.

Há no mínimo três Nelsons, segundo a classificação dada aos textos por Sábato Magaldi: o das peças psicológicas, que se ocupam do inconsciente das personagens, o das peças míticas, que mergulham nas sombras do inconsciente coletivo, e o das tragédias cariocas, com as quais o dramaturgo enjeitado, mas jornalista muito lido, volta à realidade cotidiana, nela redescobrindo as aventuras perenes de amor e morte. A classificação procede, mas não pretende limitar as interpretações. Há, na verdade, vários Nelsons, como os diretores, entre eles Antunes Filho, têm sabido enxergar. Com o autor pernambucano, o texto de teatro no Brasil passa a ter algo de novo e de único a dizer ao mundo. Mas, por favor, nada de chamá-lo de "nosso Shakespeare" — a referência somos nós, deve estar deste lado do Atlântico, essa foi também a lição do escritor. O mais lisonjeiro e exato será admitir que Shakespeare, vamos e venhamos, é o Nelson Rodrigues dos ingleses.

POLÊMICAS EM FOLHETIM[1]

As polêmicas que acompanharam a obra de Nelson Rodrigues desde a primeira peça, lançada em 1942, atualmente parecem pacificadas. Canonizado como dramaturgo e prosador, Nelson continua, no entanto, a inspirar debates, agora mais serenos e articulados do que noutras fases. Trata-se hoje de entender seus textos e de, a partir deles, pensar a condição brasileira, humana, o amor, a morte, a própria cena. Em suma, o pânico ou a simples repulsa já não tem lugar — pelo menos no Brasil. Noutros países, como a França, o diálogo com seus textos apenas se inicia.

A revista *Folhetim*, especializada em assuntos teatrais e publicada pela companhia carioca Teatro do Pequeno Gesto, chega ao sétimo número dedicando a edição ao escritor. Nelson Rodrigues tem aspectos de sua obra dramática analisados em sete artigos e na entrevista com a atriz Lorena da Silva, que ajudou a apresentá-lo aos franceses. O diretor Luís Artur Nunes, o cenógrafo J. C. Serroni e a tradutora Ângela Leite Lopes são alguns dos que refletem sobre a obra. A esses textos,

---

1   Resenha publicada na revista *Cult* (São Paulo: Lemos, n. 41, dez. 2000), nos 20 anos de morte de Nelson Rodrigues.
    Ver *Folhetim*: Especial Nelson Rodrigues (Rio de Janeiro: Teatro do Pequeno Gesto, n. 7, mai./ago. 2000).

soma-se depoimento valioso dado pelo dramaturgo à revista *Dionysos* em 1949, agora republicado.

O depoimento chama-se "Teatro desagradável" e mostra o quanto o autor esteve o tempo todo consciente dos efeitos que buscava, para além da imagem de intuitivo ou de ignorante genial que ele próprio, às vezes, pretendeu divulgar. No artigo, Nelson narra seu itinerário de *A mulher sem pecado*, o primeiro texto, a *Anjo negro*, de 1946 (encenado em 1948). Entre uma e outra peça, estão o benquisto *Vestido de noiva* e o proibido e problemático *Álbum de família*. Ele diz: "Pois a partir de *Álbum de família* — drama que se seguiu a *Vestido de noiva* — enveredei por um caminho que pode me levar a qualquer destino, menos ao êxito. Que caminho será este? Respondo: de um teatro que se poderia chamar assim — desagradável". Com certo humor, logo define o que entende pelo adjetivo: "E por que peças desagradáveis? Segundo já disse, porque são obras pestilentas, fétidas, capazes, por si sós, de produzir o tifo e a malária na plateia".

Esse gênero de metáforas — tifo, malária, peste — não se deve apenas ao sarcasmo do autor, às voltas naquele momento com a oposição renitente ou a simples incompreensão de espectadores e críticos. De modo indireto e independente, mas significativo, as peças desagradáveis, depois chamadas míticas, se filiam a concepções como as de Antonin Artaud, ilustre marginal da cena francesa na primeira metade do século XX. Ressalta, aqui, a noção de que o teatro só faz sentido ou só alcança sua finalidade maior quando é capaz de "abrir coletivamente os abscessos", para citar palavras de Artaud. Não deixa de ser curioso que, com tais afinidades, *Anjo negro* tenha sido tão pouco compreendido em montagem de 1996 na França, como conta Lorena da Silva na entrevista.

No depoimento, Nelson assinala problemas enfrentados por *A mulher sem pecado*, *Vestido de noiva* — peça na qual alguns não acreditavam — e, em escala bem maior, *Álbum de família* e *Anjo negro*. Ao mesmo tempo, é claro, desanca os adversários com ironia e bons argumentos. O principal detrator parece ter sido o respeitado Álvaro

Lins, embora Nelson não o mencione. *Álbum de família*, proibido para o palco, pôde ser publicado em 1946; Lins comentou desairosamente o lançamento no artigo "Tragédia ou farsa?". Estava aberta a polêmica.

    O cabotino Nelson escamoteia o fato, hoje bem conhecido, de que participou, sim, da controvérsia em torno do *Álbum*. Sonso, declara no depoimento: "Como autor, fiquei à margem de tudo. Não articulei uma frase, não usei um contra-argumento. E, no entanto, muitos dos críticos eram de uma fragilidade de meter dó". Não foi bem assim: talvez por imaginar que artigos seus, em causa própria, não tivessem maior efeito, encarregou colegas jornalistas de assinar textos escritos por ele mesmo. Justiça se faça: mais tarde, Nelson se penitenciaria, admitindo francamente as fraudes da época. As tréplicas de Lins também parecem ter recorrido ao expediente das assinaturas falsas que, no círculo restrito das redações, possivelmente não enganaram ninguém. A polêmica e suas artimanhas estão relatadas em *O anjo pornográfico*, de Ruy Castro.

    Houve adversários pouco sutis que situaram o *Álbum* em "plano ginecológico". Além de se defender afirmando ter visado ao impacto justamente pelo excessivo, pelo desmesurado, Nelson diz: "Ora, o *Álbum de família*, peça genesíaca, devia por isso mesmo ter alguma coisa de atroz, de necessariamente repulsivo, um odor de parto, algo de uterino". Coisa semelhante se pode perceber em *Anjo negro*, cujas situações saturam o leitor ou espectador lhe esfregando na cara a mesquinhez dos preconceitos de raça, ligados paradoxalmente à atração sexual. O excesso, nesse teatro, é um valor estético.

    As polêmicas, em 1949, estavam longe de se encerrar. A montagem de *Vestido de noiva* no Recife, em 1955, com o Teatro de Amadores de Pernambuco sob a direção do italiano Flaminio Bollini, vindo do paulistano TBC, de certo modo reproduz o espanto com que os cariocas haviam recebido a peça renovadora de Nelson, dirigida por Ziembinski na estreia em 1943. O episódio, pouco conhecido mas instrutivo, é lembrado pelo professor e diretor Antônio Cadengue no artigo "O *Vestido de noiva* de Bollini: a experiência histórica de um espetáculo". Uma blague que atingira *A mulher sem pecado*, relativa à presença em cena de personagens mortas, alcançou o *Vestido* em 1955: a peça seria espírita? A sério ou à base de ironia, alguns jornalistas pernambucanos não perdoaram as audácias do texto, que conta fragmentariamente a história de Alaíde, moça colhida por um automóvel, a delirar enquanto agoniza num quarto de hospital.

Nelson adotou a liberdade de fazer Alaíde e madame Clessi — esta última, fantasma pertencente à imaginação de Alaíde — aparecerem mesmo depois que se anuncia a morte da protagonista. Ziembinski, em 1943, já havia estranhado: se as ações da peça se alimentam basicamente das memórias e alucinações da moça, esta não pode vir à cena depois de enterrada... Madame Clessi, menos ainda. Nelson não concordou com essa lógica, para ele limitada e pedestre, e manteve a sua concepção. Esse foi um dos aspectos que intrigaram ou irritaram os críticos em Recife.

É claro que *Vestido de noiva* teve, na ocasião, quem o defendesse. Eduardo Portella e Ariano Suassuna, por exemplo. O curioso foi o fato de Suassuna sustentar, acerca de outros aspectos do texto, pontos de vista distintos dos de Nelson. O dramaturgo "ficou surpreso", informa Cadengue, ao saber que o atropelamento deflagrador da história, para Ariano, não seria acidente, mas assassinato: "Não foi acidente, Sr. Jornalista, foi crime", diz Suassuna em artigo, puxando as orelhas do conservador Mário Melo, que havia desancado a peça. Ariano mantém sua posição mesmo contra a opinião do autor, em atitude belicosa, aliás frequente entre intelectuais nesse e noutros episódios: "A culpa é dele [Nelson], pois pecou, no mínimo, por falta de domínio no uso das palavras, coisa imperdoável num escritor". Já não se fazem polêmicas como antigamente.

Nem só de bate-bocas, com as inevitáveis incompreensões e o cabotinismo generalizado, se faz a recepção ao teatro de Nelson Rodrigues. O empenho, hoje, é muito mais o de simplesmente compreender as peças, e nem poderia ser de outra forma. No artigo "A natimorta Maria das Dores", a atriz Inês Cardoso Martins Moreira enumera alguns traços característicos de Das Dores, a adolescente que, em *Doroteia*, peça de 1949, desobedece à mãe, recusa-se a sentir a náusea regulamentar diante do sexo e, como castigo, se vê obrigada a voltar ao útero.

O texto de Inês ressente-se um pouco de superinterpretação, quando procura entender a natimorta como símbolo da própria condição geral das personagens teatrais. Teatro é mentira consentida, ponto. A percepção mais interessante do artigo talvez seja a de que Das Dores, embora figura secundária, "sintetiza a extrema proximidade entre desejo e morte que percorre toda a peça". A lembrança de palestra feita por Carl Jung em 1935, acerca de uma menina de dez anos que, segundo o médico, morreu sem ter chegado a nascer inteiramente, é outro aspecto de interesse.

O ator, diretor e professor Walter Lima Torres recorda a mágica, uma das espécies do teatro musical em voga nas últimas décadas do século XIX e primeiras do século XX, para mostrar o quanto a farsa *Viúva, porém honesta*, de 1957, utiliza parodicamente as chamadas tramoias, truques usados naquele gênero de espetáculos, de público basicamente popular. Apoiado nos recursos da mágica, Nelson faz aparecer o Diabo da Fonseca; este, vindo das profundezas numa explosão, "seduz, perverte e se torna agente da crítica do autor a uma sociedade que vive, segundo ele, a mais doce das hipocrisias" em todos os âmbitos.

O diretor Marco Antônio Braz e o Círculo dos Comediantes vêm, há dez anos, se dedicando à encenação de textos de Nelson Rodrigues. O artigo usa termos tipicamente polêmicos em determinados momentos, como ao apelidar de "idiotas" ou "asnos" certos críticos de Nelson, sem esconder o carinho pela obra do dramaturgo. Marco Antônio tem razão: mesmo as passagens mais violentas nesse teatro podem ser lidas pelo avesso, quando se encontra "o mesmo olhar amável e passional, capaz, ao mesmo tempo, de criar um mito e de colocar a raça humana abaixo de sua condição". Assim, não há deboche em representar o assassinato de Maria Cecília por Peixoto, em *Bonitinha, mas ordinária*, ao som de "A montanha", do venerável Roberto Carlos: "Mais uma vez, obrigado, Senhor!". Deboche, se há, "é da vida que está cheia de situações trágicas marcadas pela presença física do cotidiano e banal".

Luís Artur Nunes exibe a competência habitual ao analisar *A mulher sem pecado*, que levou à cena este ano, no Rio de Janeiro. Ele demonstra que vários traços fundamentais do dramaturgo já comparecem a essa primeira peça: o exagero expressionista, com a obsessão de Olegário, falso paralítico fixado em "ser ou não ser traído", a sexualidade carregada de culpa, os expedientes naturalistas e melodramáticos, misturados. Muito do que importa notar em Nelson aí está: "A quebra da convenção verista, porém, não significa absolutamente uma rejeição da realidade por parte do autor. O que Nelson recusa é a mera reprodução superficial do mundo exterior".

J. C. Serroni traduziu esse universo em imagens cenográficas. Seu artigo, em tom de depoimento, trata de espetáculos que fez ao lado de Antunes Filho, Eid Ribeiro, Marco Antônio Braz. A carta em que comunicou a Eid Ribeiro suas ideias para o cenário de *Toda nudez será castigada*, reproduzida no corpo do texto, embora breve, merece reflexão: o par casa-bordel, lar-lupanar, ganha forma física, sem obviedades. Referindo-se a outros trabalhos, Serroni fala em "criar um espaço ambíguo e oscilante", capaz de sugerir mais que definir.

Ângela Leite Lopes reflete sobre a dificuldade do europeu, ao menos nos primeiros contatos, em entender o teatro de Nelson Rodrigues. As peças escapam às alternativas da paródia e da antropofagia, pelas quais o brasileiro só em parte se libera da pesada herança colonial: "Mas quando o brasileiro responde e toma a palavra para dizer o que pensa dessa coisa ocidental chamada arte ou como a concebe, há uma certa reviravolta nas referências, já que seu discurso nem sempre revela aquela alteridade fantasiada pelo europeu". As possíveis dificuldades resultam da atitude criadora de Nelson, que instaura o jogo teatral basicamente a partir da linguagem, das palavras atribuídas às personagens: "A potência dessa construção está na língua", afirma a tradutora. Ângela Leite Lopes verteu para o francês *Anjo negro, Senhora dos Afogados, Valsa nº 6, Toda nudez será castigada.*

Ângela e a editora de *Folhetim*, Fátima Saadi, conversam com a atriz Lorena da Silva na matéria que fecha a revista. Lorena participou de montagens cuidadas da *Valsa*, do *Anjo* e de *Toda nudez*, produzidas na França; *Toda nudez*, especialmente, acabou por conquistar os nativos. Com a travessia das "grandes águas", começa outro capítulo da recepção à obra do grande cabotino — viagem, na verdade, iniciada há mais de dez anos. Agora, ele se destina a surpreender outros povos, coisa que, é claro, já se poderia prever há 60 séculos.

A ÉTICA NO PALCO[1]

A ideia de que os seres humanos disponham de discernimento moral fica bastante desacreditada quando se desvelam esquemas que puderam sangrar alegremente, durante anos, o patrimônio coletivo. A imagem da senhora a guardar maços de notas na bolsa, enquanto olha apreensiva para os lados, vale como emblema do absurdo: ao que parece, basta não haver testemunhas para que se pratiquem crimes. Pode-se perguntar: afinal, para quê?

Tais fatos e questões remetem aos equívocos medonhos sobre os quais se apoia a civilização no Brasil — e não só neste país, é claro. O dramaturgo norte-americano Arthur Miller (1915-2005), que acaba de ter cinco peças lançadas em livro por aqui, dedicou-se a formular e a buscar resolver equações desse tipo.

Um dos grandes autores teatrais do século XX, Miller trabalhou sobretudo a partir de indagações éticas. Em seus textos, as descobertas estéticas (quando se entrelaçam presente e memória, por exemplo)

---

1 Resenha publicada no jornal *Correio Braziliense*, suplemento Pensar (Brasília, 20 fev. 2010).
Ver *A morte de um caixeiro-viajante e outras 4 peças*, de Arthur Miller, com tradução de José Rubens Siqueira e prefácio de Otavio Frias Filho (São Paulo: Companhia das Letras, 2009).

operam no sentido de dar a ver o ambiente e a subjetividade de figuras como o exausto Loman de *A morte de um caixeiro-viajante*, o heroico Proctor de *As bruxas de Salém* ou o obsessivo Carbone de *Um panorama visto da ponte*, peças que estrearam entre 1949 e 1955.

Há opiniões menos favoráveis ao "naturalismo psicológico" praticado pelo dramaturgo nova-iorquino. Mesmo Anatol Rosenfeld, crítico avesso ao irracionalismo das vanguardas nas décadas de 1960 e 1970 (vanguardas que estigmatizaram o teatro naturalista), considerou Miller "tradicionalista" em palestra de 1968. No prefácio a *A morte de um caixeiro-viajante e outras 4 peças*, Otavio Frias Filho aponta "a dissolução do socialismo", e com ela a das alternativas anticapitalistas, somada ao "experimentalismo que varreu os palcos" naquele período como circunstâncias que relegaram a obra de Miller a uma espécie de limbo.

Herdeiro de Ibsen e Tchekhov, contemporâneo de Tennessee Williams e Lillian Hellman, Miller vê a existência — pessoal e coletiva — como série de escolhas práticas e éticas, opções que formam o tecido complexo das identidades e que são, por vezes, irreversíveis. O nó dramático de suas histórias liga-se ao momento de plena percepção dessas escolhas, quando nem sempre há tempo de cancelá-las ou alterá-las de algum modo. Os personagens colidem não apenas com seu entorno, isto é, outros personagens, costumes, leis, mas com o que fizeram de si mesmos. O autor levou a tradição realista, cara aos norte-americanos, a planos de alta eficácia.

A peça que abre o volume chama-se *O homem de sorte* e foi escrita em 1944 por um Arthur Miller talvez inexperiente, mas obviamente vocacionado para a criação de enredos e diálogos. O autor joga com a ideia supersticiosa, e tão americana, de se ter sorte na vida, o que incluiria possuir algum tipo de talento; as aptidões corresponderiam a um aspecto da personalidade dos que nasceram virados para a lua.

David, o protagonista, defronta-se com problemas afetivos e financeiros, e os resolve não propriamente pela capacidade de enfrentá-los, mas por golpes de sorte, ao sabor de eventos exteriores. Destinos como o de David têm algo de inverossímil: crer neles como se devessem ser a regra equivaleria a acreditar que todos os apostadores em jogos de azar pudessem ter "sorte".

Mais ambiciosa, *Todos eram meus filhos*, de 1947, lida de forma incisiva com a questão das escolhas morais. A felicidade material de uma família se fez à custa de fraude de consequências homicidas: a morte de pilotos americanos durante a Segunda Guerra. A queda dos aviões deveu-se a falha mecânica, decorrente do uso de componentes de má qualidade. O responsável pela venda desse material ao governo foi John Keller, empresário, pai daquela família. As trajetórias individuais se enroscam umas nas outras, expostas de maneira a assinalar a origem e o endereço coletivo, social, das decisões pessoais. Um valor, o do dinheiro, é acidamente criticado ao se revelar como a motivação para a atitude de Keller.

Muito já se escreveu sobre a história do caixeiro, "pungentíssima", como a definiu Décio de Almeida Prado ao comentar a estreia do texto no Brasil, em 1951. Willy Loman é o homem prensado pelas circunstâncias sociais, situação que se agrava com sua inabilidade em compreendê-las. O mito do sucesso alimentado pela máquina ideológica americana, das mais hábeis, sedutoras e cruéis de que se tem notícia, se enlaça (ainda que pelo avesso) ao perfil de Loman.

A ação — consideradas as cenas relativas ao presente — se precipita em cerca de 24 horas, a recordar a técnica legada pelos tragediógrafos gregos. Uma das diferenças básicas entre o drama clássico e a grande peça moderna reside em que já não há deuses a controlarem o destino dos indivíduos, mas contextos e opções, aptos a determinar caminhos e desfechos. Depois de décadas de trabalho, Loman é sumariamente defenestrado das engrenagens que, embora em nível modesto, ajudou a construir e das quais pouco se beneficiou. As cenas combinam presente e passado sem buscar efeitos lacrimosos, mas entendimento.

Em *As bruxas de Salém*, Miller reporta-se a episódio de fanatismo religioso ocorrido em 1692, nos Estados Unidos, para denunciar, por analogia, a histeria anticomunista que levou aquele país aos interrogatórios e expurgos de meados do século xx. Ele insere textos reflexivos entre os diálogos, dirigindo-os à leitura (não à cena), tornando híbrida a escrita teatral.

Um narrador-personagem apresenta a história de *Um panorama visto da ponte* (a do Brooklin, em Nova York): o estivador Eddie Carbone insiste em manter a sobrinha, que ele criou, presa a si, desatento à natureza incestuosa dos próprios sentimentos. Mesmo numa trama que privilegia conflitos íntimos, temos a moldura política pela qual se compreendem melhor as atitudes e motivações. A tradução de José Rubens Siqueira visa à cena — o que ajuda a tornar prazerosa a leitura dessas ótimas peças.

O ANIMAL QUE PENSA¹

Se você procurar informações em livros ou na internet sobre o dramaturgo romeno-francês Eugène Ionesco (1909-1994), um dos autores mais férteis do século XX, algumas das fontes dirão que ele nasceu em 1912 e não em 1909. Assim, ao lembrar agora o seu centenário, estaríamos cometendo algo que, em jargão de jornalistas, se chama "barriga", ou seja, erro, informação involuntariamente falsa. Não é o caso, porém.

Outras fontes não apenas confirmam a data de 26 de novembro de 1909, como explicam a origem do engano. A historinha: quando o crítico Jacques Lemarchand apontou, no início dos anos 1950, o aparecimento da tendência que viria a ser chamada de Teatro do Absurdo, assinalou entre seus "jovens autores" as figuras de Ionesco e Samuel Beckett. O já não tão garoto Ionesco, por pilhéria, teria então avançado a data do próprio aniversário em três anos — para corresponder ao adjetivo "jovem". A piada pegou, e muita gente foi atrás, repetindo a mentira.

Nascido em Slatina, Romênia, de pai romeno e mãe francesa, Eugène Ionesco radicou-se na França durante a Segunda Guerra Mundial

---

1 Artigo publicado no jornal *Correio Braziliense*, suplemento Pensar (Brasília, 14 nov. 2009), nos 100 anos de nascimento de Eugène Ionesco.

(país onde vivera na infância) e fez carreira em Paris, tendo a obra divulgada, no decorrer da década de 1950, noutros países da Europa e, depois, de todo o mundo. Produziu 30 peças teatrais, entre elas *A cantora careca*, *A lição*, *As cadeiras* e *O rinoceronte*, além de relatos ficcionais e ensaios — algumas de suas ideias sobre o teatro e a condição humana são luminosas. A obra de Ionesco também apresenta aspectos frágeis ou, quando menos, controversos.

Ele não fugiu às polêmicas, nas peças ou fora delas. Debateu publicamente com críticos, a exemplo do bate-boca travado em 1958 com Kenneth Tynan, comentarista do jornal londrino *Observer*, que o acusou de negar não apenas o realismo, mas a própria realidade. O dramaturgo respondeu a Tynan afirmando que "renovar a linguagem é renovar a concepção do mundo". Ionesco faria restrições a Bertolt Brecht e a Jean-Paul Sartre, representantes de um "conformismo de esquerda". E, por conta de *O rinoceronte*, peça com a qual alcançou as grandes salas em 1959, chegou a ser chamado de reacionário. No Brasil, Nelson Rodrigues ouviria insultos de mesmo tipo.

Privilegiando as metáforas, Ionesco obstinadamente rejeitava a redução dos seres humanos a seus condicionamentos sociais; tais condicionamentos, contudo, possuem peso decisivo na vida breve dos indivíduos. Contra essa pretensa evidência, argumentou que "nenhuma sociedade tem sido capaz de abolir a tristeza humana, nenhum sistema político pode nos livrar da dor de viver, de nosso medo da morte, de nossa ânsia pelo absoluto; é a condição humana que dirige a condição social, e não o contrário".

Por palavras como essas, citadas pelo crítico Martin Esslin no clássico *O teatro do absurdo*, de 1961 (livro que deu nome à tendência), alguns o atacaram. Ao que parece, não o entenderam. Seu personagem Bérenger, de *O rinoceronte*, fala pelo dramaturgo ao dizer "não" às atitudes de paquiderme, isto é, de massa e de manada. Recusando-se a se transformar em rinoceronte, quando todos à sua volta se animalizam, Bérenger insiste na condição humana, mesmo precária, gritando ao final da história: "Eu não me rendo!".

ANTIENREDOS

A primeira peça do autor, *A cantora careca*, encenada em maio de 1950, em Paris, para plateias minguadas, deixa a impressão de simples brincadeira futurista. Seu nexo limita-se ao registro satírico, farsesco, da vida burguesa na Europa em meados do século passado. O autor ambicionava comunicar muito mais, tendo falado, a respeito da comédia, em denúncia dos vazios da linguagem e da própria experiência vital.

Em cena, vemos um casal inglês que receberá a visita de outro casal, também britânico — o formalismo dos ingleses, verdadeiro ou suposto, serve à caricatura do formalismo burguês em geral. A lógica acha-se desmoralizada; tudo o que se diz e se faz é não apenas absurdo, mas pueril, perfeitamente inútil. A ação corre em círculos, e nenhuma palavra conduz a qualquer mudança importante nas situações, que se sucedem sem evoluir. Tornado farsa, o enredo nega-se a caminhar, a ser enredo, enfim.

O dramaturgo enfatiza a vanidade da vida para as classes média e alta: a segurança, o decoro, a sensatez converteram-se numa prisão. Mas, em lugar de crítica articulada, ainda que por meios não convencionais, a essas classes e à sua mentalidade, o que temos é antes derrisão, deboche, em atitude que lembra a do urinol de Duchamp, antiobra de arte sarcástica. Embora divertido e saudável, o deboche soa superficial, ao menos à mera leitura.

A segunda peça de Ionesco aparece no ano seguinte, chama-se *A lição* e é mais madura que o texto de estreia. A subversão da lógica, sobretudo nas falas (depois também nas ações), adensa-se buscando sentido mais amplo e mais cruel, o da opressão do professor sobre a aluna. A menina de 18 anos por sua vez exerce, talvez involuntariamente, a tirania de sua juventude sobre o mestre maduro e solitário, efeito figurado nos olhares lúbricos que ele deixa escapar de vez em quando.

Trata-se, como se verá depois, de um lobo, no mais literal e também no mais absurdo dos sentidos. No desfecho saberemos que a moça é a 40ª estudante que, nesse dia, o mestre recebeu em sua casa, terminando por matar as meninas e por comer a carne adolescente de todas elas. Uma espécie de conto de Chapeuzinho Vermelho, mas desmesurado, de uma poesia extremada e pérfida.

O adensamento expressivo em *A lição* deve-se à economia dos meios em jogo: são apenas dois personagens (um terceiro papel, o da empregada, cumpre tarefas auxiliares); a relação entre eles pode agora, mais que na *Cantora*, ascender ao plano da alegoria ou da metáfora. Fábulas simples que se desdobram, por exagero, até o infinito irão caracterizar o teatro de Ionesco.

PESADELOS CÔMICOS

Uma vez abolido o realismo, o significado torna-se incerto, e é sempre lançado para além das situações ficcionais consideradas em si mesmas; para espectadores ou leitores, não há mais apoio possível na verossimilhança, descartando-se o cotejo direto daquelas situações com as da realidade. Paralelos entre ficção e vida permanecem válidos, mas já não se toma por base o real, convencionado segundo certa percepção média dos fenômenos.

A arte de vanguarda naquele momento pretendia explorar não o personagem mediano, normal (dotado de uma falha de caráter que ele poderá superar no decorrer do enredo), mas o disforme, o monstruoso. Esse tipo de criaturas não se altera, não é capaz de mudar — títeres são sempre iguais a si mesmos —, fato moral e estético do qual decorrem os enredos circulares. O drama do Absurdo tende assim ao supra--histórico, ao que está à margem da história regular, factual: nas peças de Ionesco, Beckett, Genet, Arrabal, habitamos o plano perene do mito e dos pesadelos humorísticos.

A grande peça, entre as três primeiras obras do autor, responsáveis por consagrá-lo, é *As cadeiras* (de fato, o quarto texto escrito pelo dramaturgo, mas o terceiro a ser encenado). A mesma técnica do acúmulo usada na construção das outras obras ressurge nessa peça, com eficácia singularíssima. Nota-se provável dívida para com os expressionistas.

O argumento em *As cadeiras* é de uma fantasia extraordinária: um casal de velhos, ele com 95 anos, ela com 94, resolve receber pessoas — algumas socialmente importantes, como o concupiscente Coronel — para uma conferência espetacular (na qual vão se revelar verdades insuspeitadas), a ocorrer na pequena ilha onde vivem, cercados de água até o horizonte. Isolados, jogam suas derradeiras esperanças na recepção que preparam.

Acontece que todos os convivas do evento são invisíveis para o público. Temos notícia de sua presença somente por meio das cadeiras que se multiplicam e das palavras ditas pelos atores encarregados de interpretar os dois idosos; eles têm de dar a ver um número enorme de personagens, sem que estes apareçam materialmente por um instante sequer. Há uma terceira figura, de carne e osso como os velhos, que surgirá no desfecho: é o conferencista, malignamente caracterizado como surdo-mudo. O texto aposta na habilidade dos atores e na imaginação do público.

O teatro brasileiro faz contato com a obra de Ionesco a partir de 1956, quando *Jacques ou A submissão* é encenada em São Paulo. *O rinoceronte* chegaria ao país pelas mãos do diretor português Luís de Lima, em 1961. A peça parece haver influenciado dramaturgos como Bráulio Pedroso, que teve *As hienas* apresentada no Rio de Janeiro em 1971: era uma alegoria da ditadura militar. Imagem das forças que trituram as pessoas em todas as épocas, o teatro de Ionesco não exclui as referências políticas, apenas evita limitar-se a elas: "A condição essencial do homem não é sua condição de cidadão, mas de mortal". Algo mais?

POESIA DO REAL
BLACK-TIE 50 ANOS[1]

Diversos caminhos ocorrem a quem se disponha a escrever sobre *Eles não usam black-tie*, peça de Gianfrancesco Guarnieri (1934-2006) encenada há 50 anos, sob a direção de José Renato, pelo Teatro de Arena de São Paulo. Texto e montagem inauguram no país a tendência do teatro político e popular — ou, mais precisamente, confirmam essa tendência, imprimindo-lhe marca ideológica nítida, dado que peças pouco anteriores a *Black-tie* já sugeriam rumos semelhantes. Entre elas, lembrem-se o *Auto da Compadecida*, de Ariano Suassuna, com sua crítica social expressa em tom de farsa, e *Pedro Mico*, de Antonio Callado, na qual se encontram a figura do malandro e o protesto político ainda restrito ao plano dos desejos vagos, textos encenados em 1957.

A primeira trilha aberta ao pesquisador naturalmente se refere aos aspectos temáticos e formais da peça de Guarnieri, que já deram pano para debates e continuam merecedores de reflexão, não apenas pelo que apresentaram de inovador, mas também pelo uso que fizeram, naquelas circunstâncias, dos recursos tradicionais. Ligados a esses

---

[1] Artigo publicado na revista *Folhetim* (Rio de Janeiro: Teatro do Pequeno Gesto; Funarte, n. 27, jan./jul. 2008), nos 50 anos de estreia da peça *Eles não usam black-tie*, de Gianfrancesco Guarnieri.

aspectos, percebem-se os efeitos do êxito de *Black-tie* que, estreando a 22 de fevereiro de 1958, se manteve em cartaz por um ano. O sucesso, como é natural, estimularia pesquisas literárias e cênicas na direção apontada pela peça — figuradas, para mencionar exemplo eloquente, no Seminário de Dramaturgia que o Teatro de Arena passa a promover naquele ano. Essas pesquisas correspondem a dois outros caminhos possíveis para o exame do texto e seu entorno.

Trata-se, primeiro, de pensar a maneira como Guarnieri elaborou, em obras posteriores, as sugestões formuladas na peça de estreia. Depois, vale verificar o modo como outros dramaturgos, especialmente os do Arena — Oduvaldo Vianna Filho, Augusto Boal, Chico de Assis —, desenvolveram aquelas sugestões, suposto que nenhum deles estivesse alheio aos achados de conteúdo e forma do texto pioneiro. A pauta que se acaba de propor evidentemente é demasiado ampla para os limites de um simples artigo, mas podemos ao menos aflorar alguns de seus ângulos.

Os três atos do drama transcorrem no morro carioca onde habita a família de Otávio, operário politizado, envolvido na organização de uma greve por melhores salários, que se vai contrapor ao filho Tião. Este, prestes a se casar — sua namorada Maria está grávida —, raciocina em moldes individualistas, acabando por furar a greve. Romana, mulher de Otávio, com sua sabedoria instintiva, Chiquinho, o segundo filho do casal, ainda adolescente, Bráulio, amigo de Otávio, e Jesuíno, que maquina para sabotar as reivindicações, são outros personagens importantes (Chiquinho e sua namorada Terezinha contam menos por seu papel nos rumos da história, nos quais não chegam a influir, do que pelo quadro de família que ajudam a colorir e completar).

Delineia-se dilema ético, que tem os seus polos na atitude atenta a interesses coletivos, os da comunidade no morro, corporificada em Otávio, e na postura de Tião, cético quanto aos resultados do movimento e preocupado com os benefícios ou prejuízos que venha a ter nas circunstâncias. Falar em "dilema" parecerá excessivo, porque as simpatias do dramaturgo claramente pendem para Otávio (conforme se vai ver no terceiro ato), mas, como bom autor revelado já na primeira obra, Guarnieri cria conflito em que também Tião e seus princípios personalistas não deixam de ter alguma dignidade — a sorte do rapaz liga-se à de Maria e à do futuro filho de ambos, que ele entende defender melhor resguardando-se, a qualquer preço, de perder o emprego.

Em depoimento a propósito dos 50 anos de *Black-tie*, o diretor José Renato recorda como funcionou a peça no estreito palco do Arena: "Um terço do espaço era cercado por uma rudimentar sugestão das paredes do casebre [onde moram Otávio, Romana e filhos] — uma cerca baixa de tábuas de caixotes que constituíam o interior do barraco, com mesas e cadeiras também feitas da mesma forma artesanal. No espaço livre passavam-se as outras cenas, inclusive a festa do pedido de casamento", que ocupa boa parte do segundo ato.[2]

José Renato prossegue: "As escadas todas de acesso ao palco também eram utilizadas para a ação. A iluminação cumpria um papel de definição maior do espaço e dos climas. Quando viajávamos com o espetáculo, o que acontecia frequentemente, e dispúnhamos de espaços cênicos maiores, o interior do barraco era ampliado e os atores respiravam com mais liberdade".

A peça prevê um samba a ser tocado fora de cena, já no primeiro quadro, pelo personagem Juvêncio, durante noite chuvosa. "Ei, Juvêncio! Tocando na chuva estraga a viola!", diz Tião ao músico no momento em que chega à casa dos pais, em companhia da namorada. A canção foi composta por Adoniran Barbosa, que frequentava o Redondo, bar situado em frente ao Arena, e emprestou seu "inestimável apoio" à montagem: Adoniran, sentado a uma das mesinhas do bar, "compôs, num instante, aquele samba que se tornou fundamental no espetáculo", conta José Renato.[3]

---

2   No início de 2008, José Renato respondeu, por *e-mail*, a questões que lhe sugeri a respeito de *Eles não usam black-tie*. As demais citações de suas palavras procedem da mesma fonte.

3   A canção, com letra de Guarnieri, chama-se "Nós não usa as bleque-

Se os elementos cenográficos, que resumiam a favela, e a música efetivamente popular, feita por um mestre do gênero, foram valiosos no espetáculo de estreia, o aspecto mais importante da montagem, no entanto, parece ter sido mesmo a arte dos atores. Ainda de acordo com José Renato, "o ponto principal da encenação foi a intensidade emocional com que todos se empenharam no trabalho. O resultado do aprofundamento da interpretação de todo o elenco, começando pelo Eugênio Kusnet e pela Lélia Abramo, seguidos pelo Guarnieri e Miriam Mehler e por todos, enfim, deu ao espetáculo uma dimensão de acontecimento inesquecível". Os valores da consciência solidária, postos em pauta com o advento da greve, terão sido ressaltados pela entrega afetiva dos intérpretes.

Black-tie, portanto, mistura o ineditismo do tema — já não se trata somente de flagrar o modo como vivem as classes populares, mas de vê-las em movimento — e a autenticidade da linguagem, igualmente inovadora, à utilização surpreendentemente sábia dos recursos tradicionais (considerando-se os 22 anos do autor quando escreveu a peça, em 1956). A fixação dos traços ou das tendências de caráter prepara os motivos que, no terceiro ato, explodem no bate-boca entre pai e filho. Estes encarnam visões do mundo antagônicas e o fazem sem que se convertam em meras alegorias.

Gianfrancesco Guarnieri, em entrevista que nos concedeu em 1998, por ocasião dos 40 anos de *Black-tie*, identificou a influência dos filmes neorrealistas italianos, exercida não apenas sobre esse texto, como também sobre outras peças da vertente inaugurada em 1958: entre elas, *Gimba, o presidente dos valentes*, do próprio Guarnieri, e *Chapetuba Futebol Clube*, de Oduvaldo Vianna Filho, ambas encenadas no

---

-tais" (ou blequetais) e diz: "Nosso amor é mais gostoso/ Nossa saudade dura mais/ Nosso abraço mais apertado/ Nós não usa as bleque--tais.// Minhas juras são mais juras/ Meus carinhos mais carinhoso/ Tuas mão são mãos mais puras/ Teu jeito é mais jeitoso.../ Nós se gosta muito mais/ Nós não usa as bleque-tais...". Há gravação dessa música no disco *Adonirando*, do grupo Catavento, de São Paulo.

ano seguinte. À pergunta relativa a "suas leituras naquele momento", o dramaturgo respondeu: "Aquilo de que eu tinha mais clareza, porque era uma coisa que me interessava, que me empolgava, era a experiência com o neorrealismo italiano do pós-guerra. Cinema. Então eu acho que o grande impacto foi o do cinema" (*Ladrões de bicicleta*, de Vittorio De Sica, marco do movimento, havia sido lançado em 1948). Personagens populares, espontaneidade e despojamento dão o tom a esses filmes.

Assim, a habilidade no manejo das técnicas realistas da preparação e do desenvolvimento, somada à novidade dos diálogos coloquialíssimos, traços estéticos postos a serviço do debate de temas políticos, confere qualidade a *Black-tie* e irá informar as peças escritas por Guarnieri a seguir. *Gimba*, seu segundo texto (encenado em São Paulo pelo Teatro Popular de Arte, de Maria Della Costa e Sandro Polloni, sob a direção de Flávio Rangel), traz história de novo passada nos morros do Rio, tendo agora como protagonista um bandido, "o presidente dos valentes" do título.

Em relação a *Black-tie*, a peça ampliará o papel destinado à música, segundo se constata, por exemplo, com a cena da batucada na favela, armada em homenagem a Gimba quando ele retorna ao local de origem — onde afinal morre em confronto com a polícia. Não seria excessivo atribuir certo dom (deliberadamente) profético a esse texto, atentando-se às palavras de Guarnieri em outra entrevista, esta de 1994: "Aliás, o *Gimba* foi escrito para mostrar essa transformação, quer dizer, que se acabava esse tipo de herói marginal para gerar outro tipo, que já se encaminhava para o perverso. O Gimba acaba gerando o seu sucessor, o Tico, que já vem numa sociedade mais dura".[4]

---

4   Pude entrevistar Guarnieri em duas oportunidades: por ocasião de seus 60 anos, "Mesmo aos 60, ele não usa *black-tie*" (*Correio Braziliense*, caderno Dois, 7 ago. 1994), e em aniversário da primeira peça, "*Eles não usam black-tie* faz 40 anos" (*O Estado de S. Paulo*, suplemento Cultura, 21 fev. 1998).

As sugestões e os propósitos de *Black-tie* alargam-se na ótima *A semente*, de 1961, outra encenação de Flávio Rangel, agora no Teatro Brasileiro de Comédia (Flávio dirigira, no ano anterior, *O pagador de promessas*, de Dias Gomes, marcando nova fase no TBC, que se estenderia até 1964). Os recursos épicos, dedicados a emoldurar a ação dramática, são usados com amplitude e eficácia por Guarnieri em *A semente*, história que estuda os impasses da militância de esquerda contrapondo, em torno do ativista Agileu Carraro, as certezas e a rigidez revolucionárias aos movimentos bruscos de uma realidade social impiedosa (incluídos erros de cálculo político e embates diretos, com o sacrifício de vidas).

O ano de 1964 vai encontrar os autores do Teatro de Arena, e seus contemporâneos, preocupados com os problemas do campo e da reforma agrária. Dentro ou fora do grupo, várias peças versam o tema dos conflitos rurais: Guarnieri escreve *O filho do Cão*, história na qual a exploração da boa-fé pública é denunciada por meio de sátira, texto que, no entanto, não adota inteiramente o caminho da comédia (certo tom sombrio o torna como que híbrido); Vianinha redigira *Quatro quadras de terra*, drama realista ao estilo de Gorki, e preparava-se para estrear *Os Azeredo mais os Benevides*, peça que também mostra camponeses expulsos das terras onde trabalham; mas o texto não sobe ao palco porque o prédio da União Nacional dos Estudantes, no Rio de Janeiro, onde se devia exibir o espetáculo, é incendiado a 1º de abril pelas forças golpistas.

Jorge Andrade e sua desesperançada *Vereda da salvação*, que confronta a ignorância e o fanatismo de colonos paupérrimos à violência sem quaisquer escrúpulos dos donos de terras, sofrem ataques à direita e à esquerda, quando a peça é encenada por Antunes Filho no TBC, naquele ano. Segundo consta, a direita rejeitou a montagem por não admitir que se apresentassem proprietários e capatazes como assassinos; a esquerda, por não aceitar que os idealizados camponeses pudessem agir de maneira politicamente absurda. Jorge Andrade e o diretor Antunes, expondo o nervo dos problemas, descontentaram os dois lados.

Naquela fase, os musicais aparecem como saída possível e desejável para o teatro brasileiro, lançado diante dos limites impostos pelo Golpe e da necessidade de reagir a ele. *Opinião*, de Vianinha, Armando Costa e Paulo Pontes, dá o mote em dezembro de 1964, seguido por *Arena conta Zumbi*, de Guarnieri, Augusto Boal e Edu Lobo, montagem na qual se reescreve a saga dos Palmares. Outro espetáculo importante nessa linha será *Arena conta Tiradentes*, texto de Guarnieri e Boal dedicado ao episódio da Inconfidência Mineira, tratada como alegoria da situação política em 1967.[5]

Há um corredor político-estético que parte de *Black-tie* e chega a 1968. Ao final daquele ano criativo e conturbado, as liberdades públicas se veem asfixiadas com a edição do AI-5; Guarnieri, fiel à vocação realista, resiste escrevendo o que chama "teatro de ocasião", isto é, teatro cifrado, o possível nas circunstâncias. Sua obra prossegue, nos anos 1970, em peças como *Um grito parado no ar* e *Ponto de partida*, nas quais se misturam metáfora e senso do real. Essa já é, no entanto, outra história — ou novo momento da história iniciada em 1958.

---

5   Se *Eles não usam black-tie* dera início ao teatro político de tendência realista (ou dramática), duas peças de 1960, *Revolução na América do Sul*, de Boal, e *A mais-valia vai acabar, seu Edgar*, de Vianinha, abrem outra tendência na vertente geral dos espetáculos participantes: a das peças não realistas (ou épicas), com destaque, entre elas, para os musicais. O teatro das décadas de 1960 e 1970 frequentemente se organizou na forma do musical para conquistar plateias e criticar o regime.

GIANFRANCESCO GUARNIERI E EUGÊNIO KUSNET EM *ELES NÃO USAM BLACK-TIE*. TEATRO DE ARENA, SÃO PAULO (1958). © CEDOC/FUNARTE.

TEATRO E PAIXÃO EM
ODUVALDO VIANNA FILHO[1]

Oduvaldo Vianna Filho foi ao cinema acompanhado por duas amigas. Não se tratava de qualquer filme, porém: lançava-se *Terra em transe*, de Glauber Rocha, em 1967. Ele não gostou do que viu. No bar, quando uma das moças elogiou as imagens alegóricas e cáusticas de Glauber, o normalmente terno Vianinha bateu na mesa e gritou: "O Brasil não é aquilo!". Os frequentadores, mudos, se entreolharam; o ator Hugo Carvana, sentado a outra mesa, travou com Vianinha um debate áspero. A passagem está narrada em *Vianinha, cúmplice da paixão*, biografia do dramaturgo e ator escrita por Dênis de Moraes. Embora não corresponda ao temperamento ameno exibido por Vianna pela maior parte do tempo, a anedota não deixa de ser significativa.

Lembrar o itinerário de Oduvaldo Vianna Filho, que viveu escassos mas intensos 38 anos, de 1936 a 1974, implica recordar as várias polêmicas estéticas e políticas em que se envolveu. Escritor, intérprete,

---

1 Resenha publicada, com cortes, no *Jornal da Tarde* (São Paulo, 27 jan. 2001).

Ver *Vianinha, cúmplice da paixão*, de Dênis de Moraes, edição revista e ampliada (Rio de Janeiro: Nova Fronteira, 2000).

pensador do teatro e animador cultural, Vianinha, nos anos 1950, participou do Teatro de Arena em São Paulo. Em 1961, ajudou a fundar o Centro Popular de Cultura da UNE, no Rio de Janeiro. Viu o prédio da entidade em chamas, em abril de 1964, e foi um dos autores do show *Opinião*, que estreou em dezembro daquele ano. Ligou-se à televisão apesar dos preconceitos que cercavam o veículo, trabalhou em cinema e terminou sua maior peça, *Rasga coração*, no leito de morte, em 1974. A disposição para o debate e, mais importante, para constantes autocríticas e reavaliações parece tê-lo acompanhado sempre.

A figura do autor e intérprete volta à cena com a reedição da biografia. O livro foi revisto e ampliado com pesquisas feitas nos arquivos temíveis do Departamento de Ordem Política e Social (DOPS), que levaram a dados inéditos sobre as relações entre teatro e censura nos anos 1960 e 1970. Não há como desligar a trajetória de Vianinha dos tempos criativos e difíceis que viveu. Assim, o livro de Dênis de Moraes importa não apenas por levantar e analisar fatos diretamente relacionados a Vianna, como por ajudar a entender o período e os cenários em que o inquieto personagem se movimentou. Lê-se com admiração o relato de uma vida que transcorreu em tempos diferentes dos nossos, que aparentam ser "uma era sem utopias".

Utopias não faltaram a Vianinha. Dênis abre o livro mostrando o menino de nove anos a distribuir santinhos em campanha para o pai, candidato a deputado pelo Partido Comunista Brasileiro em 1945. Oduvaldo Vianna, homem de teatro e autor de numerosas novelas para o rádio, legou ao filho a lição dos diálogos coloquiais, pouco praticados nos palcos da década de 1940. Esses ensinamentos, assimilados espontaneamente, iriam ajudar o rapaz na redação das primeiras peças, *Bilbao via Copacabana* e *Chapetuba Futebol Clube*, escritas em 1959, na fase do Arena. *Chapetuba* ganhou cinco prêmios naquele ano e substituiria em cartaz a bem-sucedida *Eles não usam black-tie*, de Gianfrancesco Guarnieri, seu companheiro de grupo. A peça de Vianna tratava da corrupção no esporte — com direito a ilações sociais mais amplas — e foi o primeiro texto teatral no país a abordar largamente o tema.

Em 1960, o Arena vai ao Rio de Janeiro. As divergências aparecem: há questões pessoais, mas questões políticas também contam para o desligamento de Vianinha e Chico de Assis, que preferem ficar no Rio a voltar para São Paulo. Eles buscavam o teatro popular que a pequena sala e o próprio repertório do Arena não permitiam que se pusesse em prática. O primeiro texto importante nessa direção foi *A mais-valia vai acabar, seu Edgar*, escrito por Vianna: operários saem pelo mundo para tentar desvendar o mistério do lucro nas relações entre capital e trabalho. A presença de canções indica a influência de Brecht, autor que Vianna e companheiros haviam começado a estudar pelo menos um ano antes. Chico de Assis, o diretor da montagem, acrescentou ao texto processos do teatro de revista — levado nas salas da Praça Tiradentes, no Rio, nossa modesta Broadway. O espetáculo atraiu cerca de 400 espectadores por sessão, por oito meses, ao palco de arena da Faculdade de Arquitetura da Universidade do Brasil, hoje UFRJ. As músicas eram de Carlos Lyra, vindo da bossa nova e interessado em aprender com os velhos sambistas cariocas. Estavam lançadas as sementes para o CPC.

Exemplo da disposição de Vianinha para a crítica e a autocrítica está em suas atitudes na fase cepecista, que vai de abril de 1961 a abril de 1964. No início, suas posições estiveram próximas às expostas no Anteprojeto do Manifesto do Centro Popular de Cultura, redigido por Carlos Estevam Martins: a arte e seus recursos eram vistos, basicamente, como estímulos para a politização do público, meros instrumentos revolucionários. O estético subordinava-se ao político. Depois, diz Leandro Konder, citado por Dênis, Vianinha mudaria de rumo, optando pelo "caminho mais modesto da coleta de experiências". Chegava-se à fórmula da pesquisa das fontes populares, que marca a mentalidade de alguns dos melhores artistas a partir de 1963.

Pode-se enxergar a nova atitude por seus resultados no show *Opinião*, que reunia Zé Keti, João do Vale e Nara Leão, representantes, respectivamente, do carioca do morro, do migrante nordestino e da moça de classe média, indignada diante das desigualdades. "O processo de criação foi absolutamente original. Vianinha, Paulo Pontes e Armando Costa fizeram um laboratório com o elenco", conta Dênis de Moraes. "Cada um dos atores em cena cedeu álbuns de fotografias, cartas e tudo o que pudesse ilustrar os depoimentos. Em seguida, selecionou--se o material pertinente e elaborou-se o roteiro." Outra característica se evidencia: o gosto pelos empreendimentos de equipe, que Nelson Rodrigues iria ironizar afirmando que a autoria dos espetáculos do Opinião era "mais numerosa que uma audiência de Fla-Flu". Tempos antes, em 1961, Vianinha polemizara com Nelson nas páginas do semanário *Brasil em Marcha*. Ele jogava no rosto de Nelson a irracionalidade de seus personagens, enquanto o velho dramaturgo acusava o jovem de sectarismo. A admiração era, no entanto, mútua.

Outro espetáculo importante feito pelo Opinião foi *Se correr o bicho pega, se ficar o bicho come*, de Vianinha e Ferreira Gullar. Os versos de cordel e os bonecos da arte popular nordestina compareciam ao espetáculo, que ficou cinco meses em cartaz, em 1966. Um dos laços entre o teatro que se buscava e as formas populares acha-se na música: sambas e xotes em *Opinião*, cordel e ritmos nordestinos diversos no *Bicho*. Desmembrado o grupo Opinião, Vianinha funda o Teatro do Autor Brasileiro, que teria vida curta, o bastante para montar a revista *Dura lex sed lex, no cabelo só Gumex*. A comédia não foi bem das pernas, apesar do empenho do elenco.

Estamos em 1967, e as polêmicas reaparecem no próprio ambiente dos grupos de esquerda, artísticos ou políticos. No campo das artes, engajados e vanguardistas ameaçam sair no tapa — às vezes, ao pé da letra. É o caso das contendas com o pessoal do Cinema Novo. No campo da política, especialmente no ano seguinte, com o AI-5, alguns querem enfrentar o regime à bala, enquanto outros, entre eles Vianna, advertem para a loucura e a derrota certa que seria a luta armada. O artigo "Um pouco de pessedismo não faz mal a ninguém", tratando de teatro, registra as posições do autor na época.

Em textos como *Papa Highirte*, *A longa noite de Cristal* e *Corpo a corpo*, escritos a partir de 1968, Vianinha afia as qualidades de dramaturgo. Como diz Dênis de Moraes, ele perseguia a "densidade política", conciliando-a com a "estruturação cênica requintada". O apuro já se nota em *Moço em estado de sítio*, peça de 1965 que só iria à cena em 1981, com as "cinquenta breves sequências e cenas sobrepostas, numa dinâmica de cortes quase cinematográfica". Conquistas estéticas somavam-se à coerência política em Vianinha, um homem que, de acordo com o depoimento de algumas de suas muitas namoradas, era capaz de sofrer genuinamente com a mesquinhez social brasileira.

Pelo menos três obras merecem destaque em seus últimos anos de vida. Na televisão, casos especiais como *Medeia* abriram caminho para práticas modernas no vídeo. Ainda na tevê, pode-se lembrar a bem-humorada série *A grande família*, escrita com Armando Costa, série "com cara de Brasil" que o padrão Globo acabou rejeitando (mas retomou recentemente). Para teatro, escreveu *Rasga coração*, levando ao extremo o zelo com as pesquisas, tendo levantado dados sobre 40 anos de história e costumes nacionais como base para o enredo. Na peça, conta a vida de Manguari Pistolão, funcionário público que teve a ascensão sustada pelas atitudes políticas, espécie de herói anônimo em sua luta "contra o cotidiano, feita de cotidiano". Cenas relativas a épocas distintas, superpostas, dão estrutura à peça.

As últimas páginas de *Cúmplice da paixão* mostram Vianinha atormentado pelo câncer, que enfrentou corajosamente, tendo terminado *Rasga coração* quase sem forças, ditando as derradeiras falas a um gravador, depois transcritas pela mãe, Deocélia Vianna. Dênis de Moraes, sem artifícios melodramáticos, torna comoventes essas passagens, com honestidade e competência verdadeiramente jornalísticas. Ainda que se possa discordar da análise que faz do teor de algumas peças (caso das motivações políticas de *Brasil, versão brasileira*, da fase cepecista, por exemplo), deve-se afirmar que escreveu um belo livro, homenagem a uma das figuras fundamentais das décadas férteis de 1950 a 1970.

TEXTOS VIGOROSOS E ENGAJADOS DE PLÍNIO MARCOS SÃO REUNIDOS EM LIVRO[1]

Toda obra literária que se pretende politicamente engajada corre o risco de cair na demagogia — aliás, torna-se difícil saber o que é mais grave, se a demagogia ingênua ou, no polo oposto, a alienação sem remorso. O filósofo alemão Theodor Adorno, no artigo "Engagement", publicado em 1965, chega a dizer que a literatura dedicada a representar a dor alheia pode banalizar os crimes que denuncia. Mesmo bem-intencionada, a obra acaba por justificá-los, "retirando um pouco de sua monstruosidade". Adorno tem razão, mas os tombos estéticos e políticos para os quais alerta, felizmente, nem sempre se realizam.

O dramaturgo Plínio Marcos (1935-1999) soube contornar esses riscos, produzindo textos vigorosos que, diga-se, nem sequer se propunham como diretamente engajados. A brutal veracidade das situações e a exata estetização da gíria garantem validade, ainda agora, a suas peças, escritas a partir de 1958. Tributário de Nelson Rodrigues e

---

1   Resenha publicada no jornal *O Globo*, suplemento Prosa e Verso (Rio de Janeiro, 13 mar. 2004).
    Ver *Plínio Marcos: melhor teatro*, com seleção e prefácio de Ilka Marinho Zanotto (São Paulo: Global, 2003).

pertencente à geração de Vianinha e Guarnieri, Plínio deu voz a personagens paupérrimos e cruéis, em textos como *Dois perdidos numa noite suja* e *Navalha na carne*. Eles voltam às livrarias em *Plínio Marcos: melhor teatro*, antologia organizada por Ilka Marinho Zanotto, publicada pela Global.

As cinco peças estão dispostas em ordem cronológica. A primeira delas chama-se *Barrela*, foi encenada episodicamente em fins dos anos 1950 e, depois, proibida pela censura por 21 anos. Em *Barrela*, aparece procedimento que iria marcar outros textos do autor: a história já se inicia sob tensão, em conflito aberto. O cenário mostra "um xadrez onde são amontoados os presos que aguardam julgamento". Um dos seis detentos desperta aos gritos — tivera um pesadelo. Com isso, acorda os demais, que resolvem puni-lo. A história dá voltas até aparecer um sétimo hóspede, o Garoto, que será vítima de curra. A gíria e o palavrão comparecem à primeira peça de Plínio com virulência inaudita na dramaturgia daquele momento.

Com a interdição de *Barrela*, as criaturas de Plínio Marcos teriam de esperar alguns anos até se tornarem largamente conhecidas. O que se deu com *Dois perdidos numa noite suja*, peça de 1966, hoje clássica. Assim como no texto anterior, a história resolve-se em crime — desta vez, um assassinato —, depois de os personagens se desentenderem em torno de um par de sapatos. Tonho, exasperado, acaba por matar o infantilmente perverso companheiro de quarto, Paco.

No ano seguinte, a breve *Navalha na carne* forneceria a Tônia Carrero material para um corajoso desempenho. A história, aqui, envolve três figuras: a prostituta Neusa Sueli, o cafetão Vado e o funcionário homossexual do bordel, Veludo. Se, numa peça como *Perdoa-me por me traíres*, de Nelson Rodrigues, dez anos mais velha que *Navalha na carne*, o prostíbulo e seu funcionário têm algo de típico e de caricato, na peça de Plínio a patética fantasia rodriguiana dá lugar a um naturalismo sem atenuantes de qualquer espécie.

O abajur lilás, de 1969, foi objeto de batalha contra a censura, como aconteceu com outros textos de Plínio Marcos. A peça tornou-se emblema na luta pela liberdade de expressão, como lembra Ilka Marinho Zanotto em prefácio à coletânea. Em *O abajur lilás*, a ação mostra-se, de saída, menos vigorosa: os motivos de ódio entre as prostitutas e o avarento dono do "mocó" em que elas trabalham parecem um pouco artificiais. Mas o autor soube, ao longo da peça, dar àqueles motivos a densidade necessária para que a ação culmine, justificadamente, em catástrofe.

Em 1979, surge *Querô, uma reportagem maldita*, adaptada do romance de mesmo título, publicado pelo autor três anos antes. É a única peça, na antologia, que exibe ação não linear e que envolve canções. A partir das lembranças do personagem principal, assim chamado porque sua mãe se matou bebendo querosene, iremos conhecer fragmentariamente a trajetória do menino-bandido. Desta vez, Plínio se permite a exortação direta aos "cidadãos contribuintes" que, preconceituosos ou omissos, ajudamos a multiplicar histórias como a de Querô.

A peça organiza-se como tese a ser demonstrada. O Repórter faz, no início, a sua exortação, que repetirá ao final. A madrasta, dona do bordel onde viveu a mãe de Querô, o abandona; policiais o espancam; a Justiça parece muda. O resultado se adivinha: o garoto transforma-se num monstro e vinga-se dos opressores. Plínio não teve pudor do panfleto, e não há mesmo razão para temê-lo. O que pode fazer mal à arte não é a atitude panfletária, mas o convencionalismo, o sentimentalismo falso, o texto carente de ritmo e de verdade humana. O panfleto é, portanto, válido — desde que se tenha a força de um Plínio Marcos.

DIFÍCIL EQUILÍBRIO[1]

Entre a atmosfera repressiva dos anos 1950 e a relativa liberdade sexual dos 1990, distribuem-se as quatro peças reunidas em *Domingos Oliveira: melhor teatro*. O organizador do volume, João Roberto Faria, utilizou ainda o critério dos gêneros, ao escolher os textos entre as 16 peças escritas por Domingos Oliveira até agora. Sobretudo nas peças cômicas, o amor é o tema constante.

Os dois primeiros textos, *Do fundo do lago escuro* e *A primeira valsa*, armam-se como dramas situados na década de 1950. Os dois últimos, *Amores* e *Separações*, são comédias ambientadas em tempos recentes. O espaço em que se desenrolam as histórias é sempre a Zona Sul do Rio de Janeiro, onde transita a classe média. Os personagens oscilam entre a crença legítima de que "amar é querer o bem do outro" e o resumo talvez mais lúcido segundo o qual "o amor é uma selvageria", o mais furiosamente egoísta dos modos de relacionamento.

Para quem não chegou a ver os espetáculos que Domingos Oliveira, nascido no Rio em 1936, vem escrevendo e dirigindo há mais de

---

1   Resenha publicada no jornal *Correio Braziliense*, suplemento Pensar (Brasília, 28 ago. 2004).

    Ver *Domingos Oliveira: melhor teatro*, com seleção e prefácio de João Roberto Faria (São Paulo: Global, 2004).

40 anos, a antologia oferece boas surpresas. Do ponto de vista etário, Domingos acha-se na turma de Oduvaldo Vianna Filho e Gianfrancesco Guarnieri, mas escolheu caminho diverso da trilha de engajamento político que, em boa medida, caracteriza a obra de alguns dos melhores nomes de sua geração.

João Roberto Faria nota em prefácio: "Como dramaturgo, interessa a Domingos Oliveira mais o coração humano que os aspectos exteriores da vida social, mais o indivíduo que a coletividade". Enquanto Vianinha e Guarnieri frequentemente olharam para os mais pobres, buscando estabelecer pontes entre as classes, Domingos voltou-se para as camadas médias ou altas, convertendo-se em cronista da vida afetiva nessas camadas.

Do fundo do lago escuro, encenada em 1980 sob o título *Assunto de família*, estrutura-se como "peça em três atos, com unidade de tempo e ação". Numa fase de muitas experiências em teatro, o autor escreveu drama cerrado, tradicional, mas eficaz. Um dos traços que distinguem as peças de Domingos Oliveira, a inspiração autobiográfica, aparece nesse texto com nitidez.

Os conflitos entre a matriarca autoritária, dona Mocinha, e seus filhos e genro respondem por um dos eixos da peça. O trágico pode expressar-se em fatos aparentemente banais, como o da morte da cachorra pertencente ao menino Rodrigo, de 12 anos, morte que os adultos teimam em escamotear. A descoberta de que os mais velhos mentem mostra-se terrível para o garoto, crente na infalibilidade dos adultos. *Do fundo do lago escuro* tem a vocação dos clássicos.

Fiel às próprias memórias, Domingos traz à cena, em *A primeira valsa*, o mesmo Rodrigo, agora aos 22 anos, apaixonado por Adriana e fascinado pelo sogro, Cândido, que o marca à maneira dos mestres. A ação se desenvolve no passado, segundo as lembranças do protagonista. Apesar dos temas densos — morte, amor, impotência —, o final insinua a possível felicidade.

As peças que fecham o livro, criadas com a colaboração de Priscilla Rozenbaum, são decididas comédias, mas a leveza com que as idas e vindas se articulam não dispensa os impasses genuínos. Em *Amores*, o desejo de Telma e Pedro de terem filhos não se realiza e, quando se realiza, acontece com parceiros imprevistos; a morte pode estar à espreita no momento mesmo em que Luísa se descobre apaixonada. Depois das crises, tudo resulta em novas e bem-sucedidas configurações afetivas, no que é retrato otimista da moderna e urbana família tentacular.

Em *Separações*, a ambição de falar dos modelos amorosos contemporâneos revela-se mais ampla. A estrutura da peça se ergue em torno de uma metáfora. Diz-se que a experiência dos pacientes terminais reparte-se em cinco fases: negação da morte iminente, negociação (consigo mesmos, com Deus), revolta, aceitação e, por fim, agonia ou estado de graça.

O dramaturgo equipara a experiência terminal à das separações traumáticas: morre-se um pouco quando se perde um grande amor, como diriam as valsas. Então, elabora as numerosas aventuras do enredo conforme aquelas cinco fases. Domingos Oliveira mostra que se pode escrever comédia sem dispensar o olhar atento e terno sobre a precariedade de nossa condição.

O TEATRO DE CHICO BUARQUE E PARCEIROS[1]

A história dos embates sociais no Brasil tem sido marcada, desde sempre, pela expectativa de mudanças que jamais se realizam, mas, ao contrário, se veem teimosamente proteladas. As promessas feitas aos pobres, não raro aliados à classe média na grita por divisão da renda e por democratização das decisões políticas, servem para dissipar conflitos, sendo, depois, esquecidas. O carnaval dos pés de chinelo, por aqui, invariavelmente deságua na quarta-feira das elites. É monótono e perverso, mas tem sido assim há séculos.

Poeta capaz de ligar as questões sociais às altas temperaturas líricas, Chico Buarque [70 anos em 19 de junho] escreveu quatro textos de teatro, entre 1967 e 1978, com parceiros ou isoladamente. Nessas peças, o fio da meada tem sido justamente o quanto, na história brasileira, tudo muda para permanecer como está, tudo se altera para que não se altere coisa alguma — ainda que as formas e enfoques com que o autor trabalha esse tema geral sejam os mais diversos. As peças não se reduzem a ilustrá-lo e, conforme o caso, Chico mobiliza verso ou prosa, ou ambos; recorre a estrutura épica, fragmentária, como em

---

[1] Artigo publicado na revista *Cult* (São Paulo: Editora 17, n. 69, mai. 2003), sob o título "As ilusões perdidas", e republicado, revisto e modificado, no *site* Teatrojornal (9 jun. 2014).

Calabar, ou a atmosfera cerradamente dramática, embora não estritamente realista, como em *Gota d'água*; ou, ainda, repassa os esquemas da comédia musical na *Ópera do malandro*.

Em *Roda-viva*, sua primeira peça, que estreia em janeiro de 1968 no Rio, sob a direção furiosa de José Celso Martinez Corrêa, o mote das ilusões políticas perdidas já se anuncia, mesmo limitado à figura do cantor Benedito Silva e às relações deste com o mercado de shows e discos, potencializado pela jovem e já onipresente televisão — mercado que consagra o artista e, depois, o descarta.

As 50 laudas que constituíam a comédia foram transformadas pelo diretor num espetáculo obediente à tese do "teatro da crueldade", teoria devida ao francês Antonin Artaud, refeita à moda da casa: "Para um público mais ou menos heterogêneo que não reagirá como classe, mas sim como indivíduo, a única possibilidade é o teatro da crueldade brasileira — do absurdo brasileiro —, teatro anárquico, cruel, grosso como a grossura da apatia em que vivemos", disse Zé Celso em entrevista a Tite de Lemos. O diretor garantia: "Cada vez mais essa classe média que devora sabonetes e novelas estará petrificada e no teatro ela tem que degelar, na base da porrada".

João Antonio Esteves, ator e professor de artes cênicas da Universidade de Brasília, assistiu à montagem paulista de *Roda-viva* em 1968 e recorda: os atores passeavam em meio da plateia, instalavam-se no colo dos espectadores, sujavam de sangue as suas roupas — como na cena em que devoravam pedaços de fígado cru, alusiva à voracidade com que a televisão e sua audiência comem o coração dos ídolos. João Antonio informa que as respostas às provocações eram as mais distintas, mas parece possível identificar duas atitudes básicas, extremas: a de rejeição ou, pelo contrário, de aceitação cúmplice do espetáculo. "Tinha gente que se incomodava profundamente e saía, indignada"; e havia "os que ficavam", ou seja, "quem compactuava", porção majoritária.

A história singela composta por Chico não exigia, como tampouco proibia, o tratamento dado pelo diretor à peça, em trabalho fora dos limites do Teatro Oficina, grupo a que Zé Celso estava ligado. Pode-se resumir o enredo conforme os seguintes passos, distribuídos em dois atos: o cantor Benedito Silva ainda não conhece o êxito e se encontra com o Anjo, figura caricata de empresário, que cinicamente o transforma em Ben Silver, decalque dos astros norte-americanos.

Aliado ao Capeta, representante da imprensa de escândalos, o Anjo conduz a carreira de Silver até que o rapaz, em crise de consciência — seu amigo Mané o condena, aos palavrões, por seu comportamento inautêntico —, embriaga-se e é flagrado em pleno porre pelo jornalismo venal. O Anjo opera nova metamorfose, fazendo de Ben Silver o telúrico Benedito Lampião e levando-o a cantar no exterior, onde exibirá nossos mais puros e valentes valores musicais.

Novos ataques ao músico, vindos agora de nacionalistas irritados com o fato de ele, "depois de defender a reforma agrária", ter ido "receber dólares dos americanos", obrigam o Anjo a destiná-lo à morte não apenas artística, mas física, substituindo-o por Juju — a viúva do ídolo, fantasiada de *hippie*, nova protegida do empresário. Com todos esses saltos, característicos de farsa, Chico satirizava os vários tipos — o cantor de iê-iê-iê, o compositor de protesto — em voga nas telas e nos palcos em 1968. Ao menos duas músicas da peça permanecem: a canção-título e "Sem fantasia" ("Vem, meu menino vadio/ Vem, sem mentir pra você...").

A temporada de *Roda-viva* em São Paulo envolveu episódio melancolicamente famoso: o espancamento de atores e técnicos pelos delinquentes do Comando de Caça aos Comunistas, o CCC, que invadiu o Teatro Ruth Escobar em 17 de julho. O ataque levou Nelson Rodrigues a comentar, consternado, em crônica publicada poucos dias depois do incidente: "Desde a Primeira Missa, nunca se viu, aqui, indignidade tamanha".

Seis anos mais tarde, Chico admitiria que "*Calabar* é um trabalho bem mais elaborado" que o texto de estreia. Escrito em parceria com Ruy Guerra, em 1973, *Calabar, o elogio da traição* foi proibido pela censura e só chegaria à cena em 1980, sob a direção de Fernando Peixoto. Os autores reeditavam tema histórico, que foram buscar no Brasil do século XVII. As lutas entre portugueses e holandeses pelo controle do açúcar em Pernambuco forneciam o ponto de partida para discutirem, de maneira bem-humorada, as noções de fidelidade e infidelidade política, numa fase, o início dos anos 1970, em que a propaganda oficial impunha o dilema: "Brasil, ame-o ou deixe-o".

Calabar, o suposto traidor, teria escolhido o lado menos ruim, o dos flamengos. Maurício de Nassau, déspota com tintas renascentistas, chega a estas terras e promove mudanças benéficas à população nativa, mas afinal será apeado do poder: a seus financiadores de além-mar, as melhorias realizadas por ele na colônia pouco interessavam.

A peça mistura procedimentos épicos e dramáticos, com predomínio dos primeiros. As letras podem destinar-se a revelar tendências ou a armar cenários, mas podem ainda valer como diálogo, como acontece em "Tira as mãos de mim". Nesse caso, Bárbara, falando a Sebastião do Souto, compara Calabar, já morto, a Souto, afirmando a inferioridade deste: "Ele era mil/ Tu és nenhum/ Na guerra és vil/ Na cama és mocho...".

Notam-se aspectos frágeis em *Calabar*, compensados em parte pela beleza lírica ou bem-humorada das canções. O texto, em certas passagens, assume o tom de discurso indignado, exortando o espectador a agir na modificação do real. É fato que isto se dá sem simplificações excessivas. Trata-se de panfleto de bom nível; a ênfase pode, contudo, fazer baixar e não elevar a tensão dramática — ou épica.

A própria questão da empatia se torna problemática: Bárbara, no primeiro ato, é vista por três vezes, mas em funções de narrador ou de sujeito lírico, antes do momento importante em que interpela três militares de algum prestígio, ligados aos portugueses, o negro Dias, o índio Camarão e o pobre Souto. A moça questiona com energia a atitude pragmática, avessa a escrúpulos, adotada pelos três. Contudo, para que acreditemos em sua possibilidade de fazê-lo, temos de nos identificar com ela — e o texto não nos dá grandes chances nesse sentido.

A peça, em seu recorte épico, deixa à personagem — isto é, à atriz que a representa — a tarefa de se impor junto à plateia. Bárbara canta a perda de seu homem, exorta-nos a prestar atenção às próximas cenas e censura o castigo dado a Calabar — rebeldes provenientes da elite nem sempre encontram a morte, diz ela. A intérprete precisará afirmar-se muito eficientemente para, dessas intervenções puramente líricas ou épicas, retirar a força dramática necessária à inquisição posterior, feita a Dias, Camarão e Souto. Questão aberta.

Há engenho nas passagens em que se alternam duas cenas distintas ou se revezam canção e falas. Por exemplo, quando esses homens justificam a própria atitude amoral, enquanto a música "Vence na vida quem diz sim" é cantada por Anna, a prostituta "do dique e das docas" que se tornará amante de Bárbara.

A bela *Gota d'água*, escrita em parceria com Paulo Pontes, aparece no Rio em dezembro de 1975, depois de algum temor quanto à atitude da censura, que acabou por liberá-la (a montagem foi dirigida por Gianni Ratto e teve Bibi Ferreira no papel principal). Com base remota na tragédia *Medeia*, do grego Eurípides, e inspiração imediata no caso especial criado por Vianinha, que adaptou a trama clássica para a televisão, situando-a nos subúrbios cariocas, o texto aborda a capacidade que o capitalismo brasileiro, tomando impulso, tinha de empregar "os mais capazes", enquanto continuava a excluir a maioria. O sambista Jasão, com seu oportunismo, constitui emblema dos poucos indivíduos ou setores da classe média, ou mais raramente das camadas pobres, a serem convidados para a festa dos ricos.

O drama não exclui lances de humor. Um desses momentos surge na forma de canção interpretada em coro, "Flor da idade". O contexto é o de uma cena de bar a que Jasão comparece, depois de discutir com mestre Egeu; este exerce autoridade moral no ambiente que Jasão está prestes a abandonar, assim como abandonou a mulher, Joana. Ela coleciona motivos para se queixar da condição feminina e prepara a vingança, convicta de que "não se pode ter tudo impunemente/ A paz do justo, o lote do ladrão/ Mais o sono tranquilo do inocente". O tom dominante, naturalmente, nada tem de leve ou alegre; o humor atenua passagens dolorosas, mas também pode acirrá-las, por contraste.

O texto comove quando se aproxima do argumento de *Medeia*, contemplando os embates entre Joana e Jasão, o ódio que ela sente, as disposições de Creonte, convertido aqui em dono do conjunto habitacional onde se passa a história. A emblematização política, para voltarmos ao tema do recrutamento dos mais capazes, relaciona-se ao fato de que, enquanto Jasão ascende por meio do casamento com a filha do poderoso local, à exasperada Joana não sobra sequer a possibilidade de continuar a viver no conjunto, de onde é expulsa. Os excluídos, no entanto, podem ir à forra. A sólida estrutura dramática de *Gota d'água* valoriza-se com os versos que combinam metáfora, ritmo e linguagem coloquial. A peça aproxima-se da obra-prima, é uma das maiores da dramaturgia brasileira.

Ópera do malandro, baseada na *Ópera do mendigo* (1728), de John Gay, e na dos *Três vinténs* (1928), de Brecht e Weill, estreia no Rio em julho de 1978, sob a direção de Luís Antônio Martinez Corrêa. Na peça de Chico Buarque, o tema das mudanças operadas de modo que nada se altere no essencial liga-se à "modernização autoritária" ocorrida a partir de 1945, com a volta à democracia acompanhada por generosa abertura do mercado local aos norte-americanos, novos senhores do mundo. Processo similar, sob certos aspectos, já se verificara na época da Revolução de 30, quando os círculos do poder abriram vagas para a burguesia industrial, seduzindo também os trabalhadores com a fixação de direitos elementares — mantendo-se o comando, no entanto, nas mãos paternais de Getúlio Vargas. As personagens cômicas e as canções, várias de fino labor lírico (a valsa "Teresinha", o samba-canção "Folhetim"), traduzem ou comentam de modo lúdico a passagem da ditadura à democracia.

São momentos menos inspirados o xaxado "Se eu fosse o teu patrão", de melodia óbvia, e a paródia de trechos famosos de Verdi, Bizet e Wagner, espirituosa, mas pobre se comparada às demais letras do *Malandro*. Esse repertório teve cortes e acréscimos em versões posteriores, como a do filme de Ruy Guerra (de 1986, com "Sentimental" e "O último blues", entre outras músicas novas) ou a da montagem dirigida por Möeller e Botelho, no Rio, em 2003.

O picareta estabelecido Fernandes de Duran associa-se, a contragosto, ao picareta emergente Max Overseas, pela via do casamento de Max com a filha de Duran, Teresinha — mulher de visão que antecipa as oportunidades oferecidas pelos novos tempos. A invasão legal das praias brasileiras por produtos e capitais estrangeiros beneficiará os mesmos gatos-pingados de que, em *Gota d'água*, Corina, amiga de Joana, fala ao dizer: "Parte, Jasão, pro banquete da meia dúzia".

A estrutura da *Ópera do malandro* assemelha-se à do musical americano: canções intercaladas ao enredo que, no entanto, segue lépido e somente se detém para nos deliciar com as melodias e letras. O efeito hipnótico que os números cantados produzem, nos filmes de Hollywood e similares, não se repete na *Ópera*, texto empenhado em fazer pensar, capaz de usar a ironia sem parcimônia... Ou não? A distância que separa a peça de Chico ou a *Ópera dos três vinténs*, de Brecht e Weill, de um lado, e os musicais da Broadway, de outro, pode ser apenas convencional, aparente, uma ilusão devida à boa vontade política do observador. A pergunta a ser feita a esta altura alcança as outras peças do poeta: qual é a vigência desses trabalhos, que papel podem exercer, se o objetivo declarado, mais do que embalar a plateia, é o de refletir o país?

As peças musicais escritas por Chico Buarque, especialmente o burlesco *Calabar*, com Ruy Guerra, o drama em verso *Gota d'água*, com Paulo Pontes, e a *Ópera do malandro*, comédia pontilhada por canções, são bons modelos a partir dos quais se podem rediscutir os rumos do musical brasileiro, sobretudo o de vocação política. Alguns dos pontos a debater relacionam-se ao vigor do texto em verso; ao papel das canções em contato, ou atrito, com o enredo; aos enlaces de lirismo e drama, narração e cena... Trata-se de valorizar as obras em si mesmas, como já se tem feito, e de escrever outras tantas, sob seu estímulo. De acordo?

REIS DA VELA E DE RAMOS ENGOLIRIAM REI LEÃO[1]

Os artistas de teatro foram os primeiros a responder ao regime autoritário, instalado na noite de 31 de março de 1964. Para sermos exatos, os de teatro associados aos de música popular. No dia 11 de dezembro daquele ano, o show *Opinião*, composto por canções, anedotas e cenas curtas, estreava no Rio de Janeiro, com a cantora Nara Leão e os compositores Zé Keti e João do Vale convertidos em atores do musical.

O roteiro esteve a cargo de três dramaturgos: Oduvaldo Vianna Filho, Armando Costa e Paulo Pontes. O diretor Augusto Boal, do Teatro de Arena, vinha de São Paulo para encenar o espetáculo. A aliança de tantos nomes dava a *Opinião* o aspecto de uma frente de resistência ao regime, com humor e música. O sucesso foi enorme, a crítica reagiu entusiasmada — embora aquele tenha sido um sucesso restrito à classe média, ou seja, ao frequentador habitual das salas.

A observação faz sentido: ainda que certa espécie de teatro, eminentemente urbana, tenha sempre acontecido no campo da classe

---

[1] Artigo publicado no jornal *Correio Braziliense*, suplemento Pensar (Brasília, 31 mai. 2014), sob o título "A cena da resistência", e republicado no *site* Teatrojornal (3 jun. 2014), com novo título, nos 50 anos do Golpe de 1964.

média, a geração de Boal e Vianinha sonhou em ajudar a ligar classe média e povo — e percebeu no espetáculo teatral um meio para realizar essa proeza política. A ambição e a generosidade daquela geração de artistas, vistas de hoje, impressionam, apesar dos equívocos que também ocorreram.

Teatro e música estariam diretamente relacionados ao menos nos 15 anos seguintes, em numerosos espetáculos. Noutras palavras, o teatro brasileiro frequentemente se organizou na forma do musical para resistir ao regime. Acompanhamos esse trajeto até 1968, quando a ditadura se acirra; os musicais críticos escasseiam a partir de então, reaparecendo na década de 1970.

Os três autores de *Opinião* haviam integrado o Centro Popular de Cultura da União Nacional dos Estudantes. O CPC existiu de março de 1961 àquela noite de março de 1964, quando a sede da UNE, na Praia do Flamengo, no Rio, foi atacada a tiros e incendiada por golpistas. Suas atividades eram basicamente de agitação e propaganda; visavam alcançar os trabalhadores. A contrarrevolução veio cortar as possibilidades de aliança entre classes, com o cerco, por exemplo, aos sindicatos. A nova circunstância isolava os artistas de esquerda, simpatizantes das reformas que o deposto presidente João Goulart pretendera implantar.

Opinião reelaborava aqueles ideais artísticos e políticos, agora confinados a uma sala recém-inaugurada em Copacabana. Na plateia, muitos universitários, que depois comporiam o público da MPB — rótulo que nascia com o show, sob a inspiração de Nara. A cantora havia reunido os acordes da bossa nova ao samba e aos ritmos nordestinos em seus dois primeiros discos, ambos de 1964. Para ela, devemos "aceitar tudo, menos o que pode ser mudado".

O show daria partida a uma série de musicais: *Arena conta Zumbi*, *Se correr o bicho pega, se ficar o bicho come*, *Arena conta Tiradentes*, para citar apenas três, viriam na sequência. Tais espetáculos em verdade já se praticavam desde 1960, quando estrearam *Revolução na América do Sul*, de Boal, e *A mais-valia vai acabar, seu Edgar*, de Vianinha

— montagem que forneceria o mote para a criação do CPC. O projeto dos musicais políticos foi amplamente realizado: basta atentar para os textos e para a memória dos espetáculos, produzidos sobretudo de 1964 a 1979.

Em maio de 1965, aparecia *Arena conta Zumbi*, texto de Augusto Boal e Gianfrancesco Guarnieri, a que se somaram melodias de Edu Lobo. Ator e dramaturgo, Guarnieri havia sido pioneiro na voga do teatro socialmente empenhado com *Eles não usam black-tie*, peça de 1958. Pode-se dizer que os musicais constituem a vertente não realista, fantasista, do teatro político, tendência paralela à corrente realista representada por *Black-tie*. Personagens dotados de alguma complexidade psicológica, linguagem coloquial e tempo linear são traços desse estilo. Já os musicais costumam trocar personagens por simples tipos, eventualmente recorrem ao verso para as falas e podem ter estrutura episódica ou fragmentária.

É o que acontece em *Zumbi*. Texto e espetáculo, do qual existem trechos registrados em cassete, se valem de ampla liberdade dramática e narrativa para recontar a história do guerreiro, mostrando-o como herói da resistência negra ao despotismo português. A peça propunha analogia entre Palmares, no século XVII, e o país dos anos 1960. Exortava o espectador a uma resistência semelhante, dessa vez contra a tirania militar. Idealismo próximo da ingenuidade, sem dúvida, mas expresso em trabalho de grande força: o crítico Décio de Almeida Prado, embora fazendo restrições ao "maniqueísmo" de *Zumbi*, reconheceu tratar-se de "um espetáculo agressivo e inteligente".

A agilidade com que os atores entram e saem dos personagens, abandonando-os para contar a história e depois voltando a eles, em movimento constante, leva a crer que os modelos do teatro épico, ou seja, narrativo, devidos naquela fase principalmente a Bertolt Brecht, tenham sido ultrapassados pelo Arena. O grupo chegou então a fórmulas originais, e elas parecem ter se incorporado a práticas cênicas posteriores. Essas conquistas estão a demandar a atenção dos teóricos, hoje muito preocupados com o relativismo dito pós-dramático.

Em abril de 1966, surge *Se correr o bicho pega, se ficar o bicho come*, texto de Vianinha e Ferreira Gullar encenado por Gianni Ratto, com o Grupo Opinião. Ressalta aqui a busca de formas populares para compor o espetáculo. Temos, no *Bicho*, uma comédia de ambientação nordestina que fala de eleições desonestas, usando o verso de sete sílabas do cordel e máscaras derivadas do teatro de mamulengo. A peça, deliciosa, foi publicada naquele mesmo ano e jamais reeditada.

Em abril de 1967, as pesquisas de *Zumbi* desdobram-se em *Arena conta Tiradentes*, sempre sob a liderança de Boal. Na ocasião de *Tiradentes*, nasce o Sistema do Coringa, formulado pelo diretor. A figura do Coringa seria a do "paulista de 1967", ou seja, personagem-narrador situado fora do universo ficcional, alusivo neste caso à Inconfidência Mineira. O movimento de 1789 sonhou com a independência do país, mas foi abortado; a peça de Boal e Guarnieri associava a imprevidência dos inconfidentes às ilusões alimentadas pela esquerda no pré-64.

Vale notar os comentários, falados ou cantados, entremeados às cenas e, em decorrência deles, a celeridade com que se passa de um clima dramático a outro. O tema de *Tiradentes*, em si, não se presta à comédia, mas em seu entorno há personagens que merecem ser ridicularizados. Os políticos são o endereço da ironia: eles deixam de entregar o ouro à insaciável Coroa portuguesa porque o esquecem no próprio bolso.

Em setembro de 1967, estreava *O rei da vela*, texto de Oswald de Andrade que esperou três décadas até chegar à cena com o Teatro Oficina, sob a direção de Zé Celso Martinez Corrêa. Ameaças de bomba levaram pânico ao elenco; foram alarmes falsos. A peça de Oswald não é propriamente um musical, mas admite ser transformada em espetáculo desse tipo, e foi o que se fez. Pode-se destacar o segundo ato, com o tom de teatro de revista redobrado para a sátira da aristocracia do café em decadência, disposta a qualquer negócio para salvar seus privilégios.

O ano de 1968 foi dos mais difíceis. Em janeiro, exibia-se *Roda-viva*, de Chico Buarque, sob a direção de Zé Celso, que transformou o texto farsesco num ritual nervoso. Polêmico, repleto de provocações, o espetáculo atraiu a sanha da polícia política. Em julho, trogloditas do Comando de Caça aos Comunistas invadiram o Teatro Ruth Escobar, em São Paulo, para espancar a equipe. Um dos técnicos fraturou a bacia. Nelson Rodrigues, solidário, escreveu em crônica: "Estamos sendo esmagados pelo anti-Brasil".

O carnaval teve suas convenções mobilizadas na criação de *Dr. Getúlio, sua vida e sua glória,* peça de Dias Gomes e Ferreira Gullar que estreou em agosto, em Porto Alegre, dirigida por José Renato. Os truques do enredo carnavalesco foram usados no texto, que conta duas histórias em espelho: a saga de Getúlio Vargas em seus dias finais e o preparo, por certa escola de samba, do enredo que toma sua biografia como tema. Estrutura hábil, que peca por idealizar a trajetória do ditador. Revista e renomeada como *Vargas,* a peça voltaria à cena 15 anos depois.

Procurei contar um pouco da história dos musicais políticos, que se estende pelo menos até 1979, quando Flávio Rangel encena *O rei de Ramos,* comédia de Dias Gomes com músicas de Chico Buarque e Francis Hime. Limitações de ordem cultural e material impedem que esse repertório seja conhecido melhor, e uma delas é a relativa escassez de registros. Falando por mim, sou pela substituição de importações no campo esteticamente milionário do teatro cantado. Ao pueril rei Leão, prefiro o rei da vela e o rei de Ramos.

PARAÍSOS ÍNTIMOS
TEATRO E SUBJETIVIDADE EM CAIO FERNANDO ABREU[1]

Mais conhecido como contista, o gaúcho Caio Fernando Abreu, nascido em 1948 e morto em 1996, foi também bom dramaturgo. Escreveu sete peças teatrais, além dos diálogos curtos chamados *Cenas avulsas*, textos reunidos no *Teatro completo* organizado pelo amigo e colaborador Luís Artur Nunes e publicado pela Editora Sulina em 1997. Essas obras, em geral, não se reduzem a simples exercícios de estilo. Luís Artur, no prefácio ao volume com as peças, afirma que "Caio foi dramaturgo de fato e não um narrador por diletantismo pondo em diálogos suas histórias. Ele sabia e dominava a diferença de gêneros". Luís Artur Nunes tem razão, ainda que seja possível identificar eventuais oscilações de qualidade artística de uma para outra peça.

Busquei comentar, texto a texto, o teatro de Caio Fernando Abreu, analisando em especial o último de seus trabalhos para a cena, terminado em 1994 e chamado *O homem e a mancha*. A peça mistura elementos dramáticos e cômicos, expressos por cinco personagens,

---

1 Artigo publicado na revista *Folhetim* (Rio de Janeiro: Teatro do Pequeno Gesto; RioArte, n. 14, jul./set. 2002).
   Ver *Teatro completo*, de Caio Fernando Abreu, com organização e prefácio de Luís Artur Nunes (Porto Alegre: Sulina, 1997).

confiadas a um só intérprete — aliás, uma dessas figuras denomina-se, metalinguisticamente, Ator. As demais são Miguel Quesada, Homem da Mancha, Quixote e, aparecendo somente nas cenas finais, Cavaleiro da Triste Figura.

A subjetividade cindida do Ator, assim como a de Miguel Quesada, funcionário modesto que acaba de se aposentar, faz germinarem as demais criaturas do enredo — usando-se a palavra enredo com alguma cautela ao se falar de texto que não conta propriamente uma história, mas fragmentos de história, unidos por fios tênues. O que se deve entender por subjetividade cindida ou facetada liga-se aos debates sobre a subjetividade contemporânea, o mal-estar e as chances de felicidade nas quais homens e mulheres, habitantes do mundo difícil das cidades, podem apostar.

Antes de chegar à análise da peça, procurando entender com ela alguns dos traços que marcam a sensibilidade contemporânea, faço, portanto, a resenha dos textos teatrais de Caio Fernando Abreu, trabalho que se justifica, espero, quando menos por se realizar aqui pela primeira vez.

O *Teatro completo* abre-se com *Pode ser que seja só o leiteiro lá fora*, escrita nos anos 1970. A peça, muito marcada pela década em que foi composta, pode soar anacrônica, lida mais de 30 anos depois, mas mantém certas qualidades de composição dramatúrgica. O texto mostra sete personagens, todas jovens, que vivem à maneira alternativa ou *hippie* em voga na época. O grupo chega a uma casa que parece abandonada, ampla, porém repleta de poeira e quinquilharias. Os rapazes e moças — uma delas grávida — resolvem pernoitar e pensam mesmo em morar ali por algum tempo.

A polícia, os vizinhos podem chegar a qualquer momento e acabar com a festa a fantasia que Mona, figura central, improvisa com trapos e badulaques vários, para preencher a noite. Um ritual lisérgico, com o alucinógeno figurado no chá que a personagem distribui aos companheiros, permite a Caio Fernando abandonar preocupações com verossimilhança estrita: o que vemos nas cenas finais relaciona-se não apenas ao comportamento objetivo das personagens, mas também à fantasia que projetam sobre o palco. A explosão nuclear, tema obsessivo então, comparece à história, embora tudo possa não passar de brincadeira sádica de Mona, depois do chá convertida em Carlinha Baixo Astral, sua face perversa. O menino de Rosinha nasce após o estrondo que teria sido o da explosão final: postas de carne e sangue, tão somente.

Batidas fortes na porta trazem de volta o medo da polícia. Mas "pode ser que seja só o leiteiro lá fora". A esperança renasce, romanticamente representada pela canção em que o som e as palavras "deveriam ser totalmente improvisados pelos atores". A contraposição do campo à cidade, as transgressões sexuais, o misticismo são alguns dos motivos da peça, válida como testemunho da mentalidade e dos processos artísticos vigentes na fase em que foi criada.

Caio Fernando Abreu praticou o teatro para crianças em *A Comunidade do Arco-Íris*, texto escrito provavelmente nos anos 1970 e estreado em Porto Alegre, também naquela década, sob a direção de Suzana Saldanha. Outra vez, a poluição, a pressa e o clima competitivo das cidades aparecem contrapostos à possibilidade redentora de estilo de vida novo, exposta agora em tom de fábula.

As criaturas que habitam a Comunidade do Arco-Íris vieram do asfalto, a que deram as costas para criar ambiente ameno, onde as qualidades humanas possam poeticamente frutificar. O autor, no entanto, não faz das personagens seres perfeitos: as criaturinhas sabem ser implicantes, egoístas, invejosas. São, enfim, retratos líricos de crianças normais.

O quadro relativamente estável será quebrado pela chegada de três macacos, na verdade espiões cuja tarefa era a de instaurar a desordem na Comunidade do Arco-Íris, recorrendo à estratégia de dividir para governar. Desmascarados, dizem estar arrependidos e afirmam desejar permanecer na Arco-Íris.

O Mágico adianta: "Eu acho que eles devem ser perdoados. Parecem mesmo arrependidos. E perdoar é uma coisa muito bonita". A rubrica pede: "Aqui os atores improvisam uma pequena votação com a plateia, que decide se os macacos ficam ou não". O exercício parece salutar quando se lembra que, na época, nem adultos votavam. Feita a eleição, a canção-tema retorna, a festa afinal se inicia.

A peça *Zona contaminada*, "comédia negra em um ato" montada pela primeira vez por Gilberto Gawronski, no Rio de Janeiro, está alguns furos acima de *Pode ser que seja só o leiteiro lá fora*, repetindo e ampliando, com maior eficácia, motivos já tocados nesse texto. O que era simples sugestão em *Pode ser que seja só o leiteiro* — a explosão atômica, o caos e a morte onipresentes — torna-se a situação de base em *Zona contaminada*. A perspectiva utópica, embora frustrada, reaparece aqui na imagem das terras de Calmaritá, espécie de Pasárgada em tempos pós-bomba.

Após a explosão nuclear, sobrevivem homens degradados física e moralmente, os contaminados, a carregar suas pústulas na área restrita da Zona controlada pelo Poder Central. Além deles, há alguns poucos seres, estes saudáveis: a decidida Vera; sua irmã, a frágil Carmem; o Homem de Calmaritá, amante de Vera; Mr. Nostálgio, figura ambígua, apresentada como invenção de Carmem, que lhe serve para minorar a solidão numa circunstância sem perspectivas de qualquer tipo. Há também Nostradamus Pereira, porta-voz do Poder Central, que fala como os locutores de rádio ou *rappers*.

As personagens atuam em quatro planos distintos, no que Caio Fernando, como outros dramaturgos de sua geração, demonstra ter assimilado as inovações formais de *Vestido de noiva*, de Nelson Rodrigues, peça de 1943. Assim, há os planos Real, onde se passa a maior parte da ação, Alfa, Mídia e o da Nostalgia. Em um dos encontros furtivos que Vera mantém com o "forte e musculoso, gostosíssimo, mas castigado" Homem de Calmaritá, ele a convida a fugir da Zona contaminada, dá-lhe um mapa e combina com ela a hora em que irá passar para pegar as duas moças, conduzindo-as ao território utópico, "um vale à beira do último rio de águas limpas".

Apesar do clima de pesadelo que predomina em diversos momentos e no desfecho, a peça tem lances de humor nas falas frenéticas de

Nostradamus Pereira, figura com a qual são criticados os demagógicos meios de comunicação, ou em passagens de Carmem e Mr. Nostálgio. O autor compõe verdadeira salada de alusões e citações (na trilha, canções conhecidas) garantindo, porém, certa organicidade ao texto. A peça é, afinal, uma alegoria da perspectiva utópica e seus impasses, que não disfarça a nota romântica, recorrente nos textos teatrais de Caio Fernando. Perceba-se ainda a flexibilidade da linguagem, que se adapta às diferentes necessidades expressivas.

Cenas avulsas são cinco diálogos curtos compostos para o espetáculo *deColagem*, dirigido por Luís Artur Nunes em 1977. O *Diálogo 1* lembra os jogos mentais reproduzidos em *Laços*, livro do psiquiatra Ronald Laing. As palavras são emitidas com determinado sentido ou intenção, mas chegam a seu destinatário deformadas por expectativas diversas, surdez emocional, recepção paranoide ou o que mais seja. Não importa o que se diga, há sempre o risco de o ouvinte alegar que "tem alguma coisa atrás, eu sei".

O *Diálogo 2* apresenta frases sem conexão entre si. A brincadeira cubista opõe falas de sentido lírico ou solipsista, como "Broto para fora, para longe. O que definitiva e realmente sou ameaça rebentar as janelas", a sentenças como "A temperatura ambiente é de vinte graus centígrados e dois décimos" ou, comédia macabra, "O índice de mortalidade infantil aumentou em trinta por cento". O *Diálogo 3* volta ao mote das frases reelaboradas. Com variação, porém: aqui, o próprio emissor modifica o sentido do que disse há tempos. O falante A sugeriu que A e B viessem a morar juntos, mas parece agora desinteressado da proposta feita há um mês. Tudo acaba não em pizza, mas em vinho: "Me passa o vinho". Fica o dito pelo não dito, sobra o vazio.

A mais incisiva e pungente das *Cenas avulsas* é a de número 4, a única a que o autor deu título: chama-se *O aborto*. As palavras são cruas, diretas, trocadas entre homem e mulher na ocasião em que esta revela estar grávida. Nenhuma complacência e desfecho imprevisto fazem de *O aborto* o melhor desses diálogos breves. Já o último deles perde-se em citações que, desligadas dos respectivos contextos, afinal dizem pouco.

Caio Fernando Abreu e Luís Artur Nunes escreveram juntos os esquetes de *Sarau das 9 às 11*, espetáculo dirigido por Luís Artur em 1976, em Porto Alegre. Originalmente, eram cinco quadros. O último deles, *A maldição do Vale Negro*, "foi retomado e ampliado dez anos depois para ser montado como um espetáculo completo", informa Luís Artur. Com a peça, dividiram o Prêmio Molière de melhor autor de 1988.

O primeiro esquete "é um quadro de monólogos entrecruzados". Lembra o primeiro ato de *A morta*, de Oswald de Andrade, peça composta nos anos 1930 e repleta de sugestões vanguardistas. As personagens de Caio e Luís Artur falam sem dialogar ou contracenar, habitando "áreas estanques do palco". Estão em cena a saudosista Madame de Alencastro, nobre falida que traz pela coleira Bóris, homem-tronco que se limita a grunhir; o Monge de Restelo, "a imprecar vaticínios apocalípticos", e dois representantes dos jovens: Baby e Deborah. Baby, incisivo, constata: "As pessoas te empurram nas filas, dentro dos ônibus, nas esquinas. Tudo grita na sua cara que você não vale absolutamente nada". Ele conclui que "o homem é apenas um animal que não deu muito certo".

O segundo quadro, *Como era verde o meu vale*, traz um homem no hospício, em monólogo que os autores chamam de "autoexplanatório". O homem recorda, nostalgicamente, os tempos de felicidade no campo, a chegada das máquinas, a velhice, a indiferença da família, a incapacidade de adaptar-se. O terceiro esquete, *Bonecos chineses*, de humor impagável, mostra uma dona de casa e seu cunhado. O que era desentendimento radical entre o cunhado lunático e a moça terra a terra acaba virando jogo de sedução, sempre por caminhos cômicos. Já o quarto quadro, *Eles*, não sustenta o nível dos precedentes, reforçando o maniqueísmo pelo qual se enxergam dois rumos, o do conformismo e o outro. Mas valem estas palavras: "Importante é a luz, mesmo quando consome; a cinza é mais digna que a matéria intacta".

A maldição do Vale Negro, agora peça autônoma, promove paródia deliciosa dos melodramas em que o rádio e a televisão foram pródigos (as novelas atuais ainda são basicamente melodramas, cobertos por certo "esmalte naturalista"). Talvez seja melhor falar em melodrama, no singular, já que se trata de um gênero, dotado de convenções estáveis: o enredo que dá saltos com os golpes de teatro e as coincidências; a linguagem rebuscada, preciosa; as personagens carregadas de sofrimento e culpa, eventualmente liberadas de seus fardos, quando são boas, ou castigadas, quando cruéis. Esse mundo, platonicamente maniqueísta, costuma situar suas histórias num vago passado semifeudal.

Comentando o espetáculo *Melodrama*, de Enrique Díaz, há alguns anos, a estudiosa Mariangela Alves de Lima observou que "parte do poder de mobilização do melodrama reside exatamente na vocação esteticista, que recusa até mesmo a utilidade do vocabulário". Ou seja, o espírito folhetinesco prima não pela falta de gosto ou de apuro formal, mas pelo excesso de apuro. É o exagero que justamente o torna vulnerável à paródia e à sátira.

Adaptação do romance de Lya Luft, a peça em dois atos *Reunião de família* pertence a gênero muito diverso do melodramático. Estamos agora no campo do teatro realista que ambiciona compreender menos superficialmente as personagens. Antes de Caio, autores como Jorge Andrade, em *A moratória*, e Vianinha, em *Rasga coração*, já haviam mobilizado recursos como luz móvel, sugestiva, e planos diferentes para o desenrolar da ação, com o intuito de trazer à tona a memória e as fantasias inconscientes ou semiconscientes. Trata-se aqui do realismo poético.

A linguagem mostra-se coloquial, adequada a representar o modo como falam pessoas de classe média nas grandes cidades. A técnica é a do acúmulo, a intensificação emocional de cena para cena: tudo acontece num fim de semana e culmina em reuniões de família que ocorrem durante as refeições, especialmente aquela em que a crueldade do velho déspota, o pai, é tardia e talvez inutilmente castigada por um de seus filhos.

A última reunião retoma o ar casual e as palavras fúteis, leves, que se dizem nessas ocasiões — quando não se acham carregadas de ansiedade e rancor. Entre as cenas do plano da realidade, intercalam-se *flashbacks* que exibem episódios marcantes ou aparentemente banais da infância de Alice, Renato e outras figuras. O passado explica — ou entrava — o presente.

Trata-se de uma bela peça, "que Luciano Alabarse teve o privilégio de encenar em Porto Alegre", diz Luís Artur no prefácio ao *Teatro completo*. Muito diferente, é verdade, das outras produções teatrais de Caio. Em *Reunião de família*, ele faz seu o mundo opressivo em que moram as personagens de Lya Luft, transportando-o com felicidade para o palco. O texto não esgota nem julga as motivações, mas sabe devassá-las, manipulando recursos modernos.

Caio Fernando terminou *O homem e a mancha*, a última peça que escreveria, no carnaval de 1994, em São Paulo, quando ele, ao que parece, já se sabia soropositivo. O trabalho foi à cena em fins de 1996, em Porto Alegre, sob a direção de Luís Artur Nunes. O texto, um dos melhores de seu teatro, mesmo atravessado por imagens tristes, tem humor e não enuncia desistência ou derrota.

Ele o chamou "livre releitura do *Dom Quixote*, de Miguel de Cervantes". A capacidade de brincar criativamente com a condição das personagens pode lembrar, para nos atermos a aspectos biográficos, a de Cervantes, que teria escrito sua obra maior no cárcere. Os jogos de linguagem dão interesse à peça, que se constrói sobre a própria fragmentação do Ator em quatro outras criaturas: Miguel Quesada, Homem da Mancha, Quixote, Cavaleiro da Triste Figura. Luís Artur afirmou em entrevista concedida na ocasião do lançamento do *Teatro completo*: "A espinha dorsal da peça, para mim, é a pergunta: é possível suportar o Real Insuportável? Conviver com ele, achar um sentido nele? Todos os personagens, com exceção do Dom Quixote, respondem afirmativamente". Segundo entendo, mesmo Quixote, afinal, diz "sim".

O ato único de *O homem e a mancha* começa com o Ator em cena, enquanto os espectadores se alojam na plateia. Caio Fernando joga com certas convenções de comédia, sem temer o desgaste que tenham sofrido: o Ator, "talvez na posição do *Pensador*, de Rodin", está sentado num banquinho, diante de um globo. O sinal que adverte para o início do espetáculo toca várias vezes, sem que ele o perceba; não estamos diante de personagem vitoriosa, mas de alguém que, muito humanamente, demora a notar que diabos está fazendo ali.

Ele gira o globo, passa pela Groenlândia e pelo Saara, desiste de encontrar um lugar, digamos, no mundo e resolve concentrar-se em si mesmo: "Afinal, eu me acho bem interessantezinho". A viagem que empreenderá já começou — fisicamente limitada ao apartamento de Quesada. A dificuldade estava em vencer a imaginação exausta, e ele o faz detendo-se em si próprio.

Em si próprio, ou seja, na condição mesma de ator, veículo de outras vidas, portador profissional do paradoxo que consiste em representar a personagem sem se identificar inteiramente com ela (ou, às vezes, sem ser capaz sequer de encontrá-la). Busca a personagem e, a certa altura, inquieta-se: "Onde está o outro? Ele é essencial para a minha sobrevivência!".

O Ator sai de cena por alguns instantes. Quando volta, vem transformado em Miguel Quesada, funcionário sem glórias que acaba de se aposentar. O mundo lá fora, figurado no "verdadeiro inferno sonoro" que se ouve quando a porta imaginária se abre, é hostil. Miguel chegou em casa para ficar. Quer desligar-se do mundo. A condição de estrangeiro na própria cidade em que vive há tantos anos se evidencia em suas queixas; a linguagem, contudo, revela-se bem-humorada. Ele berra: "Adeus, inferno! So long, bloody hell! Goodbye, neuróticos urbanos, gente que nunca me quis! Au revoir, cidade infernal do meu calvário de cada dia! Sayonara, ville méchante da minha solidão sem remédio! Adiós, locura! Não preciso mais de vocês, mulheres que não me amaram, amigos que me traíram. Arrivederci, gentalha!".

A confusão idiomática — Quesada habita a Babel moderna — denuncia a sua circunstância de cidadão não do mundo, mas de lugar nenhum. Os três telões pintados, que descem agora e compõem a sala de seu apartamento, figurando enorme biblioteca, reforçam a percepção de que Miguel, desertor, prepara-se para uma viagem íntima. Ele o explicita, aliás, ao dizer que conta com as paredes — não quatro mas, metalinguisticamente, apenas três — de seu apartamento, e que esse território exíguo lhe basta.

O que o autor chama de Real Insuportável — o insuportável são os outros — aparece nesse momento, expresso por Caio nas rubricas que, a cada segmento, fazem a paráfrase de Cervantes. O que não se suporta é, aqui, um simples telefonema. Do outro lado, está Tia Flora, idosa e meio surda. Quesada despacha a parente e decide gravar mensagem na secretária eletrônica, informando que viajou e que não se sabe quando volta. Fiel às convenções de comédia, Caio faz a personagem dormir e, dessa operação simples, extrai os passos seguintes: o Homem da Mancha, que procura a marca, a nódoa, proposta como metáfora da aids, pode então vir à tona, assim como, mais adiante, Quixote.

As duas figuras dominarão boa parte das cenas a partir de agora. O Homem procura a sua mancha — ou Mancha, a terra de Quixote — como se buscasse a própria identidade. Precisa tanto dela para viver quanto o Ator necessita de suas criaturas. Ao mesmo tempo, está ligado, ambiguamente, ao tempo histórico do velho e pueril Quixote. Ambiguamente, porque o Homem é também nosso contemporâneo: "Rede ou ferida. Geográfica ou psicológica. Vírus ou alucinação. A mancha existe. E eu preciso enfrentá-la".

Paramentada, bizarra, a figura meio infantil de Quixote passará por algumas das aventuras previstas no livro de Cervantes. Ele encontra o seu Rocinante num cabo de vassoura, elege a sua Dulcineia — que corresponde, nas reaparições de Miguel Quesada, à doce Carolina do escritório, paixão platônica —, enxergando-a num pobre manequim sem cabeça. Torna-se cavaleiro; emprega Sancho, representado por um barril; conquista o elmo, não importa que, para olhos menos sagazes, o elmo não passe de um penico (em Cervantes, bacia de barbeiro). E enfrenta, gloriosamente como é de seu feitio, o gigante Briaréu, aqui o Totem-Moinho que faz as vezes da mídia.

A personagem sofre alucinações, vendo pessoas onde só há cabos de vassoura, manequins, barris: alucinações análogas às que assaltam qualquer consumidor das imagens de televisão, qualquer habitante do mundo urbano, cindido entre os paraísos artificiais da publicidade e a realidade mesquinha do dia a dia. A coisificação rotineira transforma bens imateriais — felicidade, amor — em sucedâneos materiais — o carro, o apartamento, os "anúncios do melhor sabão". Ao mesmo tempo, a ordem nega à maioria essas mesmas satisfações materiais e outras, ainda mais elementares.

Quixote é dos nossos. Onde estaria o gigante, ele vê não propriamente o moinho, mas o Totem-Moinho, composto por aparelhos de televisão sintonizados em canais diferentes. Toda essa movimentação tem seu clímax no confronto com o Totem: a personagem, diante do monstro, tenta escalá-lo. Acaba por tomar um grande tombo. "Se forem reais, as TVs nesse momento saem do ar."

As aventuras de Quixote, entremeadas por aparições do Homem da Mancha, a revirar as causas de sua angústia, e de Miguel Quesada, que constitui a referência realista na qual nos podemos apoiar, levam a caminhos aparentemente fechados. Os telões caem, aprisionando-o. Ele recua, mas é ainda leal à própria loucura: "Vade retro, vudu bestial!". Então, "todas as porções anteriores vêm subitamente à tona numa verdadeira apoteose esquizofrênica e pós-moderna".

Se esses movimentos finais dão margem à aparição do Cavaleiro da Triste Figura, com suas belas palavras e seu caminho para a morte (também tingidos por humor), conduzirão ainda a um novo, prosaico, mas pungente telefonema. Estamos numa comédia, a vida pode ser vista como tal: é Carolina. Miguel resolve atender; os telões já terminaram de subir. Quesada transforma-se, uma vez mais, no Ator, que reocupa seu lugar próximo ao globo terrestre. Diante dele, diz e repete "sim".

As identidades superpostas compõem a viagem interior capaz de reconduzir o funcionário gasto à vida de que desistira. Se recuarmos um passo, encontraremos o Ator, e o paradoxo que ele porta será, outra vez, o do estrangeiro, não o que fala outra língua, mas o que se sente alheio, alheado na própria terra, tentando jogar criativamente com essa circunstância. O Ator se despersonaliza para encontrar-se; o cidadão contemporâneo está condenado a buscar sua identidade no indiferenciado, na pura, às vezes puramente redundante confusão midiática.

Quesada, inepto para viver na cidade hostil e degradada, recolhe-se, isola-se, na esperança de achar-se. Ele poderia afirmar ser "stranger in my own land". A exemplo do Ator, Quesada precisa do outro — e, num golpe de teatro, Carolina vem redimi-lo de sua solidão.

A ferida narcísica de que pode ser vítima o homem que se imaginou absolutamente só e livre, deleitando-se na sua condição de desarraigado (como se mulheres indiferentes e amigos inamistosos não pudessem acontecer a qualquer um...), irá curar-se durante a trajetória de Quesada. Toda a peça, apesar das falsas pistas, encaminha-se para a vitória da personagem sobre as circunstâncias. O Homem da Mancha, levantando-se do divã ao final das peripécias, debocha da marca que insiste em se esconder.

A condenação à morte revela-se gênese: nascer, não menos que morrer, também consiste em ser lançado no abismo das indeterminações. Noutras palavras, a pergunta sobre a possibilidade de se conviver com o Real Insuportável será respondida afirmativamente, menos como resultado de processos racionais do que por uma espécie de sortilégio ou golpe de teatro, correspondente a decisão íntima que, sem ignorar os limites externos, acaba por superá-los — algo similar à cura psicológica. A essa altura, os aparelhos de TV, afirma a peça, já estarão desligados.

PALCO NA PENUMBRA[1]

O escritor José Saramago, hoje, não dá dois passos sem esbarrar em justas e previsíveis homenagens, que contemplam sobretudo a sua ficção. É curioso observar, porém, que o primeiro prêmio importante entre os conquistados pelo romancista, poeta e dramaturgo português não o distinguiu por um romance — mas por uma peça teatral. Segundo informa a edição de um de seus textos para o palco, esse prêmio destacou *A noite*, "considerada pela Associação de Críticos Portugueses a melhor peça de teatro portuguesa representada em 1979", ano em que saiu em livro.

Saramago começou a circular internacionalmente com o romance *Levantado do chão*, de 1980, e ganhou o Nobel de Literatura em 1998. Seu teatro é menos conhecido no Brasil que sua prosa de ficção, embora as peças também venham sendo publicadas por aqui. A mais recente delas foi lançada há pouco e se chama *Don Giovanni ou O dissoluto absolvido*. Nessa comédia, o escritor revê o mito de Don Juan, alterando alguns de seus traços essenciais. Ele dialoga em especial com a ópera *Don Giovanni ou O dissoluto punido*, de Mozart e Lorenzo da Ponte,

---

[1] Artigo publicado no jornal *Correio Braziliense*, suplemento Pensar (Brasília, 11 jun. 2005).

uma das muitas adaptações da lenda do sedutor feitas ao longo dos tempos. Um breve passeio pelas cinco peças de José Saramago, todas disponíveis em edições brasileiras, pode ajudar a conhecer melhor essa face de seu trabalho.

Saramago foi jornalista, e a experiência como profissional de imprensa iria ser mobilizada por ele em *A noite*. A história concentra-se nos acontecimentos de 24 para 25 de abril de 1974, quando se deu em Portugal a Revolução dos Cravos, vista conforme seus efeitos na redação de um jornal conservador, adepto do regime fascista então vigente. As posições favorável e contrária ao governo autoritário encarnam-se respectivamente em Abílio Valadares, o chefe de redação, e Manuel Torres, jornalista de talento, estigmatizado pelas opiniões políticas. São amigos, ou adversários, de longa data.

Valadares representa o jornalismo de concessões; é arbitrário no trato com os subalternos, mas pusilânime diante do poder. Torres, mantido no emprego por sua competência, tem a carreira emperrada, até por vontade própria, por se recusar a fazer o jogo dos patrões, ligados à polícia política e às embaixadas de países poderosos. O dramaturgo menciona os norte-americanos que, na peça, influem sobre o jornal com recados, recomendações e, como ninguém é de ferro, mimos diversos.

Nada disso constitui grande novidade; no mundo real, misérias semelhantes revelam-se com pudor cada vez menor. Por esse motivo, há o risco de se cair no óbvio, ao menos no caso de leitores informados, e Saramago quase escorrega ao desenhar o perfil de Torres, idealizando-o um pouco. Algo desse tipo ocorre na última cena do primeiro ato, em que se assiste a uma discussão entre Valadares e Torres, e este lança no rosto do chefe todas as mazelas da imprensa venal.

Felizmente, já na abertura do segundo e último ato, o incisivo Torres relativiza as próprias virtudes, em diálogo com a estagiária Cláudia, que o adverte: "Arrisca-se a ficar sem emprego". Ele responde: "Estar desempregado pode, em certas condições, tornar-se estimulante". A seguir, admite: "Mas é um luxo moral que não se pode aguentar muito tempo". Quando lemos a breve autobiografia de Saramago divulgada por ocasião do Nobel, imaginamos que ele se retratou em Torres.

Esse é um texto realista que, em certas passagens, recorre a expedientes menos literais, como no desfecho alegórico, em que o trabalho momentaneamente vence o capital. *A noite* exibe andamento ágil, monitorado por bons diálogos — aliás, o zelo estilístico com que o autor compõe as falas marca não apenas essa peça, mas todo o seu teatro. Saramago não esconde as suas predileções ideológicas. Ele sabe: tanto em jornalismo quanto em literatura, a neutralidade é uma falácia.

Deste lado do Atlântico, temos a impressão de que os portugueses mantêm-se muito ligados ao século XVI, fase dos Descobrimentos que, nas letras, rendeu pelo menos duas obras-primas: a tragédia *Castro*, de Antônio Ferreira, e o poema épico *Os Lusíadas*, de Luís Vaz de Camões. A propósito dessa última obra, Saramago constrói *Que farei com este livro?* (1980), drama cuja história se passa entre 1570 e 1572, alguns anos antes da incorporação do glorioso mas decadente reino português, por 60 anos, pelos vizinhos espanhóis.

O olhar de Saramago sobre aquele período da história de seu país, apesar de amoroso, não soa contemporizador. Os diálogos iniciais aludem a um rei adolescente, em volta de quem os familiares e os altos funcionários tecem a sua teia de intrigas. Logo veremos Camões, que retorna da Índia e de Moçambique, envelhecido e desencantado. Traz consigo, no entanto, o livro que o tornará célebre.

Pode-se deduzir, da peça, a disputa entre duas tendências: de um lado, o catolicismo reacionário, organizado na Inquisição, dedicada a prender, torturar, matar opositores reais ou imaginários; de outro, a lufada de ar limpo renascentista, representada por estudiosos como Damião de Góis, que fora cronista oficial, mas cai em desgraça com os inquisidores. Os portugueses e nós, brasileiros, descendemos dessas duas tendências culturais básicas, ambas formadas naquele período — a autoritária e a humanista. Misturem-se as duas: o resultado é o que somos hoje.

Camões reencontra sua mãe, Ana de Sá, e sua amada Francisca na volta a Portugal, 17 anos depois de haver seguido para a distante Índia.

As falas de sabor quinhentista enriquecem a peça; as cenas, no entanto, embora saltem no tempo, sucedem-se de maneira linear, até certo ponto previsível. O personagem de Camões, como o autor o tratou, embora simpático, também se mostra pouco flexível, reincidindo nos lamentos pela pobreza e no desejo de ver publicado o seu extraordinário poema. Certas cenas, como aquelas em que Luís enfrenta nobres e censores, movimentam esse quadro sem chegar a modificá-lo no essencial.

O dramaturgo escreve *A segunda vida de Francisco de Assis* (1987) recorrendo a argumento fantasista, de tipo alegórico. O santo retorna à vida, vindo da Idade Média, e encontra, para seu espanto, a ordem religiosa criada por ele transformada em milionária empresa capitalista. Escrita há 18 anos, a peça hoje parece criticar a moderna proliferação das religiões "de resultado".

A moralidade do dinheiro, naturalmente, não tem qualquer laço com os valores de São Francisco, que fizera da pobreza ascética o seu ideal, em linha similar ao "doar até doer" de Teresa de Calcutá. Mas o dramaturgo ressalta aspectos menos nobres no santo e, com isso, o humaniza. Francisco conserva seu ódio ao pai, que o renegara, sentimento que não se abranda mesmo séculos depois de sua "primeira" vida. Traços desse tipo garantem colorido ao personagem, que se empenha em retomar o controle da ordem.

A lição final revela a visão do autor, comunista cético, mas dotado de alguma esperança nas frágeis virtudes humanas. Francisco perde na briga por poder, mas descobre algo mais importante: a pobreza não é, em si, um bem; pelo contrário. A miséria não produz santidade, mas simples sofrimento. No desfecho em tom de parábola, o personagem decide: "Agora vou lutar contra a pobreza. É a pobreza que deve ser eliminada do mundo. A pobreza não é santa. Tantos séculos para compreender isto. Pobre Francisco".

Se a história da Igreja Católica exibe pecados como os da Inquisição, a da Reforma que deu origem ao protestantismo também está marcada por crimes. O título da quarta peça de Saramago, *In nomine Dei* (1993), alude precisamente aos embates nos quais se odeia e se mata "em nome de Deus". O dramaturgo reviu episódio histórico do século XVI, transcorrido na cidade alemã de Münster, para refletir sobre a intolerância e a guerra por motivos religiosos.

Em 1532, a disputa entre católicos e protestantes divide a população de Münster. A luta irá se acirrar depois de chegarem à cidade, vindos da Holanda, os líderes anabatistas Jan Matthys e Jan van Leiden. As brigas inconciliáveis entre os adeptos das duas religiões e a ambição de poder, que separa os líderes protestantes, conduzem à guerra com as igualmente ferozes forças católicas. A cidade se fecha em seus muros e se vê cercada, até o desfecho brutal. Pede-se reflexão, pois, paradoxalmente, "sem uma crença o ser humano é nada".

Saramago adotou moldes trágicos ao compor *In nomine Dei*, utilizando coros um pouco à maneira grega. A linguagem solene imita a dicção bíblica, em seus aspectos mais hieráticos e severos. O enredo tem estrutura descendente, ou seja, a história, sem apelo possível, desaba em catástrofe. Esse é um dos melhores textos teatrais do autor, além de ser, de longe, o mais sombrio.

Já em *Don Giovanni ou O dissoluto absolvido* (2005), o que há de inquietante mistura-se a elementos cômicos, devidos em boa parte ao empregado Leporello. Inúmeros autores se ocuparam do mito: o espanhol Tirso de Molina, em 1630, foi o primeiro a aproveitar a figura do sedutor amoral, incapaz de crer em castigos divinos por seus pecados, quase sempre ligados aos prazeres de cama e mesa. O francês Molière também escreveu o seu *Don Juan*, ainda no século XVII. Mozart, assessorado pelo libretista italiano Lorenzo da Ponte, fez estrear em Praga, em 1787, o "drama cômico" *Don Giovanni ou O dissoluto punido*, uma de suas melhores óperas. Esses são alguns dos tantos autores dedicados ao cínico personagem — para quem o único paraíso possível é o dos cinco sentidos.

Em todas aquelas versões, o nobre Giovanni se saía mal no desfecho: as chamas do inferno vinham corrigir a sua libertinagem e o seu ceticismo. Saramago, em diálogo com essa tradição, particularmente com a ópera mozartiana, escolheu caminho oposto (a comédia do escritor português transformou-se, ela própria, em ópera com música do italiano Azio Corghi, estreada em Milão neste ano).

A cena conclusiva dos textos de Molière e Da Ponte, na qual o Comendador, morto em duelo pelo libertino, volta à vida na forma de estátua falante (é isso mesmo) para condená-lo ao inferno, torna-se a primeira na peça de Saramago. Mas, no texto contemporâneo, "o inferno talvez não exista ou talvez tenha fechado para sempre as suas portas", admite a estátua. Porque, em lugar de labaredas, tudo o que o Comendador conseguiu promover foram fogos-fátuos, minguados, chinfrins. "Acabou-se o gás", tripudia Giovanni.

Saramago restitui ao personagem o direito de agir como bem entende — com as infalíveis consequências, sim, mas consequências terrenas, perfeitamente humanas. É o que se vê na vingança das mulheres que ele seduziu e abandonou. Uma delas o humilha ao furtar o livro no qual o presunçoso contabilizava as próprias conquistas: "Tudo somado dá duas mil e sessenta e cinco mulheres...", dissera, para depois lastimar o sumiço do catálogo.

"O ser humano é livre para pecar, e a pena, quando a houver, aqui na terra, não no inferno, só virá dar razão à sua liberdade", sentencia Giovanni. O teatro substancial de José Saramago, rico em técnicas e estilos, trata afinal dessa tênue liberdade, permanentemente ameaçada por toda espécie de riscos e pela qual, desastrados, nos atropelamos uns aos outros.

CONSCIÊNCIA CRÍTICA[1]

Peças, filmes, artigos e canções divulgados no país durante as décadas de 1960 e 1970 ajudaram a configurar uma cultura de esquerda, dedicada não apenas a fustigar o regime militar, mas também a manter acesa, em plano mais amplo, a consciência crítica diante do mundo desigual. Hoje, quando a nova direita sai de seus armários para exigir que tudo permaneça como está ou, suprema utopia, que ainda venha a piorar bem (cada um alimenta a esperança que merece), devemos perceber, em contrapartida, o quanto a produção artística daquelas décadas continua a se projetar sobre nosso tempo.

Trata-se agora de avaliar o que resta vivo da cultura de esquerda, reelaborando-a para refletir sobre país e planeta diferentes, mais populosos e tecnologicamente mais equipados — porém, por paradoxo, teimosamente injustos e irracionais. Pois é. A Companhia do Latão, grupo teatral paulistano criado há dez anos, parece participar desse programa coletivo, ainda que informal: o de repensar e tornar

---

1   Resenha publicada no jornal *Correio Braziliense*, suplemento Pensar (Brasília, 8 nov. 2008).

Ver *Companhia do Latão: 7 peças*, de Sérgio de Carvalho e Márcio Marciano, com prefácio de Iná Camargo Costa (São Paulo: Cosac Naify, 2008).

contemporânea a herança do teatro político e de autores como Bertolt Brecht. Tais percepções se confirmam na leitura de *Companhia do Latão: 7 peças*, textos escritos pelos diretores Sérgio de Carvalho e Márcio Marciano com a colaboração do elenco e de gente filiada ao grupo.

O livro divide-se em três seções: "Imagens do Brasil" (três textos), "Cenas da mercantilização" (dois textos) e "Releituras", esta última com obras inspiradas em outros autores. A primeira parte do livro já ilustra a vocação de pesquisa que marca os trabalhos da companhia: as peças referem-se ao Pernambuco do século XIX, à São Paulo contemporânea ou à Bahia do século XVI, tendo demandado estudos que deram substância a elas.

As peças desta seção inicial, chamadas *O nome do sujeito*, *A comédia do trabalho* e *Auto dos bons tratos*, procuram flagrar as relações de espoliação e seu itinerário no país, abordando-as em momentos históricos distintos. Torna-se claro que essas relações constituem carne e osso da formação brasileira, prolongando-se até os dias atuais. Os textos não excluem o humor, sobretudo, como diz o título, no caso da história ambientada em São Paulo. Nesta, aparecem curiosos banqueiros gêmeos, a figura patusca de um grande empresário estrangeiro e, mediando o acordo espúrio entre as partes, um governador compreensivo.

Os textos *O mercado do gozo* e *Visões siamesas*, na segunda seção do volume, desenvolvem-se em torno das práticas de compra e venda, elaborando o tema da coisificação das pessoas — acompanhada de supervalorização fetichista das coisas. Tratam do tema com apoio em narrativa dupla (caso do suposto filme que envolve a história de *O mercado do gozo*) ou em imagens estranhas, de sonho, que lembram os procedimentos expressionistas (como em *Visões siamesas*).

Na última seção, os dramaturgos reveem o alemão Georg Büchner (1813-1837), autor, entre outras peças, de *A morte de Danton*, na qual reflete sobre a Revolução Francesa, com suas numerosas cabeças cortadas. Considerado amplamente, o assunto ali é o da violência política e seu sentido ou falta de sentido; o desencantado Büchner não chega a ser conclusivo. A releitura feita pela companhia chama-se *Ensaio para Danton*, belo texto, um dos melhores de seu repertório. *Equívocos colecionados* fecha o volume inspirando-se em Heiner Müller e em *Terra em transe*, filme de Glauber Rocha, de 1967. O mote é a possibilidade — ou impossibilidade — de mudanças sociais efetivas no Brasil.

O grupo não esconde a sua ascendência brechtiana; pelo contrário, reitera as afinidades com Brecht e o método dialético já em seu nome: *A compra do latão* é um conjunto de textos do dramaturgo e teórico alemão. Assim, os procedimentos épicos, narrativos, pensados por Brecht, pelos quais se evita a projeção emocional do espectador no personagem, acham-se cuidadosamente articulados nessas peças.

O primeiro texto, *O nome do sujeito*, vale como exemplo nesse sentido. Os autores poderiam nos levar a ter simpatia por Antônio, português que veio ao Brasil para fazer fortuna e, aqui, esbarra na usura de seu patrão, o comerciante Carneiro, também português, disposto a cobrar com juros impiedosos o dinheiro gasto para que Antônio pudesse atravessar o oceano. Em lugar disso, os dramaturgos nos fazem ver o modo como Antônio, pressionado por uma dívida que o escraviza, acaba por aderir aos esquemas de poder, igualando-se moralmente aos que o oprimem.

Nessa e noutra peça, *Auto dos bons tratos*, os saltos de uma circunstância a outra determinam a impressão de que nos contam várias histórias simultâneas, processo que conduz ao efeito de painel. O que se perde em emoção e empatia ganha-se em percepção do todo — que é de fundo social e econômico, mais do que psicológico. Esses traços podem causar estranheza à primeira vista; releitura atenta, porém, nos porá em contato com os objetivos estéticos e políticos desse teatro.

Os textos nos convidam a pensar sobre as contradições em causa, o que implica abandonar o hábito de ver nos indivíduos — representados no herói dramático — o centro e o motivo das ações. Centro e motivo acham-se fora deles ou, dito de outro modo, encontram-se nas relações que estabelecem com as demais figuras e nas pressões a que respondem. A margem de liberdade conferida aos personagens reduz-se ao que é, de fato, na vida real: muito estreita, quase nada. Textos que envolvem não apenas pensamento abstrato, mas também atmosferas sonoras e visuais, as peças do Latão nos induzem a reconhecer os limites de nossa liberdade minguada. Só depois será possível ampliá-la.

A COMÉDIA DO TRABALHO. TEATRO SESC ANCHIETA, SÃO PAULO (2000). © COMPANHIA DO LATÃO.

RELEITURA DA CENA MODERNA[1]

No poema "Eterno", o modernista Carlos Drummond garante: "E como ficou chato ser moderno./ Agora serei eterno". Podemos parafrasear o dito e registrar: nada mais antigo que o moderno, agora queremos ser pós-modernos. E, se o assunto for teatro, seremos então pós-dramáticos. Mas correríamos o risco de jogar fora o bebê com a água do banho ao entender o período pós-dramático, iniciado nos anos 1970, como se fosse de ruptura completa com a história do teatro — desde os gregos.

Segundo os teóricos pós-dramáticos, já não há enredo, já não se podem compor tramas, tendo minguado o desejo de ordenar o real sob a forma de histórias inventadas. Na falta de acordo sobre o que seja o mundo, como representá-lo? No mesmo sentido, já não haverá personagem, porque identidade e coerência colidem com o ceticismo contemporâneo, para o qual a unidade psicológica não dura um verão, sem falar no caos midiático. É mesmo? Alguns veem as coisas de outro modo.

---

1   Resenha publicada no jornal *Correio Braziliense*, suplemento Pensar (Brasília, 2 mar. 2013) e republicada no *site* Teatrojornal (28 mar. 2014).
    Ver, de Matéi Visniec, *A máquina Tchékhov* e *O último Godot*, com tradução de Roberto Mallet, e *Da sensação de elasticidade quando se marcha sobre cadáveres*, com tradução de Luiza Jatobá (São Paulo: É Realizações, 2012).

A obra do dramaturgo romeno Matéi Visniec, 57 anos, radicado na França desde 1987, constitui bom sinal de que as regras do programa pós-dramático, se levadas demasiado a sério, podem tornar-se tendenciosas ou retóricas. Com 15 peças (em 13 volumes) lançadas no país desde o ano passado, Visniec continua a acreditar em personagens minimamente coerentes, destinados a espelhar seres humanos, e em histórias com início e fim (sempre convencional e provisório, claro). Dessa forma, descarta, ao menos em parte, o abecedário pós-dramático.

Das várias peças agora acessíveis em português, comento três, todas compostas à base de paráfrase, escritas a partir da obra de dramaturgos fundamentais do século passado. *A máquina Tchékhov* visita, como o título promete, peças e personagens do russo Anton Tchékhov[2] (1860-1904), talvez o primeiro autor teatral decididamente moderno. Em suas peças, o realismo otimista do século XIX começa a vacilar, a se perguntar se tinha mesmo o direito de se considerar representante fidedigno da vida real. Tchékhov não dispensou, porém, a expectativa generosa de mundo solidário.

Outra peça, ou simples esquete, chama-se *O último Godot*, homenagem ao irlandês Samuel Beckett (1906-1989). O título aponta para uma resposta bem-humorada a *Esperando Godot*, peça de 1953 que ajudou a dividir águas no século XX. O texto de Beckett recusa o personagem psicologicamente consequente e o enredo retilíneo — instrumentos pelos quais o teatro costuma (ou costumava) reproduzir os jogos de causa e efeito, ou de projeto e resultado, originários da experiência viva.

A mais ambiciosa das três obras intitula-se *Da sensação de elasticidade quando se marcha sobre cadáveres*. Aqui o dramaturgo acena, com ênfase, para seu conterrâneo Eugène Ionesco (1909-1994), aproveitando figuras e situações de *A cantora careca, A lição, As cadeiras* (que estrearam entre 1950 e 1952) e *O rinoceronte* (1959), talvez os textos mais conhecidos de Ionesco.

---

2   Sobre a grafia de nomes próprios eslavos, ver nota 2 do próximo texto.

A cantora careca vale-se do disparate para zombar das atitudes burguesas. Os brinquedos verbais dominam a peça, somados ao descompasso entre palavra e gesto, intenção e ato. *A lição*, parábola sobre situações opressivas, *As cadeiras*, peça em torno dos duvidosos sentidos atribuídos à vida, e o alegórico *Rinoceronte* também auxiliam Visniec a ridicularizar a ditadura de tipo stalinista que vigorou na Romênia depois da Segunda Guerra. Ao criticar o antigo regime em seu país, ele denuncia o desvario moral e a indigência intelectual de todas as ditaduras. Situações realistas e climas surreais reúnem-se em *Da sensação de elasticidade*, que tem como protagonista o desengonçado e simpático Poeta.

A prática da paráfrase — processo frequente em nossos tempos repletos de história e de informação — assinala o propósito de ligar o passado próximo ao presente e ao futuro. Vale tentar averiguar o modo pelo qual o dramaturgo dá forma à pauta que se propôs.

A figura do médico e escritor Anton Tchékhov, feita personagem, aparece íntegra com sua teimosia em apoiar o próximo e em lhe retratar as mazelas — de maneira terna ou crua, mas sempre eficaz. O autor romeno acerta ao ressaltar o fato de que, em Tchékhov, médico e doente conviveram desde sempre, o que o humaniza: "Toda a minha infância estive doente... Apanhava de tudo... Tosse, hemorroidas, peritonites, enxaquecas, problemas cardíacos, afecção da vista, corizas... Com 24 anos comecei a cuspir sangue". Tchékhov dialoga com personagens retirados de suas próprias peças, entre elas *As três irmãs* e *O jardim das cerejeiras*. Visniec prolonga trajetórias apenas esboçadas naqueles textos e imagina desfechos alternativos.

A breve e leve *O último Godot* não tem a dimensão das outras obras, na extensão ou no alcance. Visniec promove o encontro de Beckett com o personagem que, em *Esperando Godot*, jamais aparece, embora copiosamente aguardado. O clima acha-se próximo do farsesco, portanto semelhante ao do *Godot* beckettiano. Outra homenagem, esta à arte do teatro, se insinua ao final.

A peça *Da sensação de elasticidade quando se marcha sobre cadáveres*, em contraste, mostra-se ampla e cheia de curvas, desvios, idas e vindas. Assim como a figura do médico-escritor assume a tarefa de ligar as cenas em *A máquina Tchékhov*, aqui é o Poeta quem desempenha esse papel, numa história de base realista, mas com passagens de sonho, suprarrealistas, algumas dominadas pelo diálogo absurdo à maneira de Ionesco. Os quadros ligam-se não tanto segundo relações de causa e efeito, como nos esquemas dramáticos cerrados; antes ocorrem dispersos, sendo costurados pela presença dos personagens mais constantes — além do Poeta, há, por exemplo, o sinistro e paranoico Diretor da Prisão.

Autores como Visniec, o francês Koltès e o espanhol Juan Mayorga primam por manejar conquistas dramáticas e pós-dramáticas sem diluir por inteiro o mundo exterior, cuja existência eles insistem em reconhecer e em procurar refletir, ainda que não de maneira direta. São autores avessos à escrita linear; mas tampouco aderem à completa ruptura dos laços entre vida e arte, modelo e cópia, quebra que implica a recusa de qualquer discurso imitativo, referencial (os espetáculos brilhantemente afásicos de Gerald Thomas, nos anos 1990, oferecem exemplos dessa última corrente).

O alemão Heiner Müller, escritor associado ao projeto pós-dramático, foi capaz de frase inspiradíssima quando disse que "a tarefa da arte é tornar a realidade impossível". Em troca, pronunciou também opinião de torcedor do Bonsucesso: "Não acredito que uma história que tenha 'pé e cabeça' (a fábula no sentido clássico) ainda seja fiel à realidade". Ora, de que realidade estamos a falar, afinal?

De duas realidades, pelo menos; ou de duas ideias de mundo. Não se trata aqui de hierarquizá-las. Vejamos: se tomarmos a repartição dos fenômenos da cultura segundo a entende Georg Lukács (sem as prevenções de Lukács), teremos duas séries básicas de eventos, com as atitudes correspondentes. A atitude racionalista crê na inteligência e na ação dos seres humanos para a solução dos problemas da espécie; é, portanto, politicamente otimista. Já a de tipo irracionalista descrê da capacidade dos homens para a resolução dos conflitos, mostrando-se pessimista política e existencialmente.

Autores como Anton Tchékhov e Bertolt Brecht contaram entre os racionalistas, tendo pertencido à turma dos esperançosos (embora não ingênuos). De outro lado, Ionesco, Beckett, Nelson Rodrigues estiveram entre os irracionalistas, artistas céticos quanto às chances de remissão da espécie crédula e trágica que somos.

Visniec, mesmo ao se valer de Ionesco, tende a não acompanhar os desdobramentos irracionalistas que resultaram no hermetismo pós-dramático. Haveria ressalvas a fazer a alguns aspectos de suas peças, como, aqui ou ali, a utilização um pouco literal das ideias e processos que parafraseia. Mas, em lugar de emitir juízos sobre seus bons textos, prefiro compreendê-los conforme a tendência contemporânea que parecem refletir. Para o dramaturgo, teatro e literatura destinam-se a algo mais do que apenas expressar perplexidades.

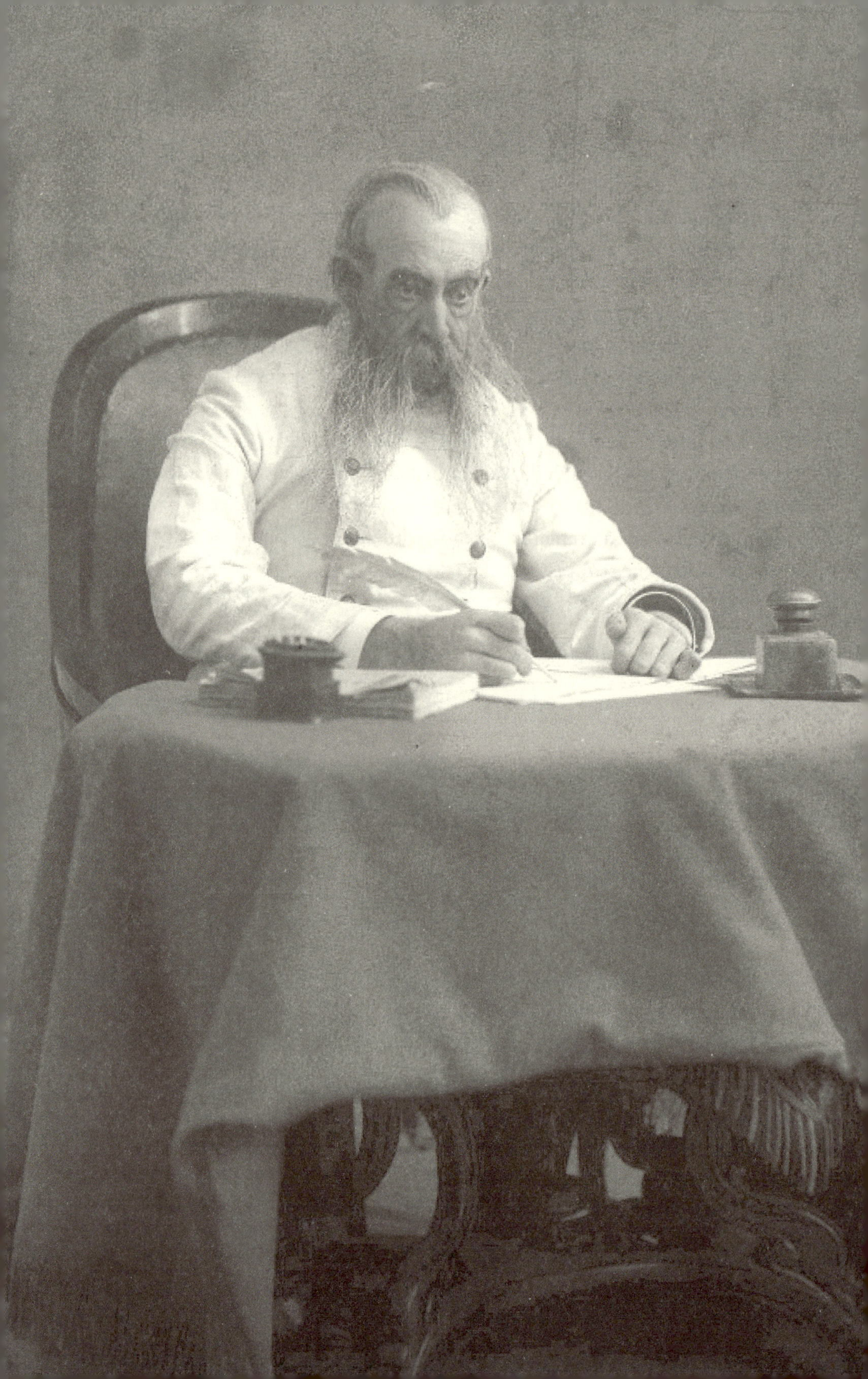

TEATRO MODERNO

séculos XIX a XXI

INTERPRETAÇÃO E ENCENAÇÃO

p. 264
STANISLAVSKI EM *MESMO UM HOMEM SÁBIO TROPEÇA [ENOUGH STUPIDITY IN EVERY WISE MAN]*, DE OSTROVSKI. TEATRO DE ARTE DE MOSCOU (1910). DOMÍNIO PÚBLICO.

ÉPOCA RICA ALIMENTA DEBATE ATÉ HOJE[1]

Os artistas da vanguarda teatral russa, nas três primeiras décadas do século XX, viveram tempos de fazer inveja ao morno ano 2001, excluído, é claro, o trágico desenlace stalinista por volta de 1930. Os quatro capítulos de *Stanislávski, Meierhold & cia.*,[2] conjunto de

---

1   Resenha publicada no jornal *Folha de S. Paulo*, caderno Ilustrada (São Paulo, 3 mai. 2001).
    Ver *Stanislávski, Meierhold & cia.*, de J. Guinsburg (São Paulo: Perspectiva, 2001).

2   Ao contrário do que acontece com os nomes próprios de origem neolatina, anglo-saxã ou germânica, que mantêm a grafia original quando aparecem em publicações em língua portuguesa, os de origem eslava — poloneses e russos, por exemplo — admitem diferentes grafias, conforme os critérios de transliteração adotados por tradutores e editores. Esse fato nos impõe uma dificuldade quando nos vemos ante a necessidade de padronizá-los. Como alguns dos trabalhos comentados neste livro trazem nomes próprios eslavos já em seus títulos, caso de *Stanislávski, Meierhold & cia.*, e as grafias nem sempre coincidem (ocorrem Stanislavski e Stanislávski; Meyerhold e Meierhold; Grotowski e Grotóvski), resolvemos utilizar, a cada comentário, a grafia que o próprio livro analisado utiliza. Assim, neste artigo, usamos a forma Meierhold; já em outro, acerca de *Meyerhold e a cena contemporânea*, vamos preferir, em correspondência, Meyerhold. Era a escolha de Sofia: ou padronizávamos rigorosamente esses nomes em

ensaios de J. Guinsburg sobre a cena russa e soviética, em alguns momentos lembram, de fato, a estrutura dos dramas ou romances mais movimentados. É o caso, particularmente, da primeira parte do livro.

Resumindo e comentando as ideias e práticas estéticas de Stanislávski, líder do Teatro de Arte de Moscou, criado em 1898, e de Meierhold, discípulo rebelde e independente, Guinsburg traça o mapa de uma época passionalmente rica em formulações novas, algumas delas capazes de alimentar, ainda hoje, o debate teatral.

O inquieto Meierhold interpretou o papel de Trepliov, artista inconformado com as formas fósseis de teatro e vida, na peça *A gaivota*, de Tchékhov, que se transformaria no primeiro espetáculo importante do Teatro de Arte. Seus gestos extremos em cena, já naquele momento, contrariavam a contenção stanislavskiana, que por sua vez se contrapunha aos hábitos e estereótipos melodramáticos.

O naturalismo denso praticado pela companhia, apoiado na imersão do intérprete na própria memória afetiva e na precisão fotográfica, seria interrogado em nome dos recursos formais exclusivos do palco, que, para Meierhold, devia abster-se de copiar a realidade. Ele viria a contestar o realismo na esteira de influências basicamente simbolistas, que o levavam a buscar, na arte, a "quintessência da vida".

Suas pesquisas, informa Guinsburg, envolvem as fases simbolista, esteticista, construtivista e sintética. O movimento dos atores é concebido plasticamente, transformado em coreografia, com a qual dialogam a luz e os elementos cenográficos, que tendem ao abstrato. A trajetória do diretor, que encenaria largos espetáculos "para as massas" depois da Revolução de 1917, colaborando com o poeta e dramaturgo Maiakóvski,

---

todo este livro e teríamos, em alguns momentos, desacordo ortográfico entre o comentário e os títulos comentados (não temos a possibilidade de alterar os títulos!), ou respeitávamos as diferentes grafias. Optamos por esse último procedimento. Nas demais situações ao longo do volume, preferimos as formas que nos pareceram as mais comuns: Tchekhov, Stanislavski, Meyerhold, Maiakovski, Grotowski. Combinado?

desenvolve-se no sentido da geometria, desenhando grandes quadros ligados por sugestões sensoriais.

A segunda parte do volume é dedicada aos encenadores formados sob a asa de Stanislávski e a artistas e teóricos contemporâneos do mestre. Entre estes, encontra-se Evrêinov, que formula os conceitos de "instinto de transformação" e de "monodrama". Os seres humanos disporiam, explica Guinsburg, de "um pré-estético impulso primordial de transmutação", o desejo de mudar e de "ser outro" — base do teatro. Evrêinov reclamava o teatro puro, desvinculado da cópia da realidade, assim como do "ato sacrossanto" e da propaganda política. Já o monodrama antecipa a subjetivação radical operada pelo expressionismo alemão nos anos 1910 e 1920.

O próprio Evrêinov, no entanto, irá encenar gigantesco espetáculo em 1920 — quinhentos músicos, oito mil atores, cem mil espectadores —, chamado *A Tomada do Palácio de Inverno*. Pode-se imaginar o efeito catártico do espetáculo, no terceiro aniversário da Revolução. A noção de que artistas e público devem participar da mesma festa chegou então ao limite do inverossímil.

Outra figura importante foi Taírov, que também parte de distinção clara entre arte e vida, situando-se, porém, tão distante de Stanislávski quanto de Meierhold. Para ele, observa J. Guinsburg, "a preocupação com a forma não quer dizer que se possa expulsar sumariamente a emoção do palco", como Meierhold pretendia. Taírov atribui peso equivalente a ator e encenador. As concepções contraditórias formuladas naqueles anos relacionam-se, ainda agora, à vitalidade e aos impasses teatrais.

O terceiro capítulo lembra o polonês Boleslávski, que levou os ensinamentos do Teatro de Arte aos Estados Unidos, com repercussão sobre o Actors Studio nos anos 1950. O Habima, em que atuou Vakhtângov, discípulo de Stanislávski, e o Teatro Ídiche de Estado, renovadores da cena judaica, são também recenseados por Guinsburg, que encerra o livro com a exposição do que foi o teatro russo no século XIX, resumindo ainda o famoso e inconcluso método de interpretação stanislavskiano.

CAMINHOS DA ENCENAÇÃO RUSSA[1]

A arte da encenação, em sentido moderno, surge e se afirma nas últimas décadas do século XIX e nas primeiras do XX. Figura de importância análoga à do regente em música, o encenador, com novas e ambiciosas tarefas, tem entre seus representantes históricos os russos Konstantin Stanislávski (1863-1938) e Vsiévolod Meyerhold (1874-1940). Criador radical, inassimilável pela ditadura stalinista, Meyerhold começa como ator no Teatro de Arte de Moscou, fundado por Stanislávski e Dántchenko em 1898.

Os caminhos percorridos por Stanislávski e Meyerhold, mentores de projetos estéticos distintos, a influência que exercem e o diálogo direto ou póstumo com outros criadores, inclusive contemporâneos, estão entre os motes de *Teatro russo: literatura e espetáculo*, livro lançado pela Ateliê. Organizado por Arlete Cavaliere e Elena Vássina a partir de colóquio na USP, o volume reúne 24 artigos, devidos a 19 autores brasileiros e estrangeiros. Os temas tratados na coletânea cobrem ainda, por exemplo, a presença de Tchékhov no teatro norte-americano,

---

1 Resenha publicada no jornal *O Globo*, suplemento Prosa e Verso (Rio de Janeiro, 25 fev. 2012).

Ver *Teatro russo: literatura e espetáculo*, com organização de Arlete Cavaliere e Elena Vássina (São Paulo: Ateliê, 2011).

ao qual o dramaturgo empresta sutilezas e elipses, e o olhar de Brecht sobre Stanislávski, seu suposto antípoda.

O primeiro texto, escrito pelo russo Zinguerman, aborda o problema da verdade cênica, que para Stanislávski devia resultar da fidelidade ao real, em seus aspectos exteriores e subjetivos. A imaginação do ator permite que ele crie situações similares às existenciais; a fé no que se passa no palco envolve o espectador, arrastando-o para dentro da realidade representada.

O artigo seguinte é de Tatiana Batchélis, que analisa as concepções contrastantes do diretor do Teatro de Arte e de seu ex-discípulo. Stanislávski pede ao intérprete que utilize a própria memória afetiva para a composição do personagem, no que se pode chamar de técnica interior. Já seu colega mais novo teria percebido que a emoção gerada por esse processo tendia a se desgastar, mecanizando-se ao longo das sessões. Assim, Meyerhold trabalha a técnica exterior, definindo o movimento e os ritmos corporais como o dado essencial das artes cênicas. O gesto, o trânsito no palco, a pantomima, a dança constituem agora o seu receituário.

Os dois diretores buscaram ultrapassar o realismo recorrendo à dramaturgia simbolista de autores como Maeterlinck. Por volta de 1910, porém, ambos percebem os limites e mistificações do simbolismo naquele contexto. Meyerhold rompe com essa estética, que ambicionava representar as grandes questões abstratas, ao encenar *Barraquinha de feira*, de Blok. O interesse pelas formas populares gera então seu primeiro resultado, com escândalo e críticas negativas: o espetáculo satiriza espectadores convencionais, que reagem indignados.

Em 1914, *A echarpe de Colombina* adensa as conquistas, dessa vez com aplausos; o virtuosismo da pantomima pretende emancipar o teatro, desligando-o da palavra. O privilégio dado ao movimento liga-se também à vocação para estourar os limites da caixa cênica em direção à rua, à praça pública. Vive-se o impulso para o espetáculo ao ar livre, praticado por Meyerhold e contemporâneos — Vakhtángov, Taírov, Evréinov — nos anos seguintes à Revolução de 1917.

O exercício radical dos movimentos, ao lado da geometrização dos cenários, depois se retempera com a volta ao texto dramático, sem regressões, porém. Bom exemplo é o de *O inspetor geral*, comédia de Gógol encenada por Meyerhold em 1926, espetáculo que incomodou políticos e burocratas ao criticar a corrupção, ao mesmo tempo tomando liberdades inéditas no plano da forma. A colaboração com o poeta Maiakóvski, nessa fase, resultou em espetáculos incisivos — *Mistério-bufo*, *O percevejo*, *Os banhos* —, pelos quais os artistas entravam em atrito com o regime soviético, que se convertia em ditadura.

Já no início da década de 1920, Meyerhold elabora os princípios da biomecânica, grupo de técnicas destinadas a estimular o trabalho do ator. Baseia-se na ciência, interessando-se por neurofisiologia, anatomia, psicologia. A pesquisadora Yedda Chaves cita os passos nos quais o encenador resume o jogo do intérprete: primeiro, sublinha a intenção, "a percepção intelectual" das tarefas. Depois, realização, "o ciclo dos reflexos volitivos, mímicos e vocais". Por fim, reação, "o estado de vigilância" que prepara "uma nova intenção (passagem a um novo elemento do jogo)". Atores-acrobatas, capazes de cantar e dançar, treinam sob essas premissas.

Interessante é também a fórmula segundo a qual, em cena, a emoção não precede o movimento, o gesto, mas resulta dele ou lhe é simultânea. O movimento "ajuda a emoção a emergir", o contrário do que se dá quando se parte dos sentimentos. Soma-se a isso o trabalho com a imaginação e as associações, caras a Meyerhold. O ator é para ele a "forma que respira", poesia encarnada, "homem-ator que indaga o próprio homem".

Há muito mais na coletânea, que enfeixa textos de valor desigual, mas abre amplo panorama em seu campo de investigações. Citem-se alguns temas e artigos entre os vários que demandam atenção. O exame feito por Iná Camargo Costa das afinidades entre Brecht e Stanislávski é um deles: a ensaísta ressalta o reconhecimento, por parte de Brecht, da enorme lucidez do encenador quanto ao entorno social e seu peso na conformação dos personagens.

Pode-se lembrar o rastreamento da herança stanislavskiana nos EUA ou, ainda, a análise da montagem moscovita de *Medeamaterial*, de Heiner Müller, dirigida por Anatóli Vassíliev em 2002. Vassíliev fala em "realismo metafísico" a propósito de seus espetáculos. O diretor russo volta às formas rituais sem pretender oferecer, no entanto, respostas conciliatórias à perplexidade contemporânea.

O INSPETOR GERAL, DE GÓGOL. MOSCOU, RÚSSIA (1926). DOMÍNIO PÚBLICO.

O REINO DO CORPO[1]

A história do teatro tem as suas idas e vindas, fato que eventualmente esquecemos. Pensamos nas tendências modernas como se tivessem nascido ontem, não só por falta de atenção ou perspicácia, mas pela simples ausência de informações precisas sobre o que foi o teatro de outras épocas. Por exemplo: é bem possível que os gregos já conhecessem artista similar ao encenador contemporâneo — que impôs a sua presença a partir de fins do século XIX, ao mesmo tempo que se apagava um pouco a figura prestigiosa do autor.

Ainda nas origens do teatro ocidental, alguém necessariamente se encarregava do que hoje são as funções do diretor. É, portanto, duvidoso ter havido sempre o alegado império do texto, conforme alguns o imaginam. As palavras teriam reinado absolutas por mais de 2.000 anos para, nas últimas décadas do século XIX, ver o seu poder ameaçado pelo que é específico da cena: os dotes do ator, o ambiente, a trilha

---

1 Resenha publicada no jornal *Correio Braziliense*, suplemento Pensar (Brasília, 27 jan. 2007).

Ver *A arte do teatro: entre tradição e vanguarda. Meyerhold e a cena contemporânea*, de Béatrice Picon-Vallin, com organização de Fátima Saadi (Rio de Janeiro: Teatro do Pequeno Gesto; Letra e Imagem, 2006).

sonora, a luz e, pairando soberano sobre todas essas fontes, o encenador, mandachuva supremo como um tirano de opereta. Será? O mais provável é que as várias artes tenham se somado com base em alguma espécie de acordo, historicamente variável.

Essas reflexões vêm a propósito do lançamento bem-vindo de *A arte do teatro: entre tradição e vanguarda. Meyerhold e a cena contemporânea*, artigos da estudiosa francesa Béatrice Picon-Vallin, organizados por Fátima Saadi. Cinco ensaios, centrados na trajetória do diretor russo Vsevolod Meyerhold (1874-1940), e entrevista com uma das companhias teatrais mais importantes da atualidade, o Théâtre du Soleil, compõem a coletânea. A autora passa em revista os primeiros espetáculos encenados por Meyerhold, inspirados em textos simbolistas, sua noção de biomecânica e a coincidência de suas ideias com as de outros renovadores, como Craig e Artaud, abordando ainda os desdobramentos contemporâneos do teatro proposto por ele. Os artigos, embora excessivamente descritivos (mais do que analíticos), tratam de aspectos vitais da cena moderna.

A substituição do dramaturgo pelo diretor, no que diz respeito à liderança estética das montagens, encontra momento importante no Teatro de Arte de Moscou, criado em 1898. Meyerhold, também ator, começa a carreira nessa companhia, e um de seus encenadores, Stanislavski, 11 anos mais velho que ele, viria a ser o mestre de quem Meyerhold depois se desligaria, para seguir caminho próprio.

A revolução promovida por Stanislavski destinava-se a superar a interpretação e a encenação rotineiras, apoiadas em clichês, contra os quais opõe a necessidade de o ator mergulhar em sua memória pessoal, dela extraindo a verdade humana dos personagens. Essa revolução não chegava, no entanto, a ameaçar a centralidade do texto, que o diretor continuaria a servir, agora buscando seus motivos essenciais.

Meyerhold opera uma segunda revolução a partir da reforma stanislavskiana: ele recusa o mergulho psicológico, trocando-o pelo empenho nos movimentos, gestos e respectivos valores plásticos. "Trata-se de trabalhar ênfases visuais, não ênfases lógicas", anota Béatrice

Picon-Vallin. Assim, o princípio de partida aplicado à montagem de *A morte de Tintagiles*, peça do belga Maeterlinck encenada em 1905, era este: o ator deve "*sentir a forma* e não simplesmente as emoções", segundo registrou o diretor. A tônica recai nos movimentos que se desenham no palco e não mais nas palavras (ou nos sentimentos a elas associados). A dicção do texto deve decorrer do corpo e de seus deslocamentos no espaço — e não o contrário.

A cena simbolista de Meyerhold, estação primeira de seus trabalhos, configura um teatro que já não se quer imitação da realidade, mas *criação*. Que procede por sugestões, estímulos visuais e rítmicos. Essas mudanças relacionam-se às que ocorrem na pintura (com o progressivo abandono das representações realistas) e na música (que procura alargar os esquemas do discurso melódico). Picon-Vallin escreve: "Libertando a cena dramática da tirania literária do texto que, embora contenha os germes do espetáculo, não pode jamais dar conta dele em sua totalidade, Meyerhold a aproxima das outras artes do corpo — teatro de feira, teatro de variedades, balé clássico e moderno, circo — ampliando, assim, as habilidades que ele requer do ator".

Meyerhold, contrapondo-se ao que chamava de "ator-gramofone", isto é, mero repetidor de palavras, e privilegiando o intérprete dono dos próprios recursos corporais e vocais, opunha-se a uma tradição de origem sobretudo francesa, marcadamente literária, hegemônica no Ocidente. Ele retorna às práticas marginais (o teatro popular) ou remotas (as tradições orientais), inventando técnicas e, ao mesmo tempo, assimilando antigas lições. Com isso, abre caminho às pesquisas que, contemporaneamente, deságuam nos espetáculos do encenador italiano Eugenio Barba ou da companhia francesa Théâtre du Soleil, dirigida por Ariane Mnouchkine.

As investigações de Meyerhold envolvem os conceitos de ator-poeta e de biomecânica; esta constitui somatório de processos e propósitos artísticos que o ator-criador deve realizar. Tais pesquisas se fazem simultaneamente às inovações no campo dos cenários que, nos espetáculos do diretor, tendem para o geométrico. Já o repertório incluiu clássicos como *O inspetor geral*, de Gogol, ou *A dama das camélias*, de Dumas Filho, mas também a nova dramaturgia, com *Mistério-bufo* e *Os banhos*, peças de Maiakovski.

Para dar ideia do que é a biomecânica, Béatrice Picon-Vallin enumera alguns de seus princípios e objetivos. Entre eles, acham-se a "participação total do corpo no menor gesto executado em cena"; a "importância da atuação contida, econômica", mantendo-se disponível uma reserva de energias, e o "valor prático e expressivo do olhar que sustenta a intenção e pontua todos os gestos". O acentuado formalismo de Meyerhold não o impediu de se engajar nos problemas de sua época, interrogando "os grandes fenômenos sociopolíticos, como o poder, a impostura, o medo que leva à loucura". Com apoio na poesia e na música.

BIOMECÂNICA DE MEYERHOLD. ESTUDO DE TIRO COM ARCO.
MOSCOU, RÚSSIA (1923). DOMÍNIO PÚBLICO.

CAPRICHO ESPANHOL[1]

Já se disse que o mais perigoso dos pecados é o da ingenuidade. O poeta e dramaturgo Federico García Lorca (1898-1936) vinha sendo perseguido pelos falangistas, futuros patrocinadores da ditadura de Franco. Provavelmente farto de se esconder, Lorca praticou a imprudência de sair do asilo na casa de um amigo, em Granada, na Andaluzia, para caminhar pelas ruas. Ele sabia dos riscos que corria, em tempos de guerra civil na Espanha; talvez por boa-fé, não os avaliara devidamente. Durante o passeio, foi visto — e denunciado.

Na madrugada seguinte, Ramón Ruiz Alonso, líder do grupo terrorista Escuadra Negra, chegava à residência-esconderijo para prendê-lo. Lorca, seminu, correu para o sótão, mas seria impossível saltar do telhado da casa, distante alguns metros das vizinhas. Entregou-se sem resistência a Ruiz Alonso, que o encaminhou para a execução em agosto de 1936: instados a correr, os prisioneiros — republicanos ou simpatizantes da causa democrática — eram assassinados com dois tiros na

---

1   Resenha publicada no jornal *Correio Braziliense*, suplemento Pensar (Brasília, 17 set. 2000).

   Ver *Yerma, A casa de Bernarda Alba, Assim que passarem cinco anos* e *Conferências*, de Federico García Lorca, em quatro volumes, com tradução de Marcus Mota (Brasília: UnB, 2000).

nuca. Entre a obra luminosa do poeta e sua morte aos 38 anos, resta o absurdo.

Com a vitória da Falange, similar ideológico das milícias fascistas e nazistas, o teatro de Federico permaneceria proscrito na Espanha até os anos 1960, mas não no exterior: em 1945, sua última peça, *A casa de Bernarda Alba*, estreava em Buenos Aires. A partir de então, anota Nelson de Araújo em sua enciclopédica *História do teatro*, a obra cênica de Lorca "tornou-se fonte clássica do repertório internacional. Isto acontecia graças à profunda captação da essência do drama, peculiar a García Lorca, patente em sua obra-prima, *La casa de Bernarda Alba*, escrita no mesmo ano da sua execução".

O desaparecimento de Lorca, quando o poeta alcançava a maturidade, correspondeu a "um sequestro" para a cultura espanhola e mundial, diz o tradutor Marcus Mota. Professor do Departamento de Artes Cênicas da Universidade de Brasília, Marcus traduziu três peças do autor: *Yerma*, *A casa de Bernarda Alba* e a menos conhecida *Assim que passarem cinco anos*, comédia surrealista. Além desses textos, verteu quatro palestras sobre música e literatura, inéditas no Brasil, reunidas em *Conferências*.

Federico García Lorca nasceu a 5 de junho de 1898 em Fuente Vaqueros, aldeia próxima a Granada. Fez parte da Geração de 27, ao lado de escritores como Rafael Alberti e Dámaso Alonso, e foi amigo de Salvador Dalí e Luis Buñuel, artistas que conheceu na residência universitária, em Madri. O desejo de renovação estética somou-se, em seu trabalho de poeta, homem de teatro, pesquisador e músico, ao interesse pela terra espanhola, a que se sentia radicalmente ligado. Essa preocupação telúrica não tinha ranço provinciano e se revela já na primeira das quatro *Conferências*, dedicada ao *cante jondo* — aproximadamente, canto fundo, profundo —, estilo que está nas raízes da música flamenca. O texto da conferência chama-se "Cante jondo: primitivo canto andaluz" e data de fevereiro de 1922. Não custa registrar: a palestra de Lorca é contemporânea da Semana de Arte Moderna promovida em São Paulo e apresenta temas e enfoques semelhantes aos do modernismo brasileiro.

De saída, Lorca procura causar algum pânico na plateia, sensibilizando-a para seu tema: "Senhores, a alma musical do povo está em gravíssimo perigo! O tesouro artístico de toda uma raça encaminha-se para o esquecimento!". Poucas linhas adiante, baixa o tom e sustenta simplesmente que ele e seus ouvintes têm a realizar "uma tarefa de resgate, uma tarefa de cordialidade e amor".

A palestra ocorria por ocasião de um concurso para artistas de *cante jondo* e se dava em ambiente ainda cercado por moralismo e preconceitos. O jovem Lorca, aos 23 anos, empenha-se em distinguir o estilo *jondo*, resultante de velhos cantos católicos e da música dos árabes e dos ciganos, de seu eventual cenário: tabernas modestas e pouco familiares ou prostíbulos. Influências bizantinas, sarracenas e gitanas encontram-se nessa música que costuma insistir sobre poucas notas, ignorar os limites cartesianos da escala tonal e apelar para as qualidades dramáticas do cantor: "Os andaluzes raramente se dão conta do 'meio-tom'. O andaluz ou grita às estrelas ou beija o pó avermelhado dos caminhos".

Tanto apreço pela terra e seus frutos não se limitava, repita-se, ao aspecto museológico das canções. Para Lorca, a "extraordinária importância" do estilo andaluz primitivo reafirma-se "quando vemos sua influência quase decisiva na formação da moderna escola russa e a alta estima do genial compositor francês Claude Debussy, esse argonauta lírico", por essas fontes. O produto mais conhecido do diálogo entre russos e ibéricos é provavelmente o *Capricho espanhol*, composto em 1887 por Rimsky-Korsakov, autor da também famosa *Scheherazade*. Noutras palavras: o critério estético pelo qual, desde o século anterior, se buscava o novo, o imprevisto, a "emoção intacta" não se ligava ao nacionalismo estreito, à visão de toupeira, mas à busca pelo autêntico, o genuíno, no sentido forte que esses termos possam ter. Transportadas essas ideias para os dias atuais, os otimistas da tecnologia e do mercado soltariam grandes gritos.

Lorca nota ainda o acento "noturno" do *cante jondo* e faz o elogio de seus textos, exemplares da capacidade metafórica de poetas populares e anônimos. Como em Mário de Andrade, afinal de contas, ressalta nessa palestra o desejo de unir a vitalidade popular à elaboração erudita, a espontaneidade à razão. Os artistas cultos não devem tentar criar a partir do nada — a classe média, já disse o solitário José Ramos Tinhorão, não tem caráter —, mas enredar-se na densa trama tecida, até certo ponto de modo natural e inconsciente, pelas comunidades. É o caminho das pedras.

As demais conferências ocupam-se de Góngora, poeta espanhol do século XVII em torno do qual se alimentaram equívocos, de canções infantis e da "teoria e jogo do duende". O importante em Góngora, diz Lorca em 1927, é o estatuto independente que confere ao texto literário, capaz de criar como que outra natureza, em lugar de apenas reeditar a realidade objetiva. As canções infantis, que Lorca recolheu por toda a Espanha, à sua maneira de pesquisador-poeta, também refletem a alma patética de seu povo. O palestrante, a certa altura, faz observação curiosa: as músicas infantis estão repletas de monstros e ameaças terríveis para que a criança desperte e, a seguir, durma melhor nos braços da pessoa que a embala.

"Teoria e jogo do duende" fecha o volume e é talvez seu texto mais interessante, recomendável a artistas de todo ramo: duende é a qualidade indefinível, mas perfeitamente perceptível, pela qual os artistas agarram seu público pelos cabelos e só o largam quando querem. O ato criativo, especialmente nas artes de performance — a dança, o teatro, a música —, pode ser dominado pelo anjo, pela musa ou pelo duende, diz Lorca. Só o duende faz lembrar que a morte nos espreita, potencializando, por isso mesmo, a vida. Um filósofo como Nietzsche, por exemplo, "tem duende".

A comédia *Assim que passarem cinco anos*, de 1931, parodia os melodramas familiares, populares à época, nota o tradutor na introdução à peça. O texto representa as experiências de vanguarda a que Lorca se dedicou, seguindo o rumo de vários de seus predecessores e contemporâneos. O absurdo do tênue fio de enredo está, aqui, sob certo controle: o Jovem, na abertura da peça, conversa com o Velho, a quem fala de seu amor pela moça que o fará esperar por cinco anos —

para, então, abandoná-lo. O rapaz encontra outra mulher, que se diz apaixonada por ele, mas depois o informa que, para se unirem, será necessário esperar mais cinco... As decepções amorosas são trazidas à cena em chave de comédia, inspiradas, talvez, nas vivências do próprio autor, representado na figura do Jovem.

Fato estranho, extra-artístico, envolve a peça: Lorca morreu exatamente cinco anos depois de terminar o texto. O Jovem também falece ao final, não nas mãos dos reacionários, mas nas das mulheres que não o amaram. As personagens são tipos, simples mecanismos, embora os episódios não deixem de ser premonitórios da tempestade política que desabaria sobre a Espanha em 1936.

As peças de maior interesse, das que reaparecem agora, são *Yerma* e *A casa de Bernarda Alba*, bem conhecidas no Brasil. O tema da esterilidade liga os textos, que encerram trilogia iniciada com *Bodas de sangue* e constituem os últimos trabalhos do autor para o teatro. Nessas duas peças, os elementos vanguardistas (*nonsense*, falas enlouquecidas, humor absurdo) explorados noutros textos não chegam a desaparecer, mas passam a segundo plano.

Lorca retoma a tradição, fertilizando-a com o extraordinário poder de poeta: veja-se a pungente fala de Yerma, quando constata que tudo à volta é fértil, mulheres, árvores e animais, enquanto seu ventre permanece estéril. Ou, em *A casa de Bernarda Alba*, atente-se para a imagem brutal do potro preso na baia, quase a rebentar as cercas, metáfora da sexualidade reprimida de Pepe Romano e das filhas de Bernarda, agitadas pela presença de Pepe, que lhes faz a corte sob os olhos impiedosos da mãe. A matriarca simboliza, afinal, a Espanha criminosamente severa e conservadora.

Se a esterilidade, em *Yerma*, se faz representar na figura de uma só mulher, em *A casa de Bernarda Alba* os "ventres de areia" se multiplicam por cinco — apesar da solitária rebeldia de Adela, afinal frustrada com a expulsão de Romano. Poderíamos pedir que as canções e os trechos em verso fossem vertidos segundo os esquemas métricos originais, especialmente importantes nas músicas — embora esses esquemas, diga-se, não tenham sido dispensados pelo tradutor, que apenas se permitiu alguma liberdade nesses casos. Trata-se, de todo modo, de trabalho sério, e seu fruto mais feliz parece ser *A casa de Bernarda Alba*. Atores e diretores, agora, com a palavra.

MARGARITA XIRGU, AO CENTRO, EM *A CASA DE BERNARDA ALBA*, DE FEDERICO GARCÍA LORCA. TEATRO AVENIDA, BUENOS AIRES (1945). FOTOGRAFIA DE GASPAR. DOMÍNIO PÚBLICO.

A DOLOROSA LUCIDEZ DE ARTAUD[1]

O espetáculo ainda não começou, mas o ator Stephane Brodt já está em cena, no centro do palco, a cabeça entre as mãos. Luzes vermelhas e sons teimosos batem nos olhos e ouvidos de quem se aloja na plateia. Prepara-se a atmosfera para *Cartas de Rodez*, que utiliza textos do escritor e homem de teatro francês Antonin Artaud (1896-1948), costurados em monólogo sob a direção de Ana Teixeira.[2]

Artaud foi um desses "homens-dinamite" de que falava o filósofo Nietzsche, seu parente espiritual. Sua matéria eram os elementos trágicos da condição humana, finita e, segundo ele, cercada de mistério. Artaud esteve internado em hospitais psiquiátricos por nove anos, entre os quais o de Rodez; nos dias difíceis que passou ali, correspondeu-se com o médico responsável pelo hospício, redigindo as cartas dolorosamente lúcidas em que se baseia o espetáculo. O doutor reconheceu talento no paciente, mas buscou disciplinar sua conduta com eletrochoques, o que só poderia maltratá-lo.

---

1 Crítica publicada no jornal *Correio Braziliense*, caderno Guia (Brasília, 10 mar. 2001).

2 Estreado em 1998, o espetáculo esteve em Brasília em 2001, no Centro Cultural Banco do Brasil (CCBB).

Artaud, doente ou não, parece ter sido uma espécie de preso político nos hospícios. Insubordinado, desafiou a autoridade de médicos e juízes, afirmando sua vocação messiânica para pôr em dúvida nada menos que as premissas morais da civilização ocidental. Incorporou, em seu anseio de castidade, a tortuosa ética sexual que perturbou as pessoas por séculos, fez-se mártir, exigiu que o teatro se transformasse em cerimônia mística. Em troca, tiraram dele até a elementar escova de dentes.

O espetáculo procura reproduzir poeticamente, sem concessões, esses embates. O intérprete, rigoroso, compõe o personagem da cabeça aos pés: Artaud está em toda parte, nos olhos, na postura, na ponta dos dedos. A diretora promove casamento musical entre interpretação, luz e trilha sonora. Certos símbolos — bonecos, capuzes, livros em desordem — indicam a luta de um homem para ser ele mesmo, livre das forças que pretendem dominá-lo.

Outros intérpretes já se aventuraram nas trilhas abertas por Artaud (entre os quais está o brasiliense Adeilton Lima, com *Para acabar com o julgamento de Deus*). A marca não pode deixar de ser a da intensidade, assim como o risco que todos correm é o de tornar o desempenho uniformemente agônico, exasperado. Stephane e Ana Teixeira enfrentam o risco — não há momentos de repouso entre uma e outra crise, na vida emblemática sobre a qual refletem. O bom espetáculo dirige-se ao que possa haver de trágico na alma dos espectadores. Nesse sentido, não pede público, pede testemunhas.

INTERPRETAR NÃO É TÃO MISTERIOSO ASSIM[1]

Saturados de cultura ou, pelo menos, da cultura de matriz greco-latina que lhes informava a prática e a teoria, atores, bailarinos, autores e diretores europeus voltaram-se, nas primeiras décadas do século XX, para o passado e para o remoto, o exótico. Buscaram na própria Grécia — revitalizada por um olhar inquieto —, em tradições como a da *commedia dell'arte* e nos gêneros teatrais centenários, em voga no Japão, na Índia, na China, os elementos com que pudessem renovar as rotinas artísticas do Ocidente. O cabaré e o circo, fontes populares, foram igualmente revalorizados. Os anos 1960 assistiram a novas ondas de interesse pelo que ensinavam os palcos orientais.

O polonês Jerzy Grotowski afirma-se naquela década, lançando-se por esses caminhos. Um de seus discípulos chama-se Eugenio Barba, italiano que emigrou para a Noruega já nos anos 1950, onde criou o Odin Teatret em 1964. Quinze anos depois, o artista que trabalhara com Grotowski funda na Dinamarca a Escola Internacional de Teatro Antropológico. As pesquisas acerca de manifestações teatrais em

---

1 Resenha publicada no jornal *O Estado de S. Paulo*, suplemento Cultura (São Paulo, 13 abr. 1996).

Ver *A arte secreta do ator*: dicionário de antropologia teatral, de Eugenio Barba e Nicola Savarese (São Paulo: Hucitec; Campinas: Unicamp, 1995). Há edição recente desse livro pela É Realizações (2012).

partes diversas do mundo consolidam-se e estão reunidas, em síntese, em *A arte secreta do ator*, dicionário de antropologia teatral fartamente ilustrado que chegou recentemente às livrarias, assinado por Barba e Nicola Savarese.

A ciência antropológica marca-se, até há pouco, por uma preocupação relativista, certamente destinada a compensar o etnocentrismo que maculou, por muito tempo, o contato entre europeus e não europeus. A antropologia dedicou-se a um mea-culpa teórico que, salvo engano, nos impediria de condenar, por exemplo, o fato de certas culturas deceparem o clitóris de suas meninas. A suspensão do juízo ético em relação a comunidades estranhas à civilização ocidental parece ter sido uma palavra de ordem que hoje tende, por sua vez, a relativizar-se sob a ação de um possível neoiluminismo.

A postura de Barba e seu teatro antropológico é outra. Ele não faz, é verdade, antropologia em sentido estrito, mas, enfoques e métodos à parte, vislumbrou a possibilidade de colher bases comuns, úteis ao trabalho do ator em qualquer latitude, no estudo de tradições teatrais várias — a dança *odissi* na Índia, o *nô* e o *kabuki* no Japão, a Ópera de Pequim, a produção russa de Stanislavski e Meyerhold.

O princípio fundamental postulado por Barba é quase acaciano. Existem, segundo ele, dois grupos de técnicas de uso do corpo em qualquer cultura: as técnicas cotidianas e as extracotidianas. O teatro e a dança, assim como os ritos, recorrem a estas últimas. Representar, ao contrário do que imaginam os neófitos em novelas globais, não consiste em imitar o comportamento de todos os dias, mas em esquecê-lo para, depois, na prática de uma série de processos a que Barba irá aludir, reorganizá-lo de modo a torná-lo visível ao espectador. Ou poderá consistir, ainda, em dispensar o gestual cotidiano completamente para fundar sobre o palco outra espécie de código, distante do repertório comum.

Seja qual for a relação que a cena pretenda estabelecer com a vida, imitando-a ou negando-a, seja qual for o grau de referencialidade a que um espetáculo aspire, o que se precisa fixar, diz Barba, é que, ao falar, andar, comer corriqueiramente, buscamos o menor esforço, escolhemos os movimentos que nos levem mais simples e diretamente a nosso objetivo. Em cena, pelo contrário, o bom ator procura o que o pesquisador chama de "equilíbrio de luxo", relacionado a tensões estranhas à vida banal, mantidas por motivos expressivos ou pré-expressivos. Barba escreve:

> De fato, a vida do ator e do bailarino é baseada numa alteração de equilíbrio. Quando ficamos eretos, nunca estamos imóveis mesmo quando parecemos estar; estamos, de fato, usando vários pequenos movimentos para deslocar nosso peso. Uma série contínua de ajustes movimenta nosso peso, primeiro nos dedos, depois nos calcanhares, agora no lado esquerdo, depois no lado direito dos pés. Mesmo na mais absoluta imobilidade, esses movimentos estão presentes, às vezes condensados, às vezes ampliados, outras mais ou menos controlados, de acordo com nossa condição fisiológica, idade e profissão.

Até aqui, temos as técnicas cotidianas, em especial as que permitem a alguém a proeza de ficar de pé sem risco de queda, sobre as quais o ator irá trabalhar: "Esses micromovimentos são uma espécie de núcleo que, escondido nas profundezas das técnicas corporais cotidianas, pode ser modelado e ampliado para aumentar a força da presença do ator ou bailarino tornando-se assim a base das técnicas extracotidianas".

O ator do *kabuki* e do *nô* desenvolve a habilidade de caminhar sem mover os quadris. Barba percebe que tal procedimento "não é uma escolha estilística, é uma maneira para gerar a vida do ator". O que não impede que os quadris fixos tornem-se, "em um segundo momento, uma característica estilística particular".

Outros conceitos vêm à tona em *A arte secreta*. Barba, que sublinha a importância das técnicas pré-expressivas, responsáveis pelo que reconhecemos como *presença* do ator, fala na *dança das oposições* que desenham sucessiva ou simultaneamente os gestos em cena. Assim, o movimento de golpear ou esbofetear não se dirige inicialmente ao objeto da agressão, como se sabe, mas começa lançando-se o braço na direção oposta (para trás, portanto). Mas não é só: no momento mesmo em que o braço de quem bate se lança para a frente, uma tensão muscular de sentido contrário continua a trabalhar no interior do corpo do ator. Prática que garante, segundo Barba, dramaticidade e visibilidade ao movimento.

Outra noção é a de *dilatação*. O ator-bailarino de corpo e mente dilatados pode encher o palco de energia ("potência nervosa e muscular") de modo a fazer com que determinado movimento, ainda que estancado no espaço, permaneça em curso... no tempo. A *omissão* seleciona, em meio aos gestos cotidianos, aqueles que pareçam essenciais à cena, evitando redundâncias ou esforços inúteis, dando ao trabalho do intérprete a justeza adequada. O autor fala ainda de *equivalência*, ao lembrar que a missão do artista é menos a de imitar a natureza que a de reconstruí-la. Ele exemplifica trazendo à baila — em fotos, inclusive — a estatuária clássica.

O livro apresenta uma série de pares de conceitos contrários, mas complementares. No verbete "Dramaturgia", por exemplo, o diretor e teórico italiano refere-se aos polos da *concatenação* e da *simultaneidade*. No manejo da concatenação, o encenador promove a lógica linear e, com ela, a legibilidade de seu espetáculo. Trata-se de garantir coerência à história e ao comportamento das personagens.

O polo da simultaneidade trabalha com estímulos superpostos e diversos — como acontece na vida, ressalta Barba, que não se dá de modo a nos assegurar que a possamos compreender. A simultaneidade, manipulada com eficiência, ofereceria ao espectador o sentimento de que presencia ou participa de uma experiência real, que acontece à sua frente sem ensaio.

Os processos de concatenação e simultaneidade não correspondem, em si mesmos, a valores de tipo bom e mau. Barba lembra que a ênfase obsessiva em dar legibilidade às cenas pode banalizar o espetáculo — o que ocorre com frequência no drama televisivo, que subestima e paternaliza seu público. Por outro lado, carregar demais na simultaneidade pode conduzir ao simples caos — pecado em que a vanguarda em teatro e cinema, nos anos 1960, incidiu reiteradamente. Veja-se, caso se consiga, o filme *Câncer*, do festejado Glauber.

Texto e palco, conceitos apresentados pelo articulista Franco Ruffini, representam o polo fixo e o polo flexível que normalmente o processo de montagem de espetáculos traz consigo. Outro articulista, Ferdinando Taviani, em "Visões", imagina haver equívoco na ideia de que o ator cumprirá melhor a sua tarefa ao fazer com que o espectador se identifique inteiramente com ele, e veja os acontecimentos em curso de ponto de vista similar. Para Taviani, essa noção é verdadeira apenas no que diz respeito ao plano da concatenação, a coerência básica dos enunciados cênicos. A obra de arte vive, no entanto, em vários níveis, e deve haver algum desacordo entre a visão do ator e a do espectador para que haja mistérios a serem explorados, livremente, por este.

Os membros da Escola Internacional de Teatro Antropológico, Ista, conforme a sigla inglesa, viajam constantemente e, de 1980 a 1994, promoveram sessões na Alemanha, Noruega, Suécia, Itália, França, Grã-Bretanha e Brasil — onde aportaram para o Festival Internacional de Londrina, em 1994. *A arte secreta do ator* resulta dos trabalhos realizados entre 1980 e 1990; o registro fotográfico das oficinas responde por boa parte das imagens reproduzidas no livro.

O volume organiza-se como uma coletânea de que participam vários colaboradores, em que os textos de Eugenio Barba e Nicola Savarese têm papel decisivo. Os diversos tópicos — energia, dilatação, dramaturgia, olhos, mãos, pés, ritmo, texto e palco, entre outros — arranjam-se de acordo com duas lógicas: a ordem alfabética e a necessidade de dar coerência ao conteúdo. A ordem alfabética dos dicionários comuns comporta exceções aqui: "Cenografia e figurino" surgem ao fim do livro, "Olhos e rosto" antes de "Mãos". Nota-se a falta de um verbete para voz ou técnica vocal. A lacuna obviamente não tira desse dicionário a sua qualidade maior — a de tratar a arte do ator como algo menos secreto e misterioso do que parece, acessível não apenas pelas vias da intuição e do talento, mas também pela trilha que Gene Kelly chamou certa vez de "a universidade do trabalho pesado e da disciplina".

A PROVÍNCIA DOS DIAMANTES[1]

Há alguns dias, reunidos à mesa de um bar famoso, artistas de Brasília debatiam informalmente os destinos culturais da cidade. Declarações rasgadas de amor à capital misturavam-se a lamentos e insultos desatinados. Entre estes últimos, destacou-se, para quem se encontrava às mesas vizinhas, a paráfrase de Vinicius de Moraes, embalada pelo álcool: "Brasília é o túmulo do talento!", alguém berrava. Segundo o autor da afirmação, somos uma irrevogável província artística e intelectual, condenada a consumir e a imitar, até o fim dos tempos, o que se produz nos centros maiores e mais velhos.

Nem tanto. Em primeiro lugar, o autorretrato proposto pelo desavorado polemista é parcial e, por isso mesmo, injusto. Depois, a cidade está em processo, e seria prematuro avaliar o seu destino pelos impasses e problemas de momento. Por fim, mesmo que fôssemos a província que se alega, isso não impediria que a partir daqui se projetassem obras e tendências capazes de iluminar o país e o planeta.

---

1 Resenha publicada no jornal *Correio Braziliense*, suplemento Pensar (Brasília, 10 fev. 2007).

Ver *A terra de cinzas e diamantes*: minha aprendizagem na Polônia, de Eugenio Barba, com tradução de Patrícia Furtado de Mendonça (São Paulo, Perspectiva, 2006).

Exemplos históricos existem, e um deles é o da pequena e obscura Opole, cidade polonesa onde teve início a aventura artística do diretor teatral Jerzy Grotóvski (1933-1999). A trajetória e as ideias de Grotóvski, encenador de espetáculos antológicos e teórico do "teatro pobre", constituem o tema de *A terra de cinzas e diamantes*, livro do diretor italiano Eugenio Barba, que colaborou com o artista polonês na década de 1960, tendo sido seu grande amigo — amizade revelada nas 26 cartas que integram o volume, precedidas de relato sobre aquela fase. Se os exemplos passados ensinam algo, ainda nos resta robusta esperança de vir a ocupar lugar menos secundário na cena cultural brasileira, e a nossos próprios olhos.

Mas deixemos Brasília e visitemos a longínqua Opole do início dos anos 1960, quando Barba chega à cidade, depois de uma temporada em Varsóvia, onde se matriculara na Escola de Teatro da universidade. Com 60 mil habitantes, atmosfera cinzenta e vida cultural escassa, a província polonesa mereceria, ela sim, o título pouco lisonjeiro de túmulo do talento. Os tempos eram de regime autoritário, desconfiado de tudo o quanto, nas artes ou no pensamento, pudesse pôr em risco a homogeneidade ideológica dos satélites soviéticos. A propaganda do estado de coisas, tácita ou explícita, correspondia à norma artística mantida por censores e acadêmicos, ocupados em coibir desvios onde quer que eles brotassem.

Devida a Eugenio Barba, essa descrição da Polônia do início da década de 1960 soa insuspeita porque o autor chegou ao país acreditando nas virtudes sociais do regime. Conforme conta, ele entenderia depressa e dolorosamente que, se o Ocidente estava longe de ser o paraíso do progresso e da oportunidade, os países socialistas tampouco representavam alternativa politicamente válida. A vigilância sobre as artes, a dificuldade, quando não a impossibilidade, de cidadãos poloneses viajarem ao exterior e a repressão policial logo o desiludiram. Tudo isso hoje parece lugar-comum, mas naquele momento apenas começava a ser denunciado e só se tornaria claro para quem visitasse as nações do bloco soviético.

Alguém já disse, no entanto, que "proibir não é refutar": a despeito dos limites impostos pelo regime, havia, meio subterrânea, uma intensa atividade cultural (não propriamente em Opole, mas em Varsóvia e noutras cidades). Poetas, dramaturgos, gente de teatro e de cinema acotovelavam-se em bares e apartamentos, mantendo aceso o desejo de liberdade em todos os níveis — pessoais e políticos. Barba, que fora ao país para estudar numa escola importante e tradicional, um ano depois se transforma em assistente de direção do Teatro das 13 Filas, a pequena companhia criada em 1958, em Opole, dirigida por Jerzy Grotóvski e pelo crítico Ludwik Flaszen. As possibilidades de trabalho interessaram ao estudante italiano, e ele resolve mudar-se para a província, onde permanecerá por três anos.

Afinal, o que havia de tão radical e inédito nas pesquisas e espetáculos encenados nos 80 metros quadrados do Teatro das 13 Filas? Barba destina alguns capítulos de seu relato a nos fazer entender aqueles conceitos e práticas. Em primeiro lugar, destaca o tratamento dado aos textos clássicos, revirados por Grotóvski em tempos nos quais as adaptações livres ainda eram vistas com estranheza. O diretor não o fazia gratuitamente, mas buscando "arquétipos e situações-chave do destino humano, inerentes a todas as culturas", diz Barba. O amor contrariado e fatal, como aparece na história de Romeu e Julieta, e o indivíduo que se sacrifica pela coletividade, como nos mitos de Prometeu e Cristo, são exemplos desses tipos essenciais que falam a todos os públicos.

A maneira como se atualizam os arquétipos liga-se ao fato de que, para Grotóvski e Flaszen, lembrados por Barba, "a especificidade do teatro consiste no contato vivo e imediato entre ator e espectador; é necessário encontrar para cada novo espetáculo uma estrutura do espaço que amalgame atores e espectadores, criando uma osmose física que favoreça o contato entre eles". O diretor, em parceria com o cenógrafo Jerzy Gurawski e com intérpretes como Ryszard Cieslak, irá modelar o encontro entre os dois conjuntos, elenco e público, visando representar um arquétipo "e, em seguida, atingir o inconsciente coletivo".

Ou ainda: "O espetáculo tinha que ser um ato de introversão coletiva, uma cerimônia para arrancar a máscara da vida cotidiana e colocar o espectador frente àquelas situações que constituem a essência da experiência individual e coletiva". Os conceitos de "apoteose e derrisão", relativos aos atos de criar e destruir, também constavam do vocabulário de Grotóvski à época.

Dito assim, parece abstrato ou pretensioso demais. No entanto, as descrições de Barba são convincentes e minuciosas o bastante para nos fornecer ideia e imagem do que fossem aqueles espetáculos, afinal de contas vistos por pouca gente — a lenda em torno deles suplantou o número total de espectadores ou simplesmente não dependeu do "sufrágio do número" para se afirmar além das fronteiras polonesas. Barba diz que, em *Kordian*, montagem feita a partir de "um texto fundamental do romantismo polonês, história de um nobre que quer libertar a sua pátria assassinando o czar", viu a teoria abstrata ganhar corpo e sangue. Ali, "arquétipos, dialética de apoteose e derrisão e a encenação dos dois *ensembles* construíam uma situação de heroísmo e abnegação nas quais eu me identificava. Uma ironia sarcástica me chegava como um tapa na cara que, como um balde de água fria sobre a cabeça, congelava minhas reações".

O texto original apresentava Kordian, solene, a prometer derramar o próprio sangue para libertar seu país da opressão. Já no espetáculo, "essa deixa patética era pronunciada por um homem, em delírio, estendido sobre a cama enquanto um médico fazia-o sangrar para abaixar sua pressão". Seguiram-se a *Kordian* espetáculos como *Akropolis*, que se passava num campo de extermínio, *Dr. Fausto*, revisão do clássico elisabetano de Marlowe, e um estranho *Estudo sobre Hamlet*, elogiado por Barba, mas violento a ponto de Grotóvski tê-lo "esquecido", excluindo-o das listas de seus trabalhos.

Ao que parece, as tramas e seu tratamento pesado, dispostos a escarafunchar o que temos de mais secreto e terrível, nem sempre excluíam o humor e, com certeza, contavam com o virtuosismo dos intérpretes, que possui algo de circense. A ênfase no treinamento do ator, dos músculos do rosto às habilidades acrobáticas, da capacidade de introspecção à projeção vocal, marca definitivamente o trajeto espiritual de Grotóvski. A tradição eslava que remonta a Stanislávski, o eco de leituras sobre cultura indiana e a pesquisa constante ressaltam em seu trabalho, que deixa de visar ao teatro propriamente dito em 1970. Grotóvski, nessa época, decide não mais apresentar espetáculos públicos, dedicando-se ao que Barba chama de parateatro, prática monástica, alheia a compromissos com o circuito de consumo.

A correspondência publicada na segunda parte do volume, com 26 cartas de Grotóvski a Barba, escritas entre 1963 e 1969, soma passagens prosaicas a outras mais significativas. No último texto, de agosto de 1969, Grotóvski fala de sua viagem à Índia, recordando o encontro com o "importante maestro Baul (ioga através do canto e da dança)". Baul "se ocupa de muitas coisas das quais eu também me ocupo — a anatomia do ator. É extraordinário constatar como algumas coisas do ofício são objetivas", ou seja, transcendem a geografia.

Nas cartas, revelam-se aspectos do temperamento humorado e carinhoso do diretor polonês que, segundo o amigo (que tinha de ser fiel aos fatos), mudou depois de ficar famoso. Nem tanto com ele, Barba, mas com outras pessoas. Diga-se que o animador italiano contribuiu para essa notoriedade ao publicar *Em busca de um teatro pobre*, livro de Grotóvski lançado em inglês, em 1968.

Pois é: nos seminários promovidos pelo Odin Teatret, grupo dirigido por Eugenio Barba e sediado na Dinamarca, o convidado Grotóvski portou-se como a estrela mal-educada e irascível, maltratando participantes, alguns dos quais reagiram furiosos, acusando o "mestre" de agir como se estivesse num campo de concentração... Melhor lembrá-lo por seu teatro pobre, isto é, despojado, mas rico em "signos persuasivos". Esse teatro persegue o "ato total", a entrega absoluta dos intérpretes, e se pode resumir, nas palavras do próprio Grotóvski, como "uma relação direta e palpável, uma comunhão de vida entre o ator e o espectador" — resultado possível de exercícios e ensaios estafantes e obsessivos.

ENCONTRO COM HOMEM NOTÁVEL[1]

Paris, 1960. "A cena está cortada!", gritou o diretor inglês Peter Brook, na véspera da estreia de *O balcão*, diante do elenco perplexo. Explica-se: a história da peça, escrita pelo politicamente incorreto Jean Genet, passa-se num bordel, onde burgueses respeitáveis entregam-se a fantasias estranhas e violentas. Só uma cena acontece fora do prostíbulo: o momento em que, num café, revolucionários preparam golpe "na estufa de sua própria retórica". Como a cena do café destoasse das demais e pusesse o espetáculo em risco, Brook resolveu extirpá-la, para desconsolo dos vários atores contratados especificamente para ela. Na noite seguinte, o encenador perceberia o erro.

No livro de memórias *Fios do tempo*,[2] publicado pela Bertrand Brasil, Peter Brook reflete, décadas depois do episódio: "Se eu tivesse parado por um instante, poderia ter-me dado conta dos custos humanos

---

1   Resenha publicada no jornal *Correio Braziliense*, suplemento Pensar (Brasília, 8 out. 2000).

    Ver *Fios do tempo*: memórias, de Peter Brook, com tradução de Carolina Araújo (Rio de Janeiro: Bertrand Brasil, 2000).

2   De Peter Brook, foram publicados ainda, no Brasil, os livros *O teatro e seu espaço* (ou *O espaço vazio*, conforme edição recente), *O ponto de mudança* e *A porta aberta*.

que essa decisão acarretaria, mas foi somente na noite seguinte, quando vi buquês de flores chegarem para atrizes que não iriam mais atuar, que despertei para uma triste e diferente realidade". O que mais o perturbou, então, foi "o sofrimento dos atores dispensados que flanavam pelos bastidores, além da destruição do grupo que havíamos construído com tanto cuidado e alegria". Não se trata de dirigir teatro com motivações estritamente sentimentais — mas Brook aprendeu que "nada em um espetáculo teatral é mais importante do que as pessoas das quais ele é composto".

O livro não oferece exposição sistemática das ideias e métodos do diretor Peter Brook, nem se apega muito a conceitos e datas. Mas aborda episódios importantes de sua trajetória de mais de 50 anos no teatro e no cinema, relacionando crescimento pessoal a desenvolvimento artístico e insistindo nos erros e fracassos, mais do que nas vitórias, que foram muitas. Brook, hoje com 75 anos [90 anos em 2015], parece acreditar que o sucesso ensina menos que o fiasco. O artista cresce apesar dos enganos que comete e, mais do que isso, cresce com eles.

Seu primeiro filme, ainda amador, serve como exemplo. Estudante da Universidade de Oxford, Brook realizou filme a partir da *Viagem sentimental à França e à Itália*, livro de Laurence Sterne — a escolha já demonstrava ambições maiores que as da arte comercial. Entre a intenção e o gesto, porém, jazia alguma distância, e a primeira exibição da fita não foi exatamente um êxito. Faltou testar o projetor, que "acabou por rodar em uma velocidade acima do normal, e, para nosso horror, a imagem começou a avançar a galopes". O som, diga-se, era monitorado manualmente, e "quando aumentávamos a velocidade pelo controle, as vozes dos atores mudavam de tom", tornando-se agudas e cômicas. A projeção seguinte foi ensaiada com cuidado e redimiu o grupo.

Depois de passar por uma empresa que produzia filmes publicitários exibidos nos cinemas, Brook volta ao teatro, em que já se havia iniciado nos tempos de estudante. Um convite o leva ao Festival de Stratford, em que se dedica às montagens shakespearianas: as primeiras foram *Trabalhos de amor perdidos* e *Romeu e Julieta*, esta feita "sem qualquer romantismo" e, por isso, muito criticada. Ele retornaria a Shakespeare várias vezes ao longo da carreira, inclusive com uma *A tempestade* "completamente desconstruída", mostrada em Londres nos anos 1960: as sobrancelhas britânicas, conta Brook, "ergueram-se de espanto".

Ao mesmo tempo que preza a tradição, o jovem encenador quer superá-la. Nota que muito do que se faz no teatro inglês se deve à pura inércia. Às vezes, porém, predomina nele o conservador: quando um arquiteto o procura para pedir conselhos a respeito de um prédio teatral que iria desenhar e pergunta como deve ser o palco, Brook defende "a moldura do quadro" — numa época em que os direitos do palco italiano, frontal, já vinham sendo questionados. É significativa a reflexão que faz, ao lembrar o episódio, dizendo ter gradualmente compreendido que "fazer com que os intérpretes dividam intimamente um espaço com o público oferece uma experiência infinitamente mais rica" do que repartir o espaço "naquilo que se pode chamar de duas salas" — isto é, palco e plateia. Essas ideias só lhe ocorreriam, no entanto, dez anos depois dos conselhos convencionais e enfáticos dados ao arquiteto.

A inquietação de Brook o conduziu a dirigir espetáculos de ópera no Covent Garden, em Londres, onde constatou que as práticas cenográficas, baseadas em telões pintados e não em cenários tridimensionais, ainda remontavam ao século XIX. Com as técnicas modernas de iluminação, os telões haviam perdido sentido e eficácia, percebeu ele. Naturalmente, a luta para renovar convenções espessas como as da ópera seria árdua. Temerário, o diretor recorreu a Salvador Dalí para os cenários de *Salomé*, música de Strauss sobre texto de Oscar Wilde. O surrealista Dalí concebeu ambientes que escandalizaram os tradicionalistas, as incompreensões chegaram ao clímax — e Peter Brook foi demitido.

Dois caminhos se impõem na vida do encenador, a certa altura reunidos em um só: o do crescimento espiritual e o do desenvolvimento de suas ideias e habilidades de profissional do palco e da tela. Como acontece tantas vezes, o acaso desempenha certo papel nessas buscas. No encontro com Dalí, que o hospeda na Espanha, Brook depara com um livro que lhe abre os olhos para as proporções na pintura e noutras artes, obedientes a leis naturais e não apenas ao gosto do artista e seus fregueses.

O apego exagerado às dimensões visuais do espetáculo, no entanto, pode ser perigoso para um diretor de teatro. Em determinado trabalho, as cenas não funcionavam porque Brook teria deixado de lado relações essenciais entre as personagens — psicológicas, morais, conceituais —, atendo-se apenas à forma e tratando os quadros segundo valores puramente plásticos. O relativo malogro deixou mais uma lição, aliás simples: a necessidade de considerar a especificidade de cada um dos aspectos do espetáculo e de procurar integrá-los organicamente. Brook passa a dialogar com os demais participantes e a se colocar o dilema de "quando intervir e quando deixar as coisas acontecerem".

Outros encontros, casuais ou não, o estimularam a descobertas, entre elas as palestras de Jane Heap, discípula de Gurdjieff, pensador e mestre sobre o qual Brook faria, anos mais tarde, o filme *Encontros com homens notáveis*. Nos anos 1960, fundou na Inglaterra o Teatro da Crueldade — o nome do grupo era uma homenagem ao teórico francês Antonin Artaud. Tempos depois, Brook, amigos e alguns remanescentes da companhia decidiram manifestar-se sobre a guerra do Vietnam, que inquietava e comovia o mundo. Encenaram *US*, espetáculo que demandaria alguma pesquisa, apesar da urgência do protesto. Brook depõe: "Tivemos acesso a documentos que nos permitiram reconstruir de maneira precisa muitas das assombrosas técnicas do exército americano que eram usadas para treinamento de tortura".

Ao final de *US*, um ator sacava o isqueiro e incinerava uma borboleta de papel, mas que parecia real e viva. O grupo, então, permanecia imóvel, como se obrigasse o público a refletir sobre as questões levantadas pela peça. Certo dia, um espectador cético perguntou em voz alta: "Vocês estão esperando por nós ou nós esperando por vocês?". Espetáculos desse tipo, constata Brook, devem evitar o didatismo.

Experiências posteriores, em 1968, na França, resultaram em montagem da shakespeariana *A tempestade* — que não pôde ser mostrada em Paris, devido à confusão política — e seriam o embrião do Centro Internacional de Pesquisa Teatral, criado em 1970 e ainda atuante na capital francesa. Com ele, Brook e seus colaboradores, gente de diversas partes do mundo, mergulharam em buscas que duraram três anos e que consistiram não tanto em aprender, "mas em desaprender". Visitaram a periferia parisiense, depois viajaram à África, à Índia, aos Estados Unidos, apresentando-se em aldeias, bairros marginais, vilarejos remotos.

Peter Brook chegou a descobertas aparentadas às de Eugenio Barba e Augusto Boal: "O que importa é o que existe por trás dos símbolos e que lhes dá significado", afirma o diretor inglês, referindo-se à possibilidade de comunicação entre seres humanos de origens díspares. O trabalho em torno do velho texto hindu *Mahabharata*, que resultou em espetáculo teatral, vídeo e filme, foi um dos eixos dessas pesquisas, depois sediadas no Bouffes du Nord, antigo teatro reformado pela companhia. Brook, quando o acusaram de irracionalismo, teria podido dizer, como diz agora em *Fios do tempo*, que voltaria, sim, à palavra e à comunicação racional, mas renovado pela "capacidade de ouvir, através do corpo, códigos e impulsos que estão escondidos a todo o tempo na raiz das formas culturais". Para essa viagem à essência do humano, o teatro tem sido veículo privilegiado.

NO CENTRO DO PALCO[1]

O fabricante de móveis Francisco Ferreira, português radicado no Rio de Janeiro, olhou, por acaso, para a foto publicada em *O Imparcial*. Espantou-se com o que viu. Lá estava, entre os alunos da Escola Dramática Municipal, seu filho, João Álvaro, àquela altura com 18 anos. Estudante de teatro! A reação do comerciante foi terrível: expulsou o garoto de casa e, pior, rasgou com navalha as roupas do rapaz. O ano era o de 1916. A mãe do candidato a ator, mais flexível, passou a ajudá-lo às escondidas. João Álvaro não desistiu dos palcos e, algum tempo depois, ficaria famoso sob o pseudônimo de Procópio.

Essa e outras histórias estão registradas em *Procópio Ferreira: o mágico da expressão*, fotobiografia do ator brasileiro organizada pela jornalista e atriz Jalusa Barcellos, publicada pela Funarte. O volume é o sexto da série História Visual e convida a um passeio pelos costumes do recém-finado século xx. Os textos vêm em português, espanhol e inglês.

Não apenas os costumes teatrais, com os requintados cenários de sala de estar, estão fixados no livro. As gravatas usadas para ir ao teatro,

---

[1] Resenha publicada no jornal *Correio Braziliense*, caderno Dois (Brasília, 10 fev. 2000).

Ver *Procópio Ferreira: o mágico da expressão*, de Jalusa Barcellos (Rio de Janeiro: Funarte, 1999).

o comprimento variável das saias e o paternal Getúlio Vargas, entre outros aspectos e personagens, são indiretamente retratados em *O mágico da expressão*. Fotos e textos, em que pese o tom mais de homenagem do que de análise crítica, contam histórias, algumas deliciosas, relativas a um dos maiores atores que o país já teve.

A estreia de Procópio Ferreira deu-se com a peça *Amigo, mulher e marido*, em 1917. Seu desempenho foi um número à parte, não exatamente pelo talento do debutante, mas por um equívoco que cometeu — a partir do qual o público, a cada entrada sua, caía na risada. Diz Jalusa: "O papel era o de um criado de uma baronesa, e ao entrar em cena para anunciar uma visita, ele usa a porta que, supostamente, seria a do quarto da patroa. O outro colega ainda tenta emendar, mas Procópio, nervoso, já saía, atabalhoadamente, pela porta através da qual entrara".

A maneira como se deu a escolha do pseudônimo foi bastante divulgada, embora Jalusa Barcellos advirta, na introdução, que talvez a história não seja verdadeira. Procópio preparava-se para interpretar o Moleque Beija-Flor em *A cabana do Pai Tomás*, ainda na companhia em que havia feito sua estreia. Este seria um dos vários moleques interpretados por ele, alguns com a pele pintada de preto, como se usava na época.

O ensaiador achou que seu nome de batismo, João Álvaro de Jesus Quental Ferreira, era comprido demais para caber no programa. Sugeriu que mudasse de nome. O ator foi até o calendário, descobriu que aquele era o dia de São Procópio e já entrou em cena munido do pseudônimo, que o acompanharia pelas décadas seguintes.

TIRADAS IRÔNICAS

Naturalmente, nem só de histórias curiosas faz-se *O mágico da expressão*. Procópio Ferreira é o representante maior, no século passado, de uma tendência que remonta ao século XIX, a de organizar o espetáculo em torno do intérprete principal. Procópio, "baixo, feio e narigudo", em cena era absoluto.

O intérprete seguia a tradição dos mestres cômicos, entre eles Vasques, que Procópio homenagearia no livro *O ator Vasques*. A figura do diretor todo-poderoso ou quase, como a entendemos hoje, só viria a aparecer nos anos 1940. O ator seguiu obstinadamente seu caminho, mais ou menos indiferente às novas modas que chegavam aos palcos.

Uma terceira história pode ilustrar como se passavam as coisas em 1936. A peça chamava-se *A esperança da família* e era de Alfredo Mesquita. Como em todas as montagens da época, os ensaios ocupavam cerca de uma semana apenas (os espetáculos costumavam ficar em cartaz por uma ou duas semanas, à semelhança dos filmes hoje).[2] Procópio nem ao menos compareceu aos ensaios.

Conta Décio de Almeida Prado, citado por Jalusa: o ator "veio de casa já caracterizado, com o papel sabido, e todos os efeitos cômicos bem preparados. Passara para a sua personagem algumas das réplicas espirituosas alheias e explicou logo por quê: ditas pelos demais componentes do grupo, não despertariam riso". Procópio provavelmente estava com a razão. Depois de 1924, quando, com 26 anos, fundou a própria companhia, o público ia aos espetáculos para vê-lo. Texto e demais membros do elenco eram coadjuvantes.

O artista foi sempre muito reverenciado, mas também houve quem o criticasse pelo comercialismo de suas iniciativas. Ele respondeu da mesma forma como, muitos anos antes, o comediógrafo Arthur

---

2   Em seu livro *Nelson Rodrigues: dramaturgia e encenações*, de 1987 (reeditado em 1992), o crítico Sábato Magaldi a certa altura oferece um quadro do que se encenava no teatro carioca em 1941 (quando Nelson escreveu sua primeira peça, *A mulher sem pecado*) e 1942 (quando a peça estreou, realizada pela Comédia Brasileira). Ao longo de 1941, a Cia. Procópio Ferreira levou à cena, a partir do fim de fevereiro, 13 textos. No ano seguinte, a mesma empresa montaria 16 peças. Outras companhias eram, por exemplo, as lideradas por Jaime Costa; Luiz Iglesias-Eva Todor; Dulcina-Odilon; Joracy Camargo; Raul Roulien; Mesquitinha; Vicente Celestino-Gilda de Abreu. Conforme se depreende, os espetáculos raramente ultrapassavam um mês em cartaz.

Azevedo havia respondido a seus detratores. Disse Procópio: "A grande multidão continua exigindo um teatro alegre, leve, que não lhe dê trabalho intelectual de espécie alguma. Como sou profissional, prefiro a maioria à minoria". Os herdeiros desse teatro, de que Dercy Gonçalves é uma sobrevivente, agora estão principalmente na tevê: nas novelas, na *Escolinha do professor Raimundo* e em *Sai de baixo*.

Procópio Ferreira também alimentou, no entanto, veleidades intelectuais, algumas delas legítimas. Comédias como as de José de Alencar e Arthur Azevedo continuaram a ser levadas à cena por ele. O ator tinha a vaidade de haver lançado 27 autores brasileiros, entre eles o jovem Dias Gomes, com *Pé de cabra*, que estreou em 1942. Uma das grandes peças de Molière, *O avarento*, foi um de seus carros-chefe.

Procópio encontrou seu maior sucesso com *Deus lhe pague*, de Joracy Camargo, estreada em 1932. Pode-se imaginar hoje uma peça representada pelo mesmo ator 3.600 vezes, ao longo de décadas? Procópio atingiu essa marca com a obra do amigo Joracy.

O ator via *Deus lhe pague* como "a grande obra cultural do teatro brasileiro". Não era. Uma leitura contemporânea da peça, por mais compreensiva que seja, constata que o texto é aceitável como comédia — gênero que permite torcer a realidade à vontade —, mas, mesmo assim, permanece frágil.

Na peça, um mendigo de 50 anos havia sido operário e fora levado a pedir esmolas pela perfídia do patrão, que roubara os desenhos de um invento seu, 25 anos antes. O miserável torna-se milionário explorando a caridade alheia. O personagem fala como intelectual, capaz de tiradas irônicas — às vezes certeiras — a cada 30 segundos, criticando valores sociais com jeito bonachão. De dia, ele era empresário; à noite, era mendigo. Um argumento perfeito para o divertido *Sai de baixo*, mas aparentemente levado a sério demais por Procópio — e pelos espectadores que lotaram as salas.

Não importa. O exame das fotos e legendas, associado à leitura do bom texto introdutório de Jalusa Barcellos, nos leva a perceber, por exemplo, o rigor das composições — o Homem, como era conhecido no meio teatral, se transformava *mesmo* de um personagem para outro. As ambiguidades do cidadão Procópio Ferreira, que teria sido militante do Partido Comunista mas foi amigo de Getúlio, também estão registradas no volume.

O amante pródigo e suas cinco ligações que geraram filhos, entre eles Bibi Ferreira, igualmente aparecem no livro. Amigo generoso, empresário sovina, consumidor perdulário, Procópio trabalhou quase até a morte, em 1979, e se tornou monumento. Curiosamente, foi obrigado a provar, para se aposentar pelo então INPS, que havia trabalhado a vida inteira... Grande artista não se discute, respeita-se.

LIVRO REVELA PAPEL DE KUSNET
EM DILEMA DA INTERPRETAÇÃO[1]

Uma das mais duradouras polêmicas teatrais no século XX opôs a interpretação com base nas emoções e na identificação entre ator e personagem à interpretação crítica, avessa ao envolvimento do artista com os sentimentos da figura que representa. Tempo e energia foram gastos, no entanto, com o que hoje parece ser um falso problema.

O ator, diretor e professor Eraldo Pêra Rizzo trata do assunto no livro *Ator e estranhamento: Brecht e Stanislavski, segundo Kusnet*, que chega às lojas nos próximos dias, publicado pela Senac São Paulo. Sem deixar de sublinhar diferenças, o autor procura ressaltar as afinidades entre o russo Konstantin Stanislavski e o alemão Bertolt Brecht ao abordarem os papéis do sentimento e da razão no desenho dos personagens.

As tendências representadas pelos dois mestres, apenas aparentemente antagônicas, encontraram "a síntese possível" nos ensinamentos do ator e professor russo Eugênio Kusnet (1898-1975), emigrado para

---

1 Matéria publicada no jornal *Folha de S. Paulo*, caderno Ilustrada (São Paulo, 27 ago. 2001).

Ver *Ator e estranhamento: Brecht e Stanislavski, segundo Kusnet*, de Eraldo Pêra Rizzo (São Paulo: Senac, 2001).

o Brasil em 1926. Kusnet soube traduzir as lições stanislavskianas de modo "mais claro que o próprio Stanislavski", aplicando-as à interpretação de algumas das grandes peças de Brecht, diz Eraldo Rizzo, que foi seu discípulo. As lições reelaboradas por Kusnet acham-se principalmente no volume *Ator e método*.

Mal-entendidos e lugares-comuns no que diz respeito a Stanislavski podem ter tido origem na grande defasagem com que foram publicados três de seus livros mais importantes, divulgados com distância de mais de dez anos entre um e outro. A recepção norte-americana, especialmente, fixou-se na primeira fase, que enfatiza o trabalho do ator sobre as próprias lembranças e emoções, com a noção de memória afetiva.

Mas Stanislavski não se deteve nessa fase, ao contrário do que pretenderam os mentores do Actors Studio, na Nova York dos anos 1950. Se, no primeiro livro, ele "se atém mais às ações internas, pensamentos e visualizações" operadas pelo ator, nos livros seguintes irá tratar da fala e do movimento, chegando ao conceito de ações físicas e ao método da análise ativa. Com esse método, o mestre russo prescreve procedimentos pelos quais o intérprete se apropria aos poucos do texto a ser representado, sempre a partir de ações concretas: "A emoção é decorrência", afirma Rizzo com apoio em Kusnet.

Brecht, por seu lado, contribuiu para confusões em torno do problemático efeito de estranhamento ou de distanciamento, obtido quando o ator critica o personagem, emprestando-lhe algo de sua própria consciência. Dramaturgo superlativo, mas teórico pouco sistemático, Brecht usou as ideias também como armas retóricas, destinadas à polêmica. A ênfase atribuída por ele à necessária lucidez do intérprete não visava, de fato, descartar as emoções: Helene Weigel, grande atriz brechtiana, "representava com lágrimas pela cara, era uma artista visceral", observa Rizzo.

Tanto a tragédia grega quanto a comédia moderna "podem ser preparadas com base nas técnicas da análise ativa", devidas a Stanislavski. Eugênio Kusnet, artista e professor, foi capaz de reunir os passos recomendados pelo conterrâneo aos propósitos épicos e críticos de peças como *A alma boa de Setsuan*, de Brecht, ou *Marat/Sade*, de Weiss. A emoção ou, além dela, a "irradiação" passa a ser ponto de chegada no trabalho do intérprete.

ATOR E ESTRANHAMENTO TEM A VOCAÇÃO DAS OBRAS ÚTEIS

A bibliografia sobre a arte do ator, no Brasil, soma alguns títulos desde as remotas *Lições dramáticas*, escritas por João Caetano em 1862. Os estudos parecem ser menos escassos do que em geral se imagina, mas são certamente pouco divulgados.

O livro de Eraldo Rizzo resulta de dissertação de mestrado e revela, conforme se espera dos bons trabalhos do gênero, a existência de outros textos sobre o tema que aborda, com os quais dialoga. O tema, no caso, consiste na figura e na presença do diligente Eugênio Kusnet, grande ator e teórico eficaz.

Rizzo põe ordem na casa ao afastar clichês renitentes de que a obra de Stanislavski foi vítima não apenas no Brasil, mas sobretudo nos Estados Unidos. O ensaísta divulga ainda os pouco acessíveis *Estudos sobre Stanislavski*, redigidos por Brecht na maturidade. Kusnet quis dar às peças de Brecht o sistema de que sua montagem precisa, emprestando, ao mesmo tempo, densidade política às ideias de Stanislavski.

O livro se ressente do excesso de citações, como se o autor, dispondo de material relativamente rico — teses inéditas em livro, por exemplo —, não ousasse desperdiçá-lo. Mas reúne qualidades para ser lido nas escolas de artes cênicas e nos meios especializados, além de ser bem escrito o bastante para que os amigos do teatro, mesmo os eventuais, possam percorrê-lo. *Ator e estranhamento* tem a vocação dos livros úteis.

A ETERNA PELEJA DE APOLO COM DIONISO[1]

No Brasil, o aparecimento da figura do encenador, responsável pela unidade e sentido final do espetáculo, data de 1943, quando o polonês Ziembinski encontra a peça que lhe daria a oportunidade de exercitar, no Rio, o que aprendera em palcos europeus: *Vestido de noiva*, de Nelson Rodrigues. Gastamos décadas até ajustar o passo com as novidades europeias, mas é certo que, a partir daquele momento, o teatro brasileiro acelerou a marcha, absorvendo em pouco mais de dez anos o que deixara de praticar em meio século.

Dois livros lançados agora vêm contar a história do teatro nacional do ponto de vista do diretor. *Antunes Filho, um renovador do teatro brasileiro*, da estudiosa paulista Carmelinda Guimarães, e *Primeiro ato: cadernos, depoimentos, entrevistas (1958-1974)*, de Zé Celso Martinez Corrêa, narram as aventuras de dois dos mais importantes diretores em atividade por aqui. O fato de as duas obras serem lançadas ao mesmo tempo torna-se especialmente interessante quando se pensa que

---

1 Resenha publicada no jornal *Correio Braziliense* (Brasília, 29 mar. 1998).
Ver *Antunes Filho, um renovador do teatro brasileiro*, de Carmelinda Guimarães (Campinas: Unicamp, 1998), e *Primeiro ato: cadernos, depoimentos, entrevistas (1958-1974)*, de Zé Celso Martinez Corrêa, com seleção, organização e notas de Ana Helena Camargo de Staal (São Paulo: Editora 34, 1998).

Antunes e Zé Celso são artistas de personalidade distinta: sob certos aspectos ou em certos instantes, antípodas.

Oito anos separam a estreia profissional de Antunes Filho da de José Celso, ambos paulistas. Se, na contemporização generalizada das décadas de 1980 e 1990, oito anos parecem não representar muito, na criativa década de 1950 bastam para marcar, quase, a divisa entre gerações diversas. Antunes Filho aparece sob o influxo do Teatro Brasileiro de Comédia, companhia fundada em 1948, em São Paulo, pelo industrial Franco Zampari, enquanto José Celso e o grupo Oficina surgem quando o domínio do TBC e de seus encenadores, trazidos da Europa, já vinha sendo contestado.

Bem ou mal, o TBC respondeu pela fixação dos novos processos de montagem no Brasil: o simples *ensaiador* dá lugar ao *encenador*, os astros e estrelas que dominavam talentosa e despoticamente a cena (Procópio Ferreira e Dulcina de Moraes foram alguns de nossos maiores atores à antiga) são substituídos pelos efeitos de conjunto, orquestrados, agora, pelo diretor.

Antunes Filho faria 24 anos em 1953, quando estreia sua segunda montagem profissional e a primeira com texto para adultos, *Week-end*, do risonho Noël Coward. Depois de três trabalhos em teatro amador e da montagem para crianças de *Chapeuzinho Vermelho* — a que retornaria, com olhos maliciosos, 40 anos depois —, Antunes cumpre uma espécie de estágio no TBC, trabalhando como assistente de diretor, quando tem contato com mestres como Luciano Salce e Ziembinski.

A imprensa destacou, a propósito de *Week-end*, "o habilíssimo manejo dos intérpretes". Foi profética: uma das marcas distintivas do artista viria a ser, justamente, a capacidade de obter bom rendimento de atores às vezes estreantes. Mas o namoro com o público e os críticos passaria por percalços. O mais importante deles, nessa primeira fase, ocorreu com *Vereda da salvação*, de Jorge Andrade, encenada em 1964, pouco depois do Golpe.

A história da peça passa-se no sertão mineiro. Para que os atores citadinos, paulistanos, pudessem dar vida àquelas figuras simples, semelhantes às que habitaram Canudos, o diretor providenciou uma série de exercícios e de visitas ao campo, inspirado nas ideias sobre interpretação formuladas pelo russo Stanislavski. A reação de público e jornalistas foi violenta.

Antunes lembra, em depoimento de 1988: "O dado mais significativo é que nós invertemos o palco. O máximo que um ator do TBC fazia era ficar de pé. Ninguém usava o solo. Nós fizemos do palco uma coisa orgânica que desencadeou aquela crítica toda". Ele diz ainda: "Deixamos a Aracy Balabanian no mato sozinha uma noite. Era uma experiência meio romântica para desenvolver uma sensibilidade com a mata. Até esse momento não existia esse tipo de experiência". Houve, também, quem visse "dedos vermelhos" nos heróis de *Vereda da salvação*, que conta a história, com base em fatos, de um grupo de fanáticos massacrados por fazendeiros.

Outras rupturas marcariam o trajeto de Antunes Filho. As principais correspondem a *Macunaíma*, inspirado em Mário de Andrade, de 1978, e a três espetáculos sobre textos de Nelson Rodrigues, dos quais o mais recente é *Paraizo, Zona Norte*. Antunes evita os cenários realistas, aprofunda o trabalho do ator e revela, em Nelson, o poeta do inconsciente. "Depois desse espetáculo", disse ele ao *Correio Braziliense* em 1991, "ninguém mais vai chamá-lo de pornógrafo".

Quando Zé Celso encena *A vida impressa em dólar*, de Clifford Odets, em 1961, os parâmetros afirmados pelo TBC ainda eram referência, mesmo quando contestados; Zé Celso, assim como Antunes, tentará superá-los. Ele diz em depoimento de 1984, com a ênfase que lhe é própria, sobre a Escola de Arte Dramática, ligada ao TBC: "Era a tradição francesa, mas de mentalidade colonial: ver na França os estilos, copiar sem saber o significado daquilo e convidar o ator para ser um burro total. O ator então imitava, reproduzia sem entender nada".

Zé Celso passa a trabalhar com Eugênio Kusnet, ator e professor que estivera próximo de Stanislavski. Kusnet trazia, do mestre russo, a noção de *vontade*, que deve nortear todo desempenho. A essa noção, Celso acrescenta a de *contravontade*, que foi buscar em Jean-Paul Sartre.

A ação, em lugar de permanecer monomotivada, ganha contradições, torna-se dialética. Zé Celso explica: "Ao mesmo tempo que você tem uma vontade que o determina, você tem uma necessidade que entra em contradição com ela e gera um conflito interior. Da exteriorização desse conflito é que nasce o clímax. Nós fazíamos uns laboratórios muito doidos com essas teorias".

E essas teorias deságuam, por exemplo, em *Pequenos burgueses*, de Gorki, trabalho de 1963 que Sábado Magaldi considerou, em declaração dos anos 1970, "o melhor espetáculo realista que se fez no Brasil". A revolução de *O rei da vela*, que abre o movimento tropicalista, viria em 1967, quando Zé Celso e grupo procuravam texto que refletisse aquele momento político, encontrando-o na peça escrita por Oswald de Andrade três décadas antes. O ano seguinte é o de *Roda-viva*, texto de Chico Buarque, na verdade um roteiro: o principal passava-se não no palco, mas na plateia. Numa noite de julho, os atores foram espancados pelos criminosos do Comando de Caça aos Comunistas.

Zé Celso caminha no sentido de uma radicalização que tende a afastá-lo da própria noção tradicional de teatro: texto, espetáculo, público pagante. *Gracias, señor*, de 1972, segue nesse rumo. A premissa do trabalho, segundo Fernando Peixoto, organizador da edição da revista *Dionysos* dedicada ao Oficina, reside "na ideia do indivíduo em permanente guerra civil consigo mesmo". Para dar aos espectadores esse quadro de cisão, "o espetáculo transforma-se em assembleia" — e não hesita em ser paradoxalmente autoritário. Zé Celso, em 1974, depois de preso e torturado, parte para um exílio de cinco anos na Europa e na África.

Antunes Filho, mesmo percebendo o alcance e os limites políticos do teatro, não rejeitou os meios e processos que o definem. Zé Celso, por sua vez, parece ter estado sempre à procura de uma realidade outra, utópica, que implicaria a quebra das couraças, das máscaras, dos papéis sociais, aventura que deu sentido político de outro tipo a seu trabalho. No caso de Celso, resta perguntar se a arte do palco, impura, frágil, suporta tantas revoluções sem tédio e sem cansaço.

A VIDA NO PALCO[1]

No início dos anos 1960, o Teatro de Arena de São Paulo, dirigido por Augusto Boal (1931-2009), percorria o interior do Nordeste. A ideia de mudança social estava no ar, e o elenco havia feito um show que terminava com os atores "cantando frenéticas saudações revolucionárias, braço esquerdo levantado, punho cerrado", conforme Boal contou na autobiografia *Hamlet e o filho do padeiro*. A plateia compunha-se de camponeses; fuzis falsos, cenográficos, circulavam no palco.

Depois do espetáculo, um homem chamado Virgílio veio procurar os artistas, propondo que eles se reunissem a um grupo de rebeldes que pretendiam enfrentar, à bala, os jagunços de um coronel local, invasor de terras. O diretor respondeu que os fuzis não passavam de imitações. Não derrubariam nem passarinho. O camponês replicou que os rebeldes possuíam armas para todos e podiam emprestá-las... Atores e diretor não tinham, porém, o menor desejo de se envolver em luta com tiros e sangue reais.

Os revolucionários de fantasia foram então criticados: "Virgílio ponderou que, quando nós, verdadeiros artistas, falávamos em dar nosso sangue, na verdade estávamos falando do sangue deles, camponeses,

---

[1] Artigo publicado no jornal *Correio Braziliense*, suplemento Pensar (Brasília, 9 mai. 2009).

e não do nosso, artistas, já que voltaríamos confortáveis pras nossas casas". O episódio pôs em xeque os princípios do teatro político, generoso e agressivo, mas ingênuo, realizado naquele momento, levando o diretor a compreender que "não temos o direito de incitar seja quem for a fazer aquilo que não estamos preparados pra fazer".

A passagem ilustra os impasses éticos e estéticos defrontados pelo diretor, dramaturgo e ensaísta Augusto Boal, morto há uma semana, aos 78 anos, no Rio de Janeiro. Esses impasses foram os de sua geração, de que fizeram parte, entre outros autores, Gianfrancesco Guarnieri e Oduvaldo Vianna Filho, ambos seus companheiros no Teatro de Arena. Atuantes a partir de meados da década de 1950, Boal e contemporâneos buscaram conciliar arte e política, teatro e empenho social, preocupados em colaborar na redução das desigualdades. Imaginação e humor, diga-se logo, estiveram entre os instrumentos usados com esse objetivo.

CENAS DIALÉTICAS

O futuro diretor e teórico internacionalmente conhecido nasceu no bairro da Penha, no Rio, a 16 de março de 1931, filho de imigrantes portugueses. O pai trabalhou firme até se estabelecer como comerciante, e queria que Augusto Pinto Boal ("O Pinto é da mãe", brincava) se fizesse doutor. Aos 18 anos, precisou decidir-se entre arte e ciência ou, mais especificamente, entre o teatro e a química.

Formou-se em química industrial sem tirar os olhos do palco e, concluído o curso, foi aos Estados Unidos para cumprir um ano de especialização em engenharia química. Antes de ir, escreveu ao crítico John Gassner, professor de dramaturgia, pedindo vaga entre seus alunos. Foi aceito em Columbia.

Boal ficou nos Estados Unidos por mais tempo que o previsto: dois anos. Em Nova York, pôde assistir a sessões do Actors Studio, centro que divulgava as técnicas do russo Stanislavski e onde se exercitavam artistas como Marlon Brando; falar em Stanislavski corresponde a falar na densidade subjetiva das cenas. O brasileiro assimilou lições que utilizaria nos primeiros anos de Arena, ao pé da letra ou transformadas.

Por exemplo: ao mencionar, em seu livro *Jogos para atores e não atores*, a "estrutura dialética da interpretação", Boal ressaltou que "nenhuma emoção é pura, e permanentemente idêntica a si mesma. O que se observa na realidade é o contrário: queremos e não queremos, amamos e não amamos, temos coragem e não temos. Para que o ator viva de verdade em cena, é necessário que descubra a contravontade de cada uma das suas vontades".

Esse aprendizado, atualizado a partir da estreia com a peça *Ratos e homens*, de John Steinbeck, encenada no Arena em 1956, seria reelaborado quando o grupo viveu uma segunda fase, ainda realista, mas agora preocupada em encontrar o texto e o gesto brasileiros. Esse período abre-se com *Eles não usam black-tie*, de Guarnieri (dirigida por José Renato), prosseguindo com *Chapetuba Futebol Clube*, de Vianinha, lançada sob a direção de Boal. A busca da verdade interior desdobrava-se na busca da verdade social e política dos personagens.

A terceira fase do Teatro de Arena, de acordo com a divisão da história do grupo (1953-1971) proposta por Boal, é a da "nacionalização dos clássicos". A cópia naturalista dá lugar às sínteses que tendem ao universal — com o risco de se perderem as minúcias fotográficas apreendidas a partir de *Black-tie*. Uma tentativa de reunir "a exaustiva análise de singularidades", típica dos textos realistas, às imagens universais vem a ser feita na quarta e última etapa, a dos musicais — na qual se destacam *Arena conta Zumbi* e *Arena conta Tiradentes*, criados em parceria com Guarnieri, em 1965 e 1967.

Já em 1960, Boal havia escrito e encenado *Revolução na América do Sul*, peça precursora da fase dos musicais. A imitação cuidadosa do real, que define o drama, troca-se pelos movimentos de farsa, à base de exagero e paródia. O personagem principal chama-se José da Silva, almoça raramente e passa por estágios ao longo dos quais o dia a dia sofrido é denunciado pelo riso.

EXERCÍCIOS DE LIBERDADE

A barra política pesa no Brasil depois de 1968, com censura, tortura e exílio. A partir de 1971, Boal vive em diversos lugares — Argentina, Portugal, França —, desenvolvendo no exterior as técnicas do Teatro do Oprimido, hoje disseminadas por dezenas de países. Para se ter uma ideia: a revista *Metaxis*, editada pelo Centro de Teatro do Oprimido, no Rio, em 2001 contabilizava 47 países a que chegaram essas técnicas, destinadas a profissionais e amadores. Teatro-Jornal, Teatro-Imagem, Teatro Invisível e Teatro-Fórum (este depois desdobrado em Teatro Legislativo) estão entre elas.

O Jornal, surgido ainda nos tempos do Arena, dramatizava notícias publicadas na imprensa no mesmo dia em que eram divulgadas. No Teatro-Imagem, pede-se aos participantes que figurem com seus corpos as situações opressivas e, gradualmente, procurem as imagens ideais, nas quais solidão, desemprego, violência deem lugar a quadros menos ásperos.

O Teatro Invisível apresenta as cenas sem que os espectadores, na rua, saibam estar diante de algo previamente ensaiado — por isso mesmo, é a técnica mais polêmica do repertório. Finalmente, no Teatro-Fórum, os "espect-atores", como Boal os denomina, assistem conscientemente a um episódio ficcional baseado em problemas reais. Eles podem interferir na cena, substituindo os atores e conduzindo as ações conforme seus desejos e interesses. São exercícios de liberdade.

Boal deixa ampla obra de teórico e animador, além das peças, de qualidade desigual, e da memória dos muitos espetáculos que dirigiu (alguns textos certamente merecem reedição e remontagem, caso de *Torquemada*, que fala sobre a tortura, e dos musicais escritos com Guarnieri). A teoria e a pedagogia criadas por ele têm apoio em premissas simples, atentas ao cotidiano do homem comum e aos eternos esquemas armados para dominá-lo.

Livro fundamental nesse terreno é o clássico *Teatro do Oprimido e outras poéticas políticas*, originalmente publicado em 1975, várias vezes reeditado e traduzido. As ideias expostas no volume envolvem, por exemplo, a reinterpretação de Aristóteles e sua *Poética* — que Boal viu como "coercitiva", isto é, de tendência autoritária — e de Bertolt Brecht, de quem assimilou procedimentos básicos, reinventando-os com independência. Veja-se nesse sentido o Sistema Coringa usado em *Tiradentes*, com atores a se revezarem nos personagens e a figura de um narrador onisciente.

Premiado por diversas instituições, entre elas a Unesco, Boal expandiu o alcance da arte do palco para além dos espetáculos comerciais (que não deixou de praticar), tornando-se um dos poucos brasileiros mundialmente reconhecidos no campo de batalha do teatro. Em seu livro autobiográfico, ao mencionar a data de nascimento, diz com leveza: "Meu pai morreu no exato dia em que fez 71 anos, 7 de junho de 1963, sem nunca ter voltado a Portugal. Shakespeare, como meu pai, nasceu e morreu no mesmo dia: 23 de abril. Eu não tenho nada com isso: nasci no dia 16 de março em 1931 e espero não morrer nunca".

SERVIDOR DE INQUIETAÇÕES[1]

Dizem que o teatro é a arte do efêmero. Verdade parcial, apenas meia verdade. As imagens que ficam na memória dos espectadores podem ser duradouras. Por exemplo: quem tem 40 anos e mora em Brasília há mais de 20, recorda a pirâmide viva feita pelos atores — como no circo — que marcava um dos melhores momentos de *Os saltimbancos*, no final dos anos 1970. Lembra ainda de intérpretes e figurantes reunidos em círculo, as mãos para o alto, o grito uníssono, água a correr sobre seus ombros, num ritual de purificação em *Romeu e Julieta*, já nos anos 1980.

Esses trabalhos foram dirigidos por Hugo Rodas, uruguaio-brasiliense de 60 anos, completados em março, que vive há 25 na capital. Filho único cercado por parentes que amavam as artes — seus 11 tios maternos tocavam piano —, Hugo começou a fazer teatro em Montevidéu, aos 17: "Era o gueto em que eu poderia concretizar meus ideais políticos, sociais, ambientais", diz. Grupos como o Teatro Circular, que o adolescente acompanhava e de que depois participou, foram "focos de resistência não careta" no Uruguai. Nos anos 1950, o Circular encenara *Vestido de noiva*, de Nelson Rodrigues. O jovem professor de

---

[1] Perfil publicado na revista *Palavra* (Belo Horizonte: Gaia, n. 13, mai. 2000).

música e estudante de odontologia viu, apaixonou-se e decidiu transformar o amor ao teatro em profissão. Antes de chegar a Brasília, demorou-se no Chile, passou por Ouro Preto, trabalhou na Bahia. A capital o conquistou. Ali, criaria o grupo Pitu, que viveu dez anos.

No Uruguai, Hugo havia tido contato com o chamado teatro físico. As ideias vinham de Grotowski. Eram espetáculos proverbialmente pobres, relembra, em que "se partia do mínimo, do nada". Corpo e gesto precedem os conceitos — mote que pode explicar, até hoje, a eficácia de suas montagens. Elas nascem de "uma necessidade interna" que deve "receber algo de fora", ou seja, encontrar seus interlocutores. A concepção baseia-se nos movimentos, dos quais "a palavra não está separada".

O diretor, ator e professor da Universidade de Brasília respeita os textos à sua maneira, seja quando os segue "até nas vírgulas" ou quando os tritura vorazmente. O feiticeiro opera a partir do que os atores lhe oferecem: a fama de autoritário, segundo garante, "é coisa do passado". Mas o sobrinho de cinco mulheres solteiras ainda se aborrece no caso de o ator lhe negar algo — a ele, que não costuma resistir às propostas do intérprete. Define-se como artista sem estilo: "Não sou uma grife". E explica: "Sempre que me apego a uma pessoa, sofro. Quando me apego a um estilo, sofro também".

Doroteia, de Nelson Rodrigues, encenada por Hugo Rodas em parceria com Adriano e Fernando Guimarães, lhes rendeu o Prêmio Shell, no Rio de Janeiro, em 1996. No Rio, de 10 a 14 deste mês, pode-se assistir a *Arlequim, servidor de dois patrões*, clássico de Carlo Goldoni revisto pelo diretor. São espetáculos bastante diferentes entre si, confirmando a suspeita de que a usina não quer saber de férias: "Tenho de mover-me, de trocar tudo o tempo todo", confidencia aos brados, os braços em rotação, em seu portunhol único. À frente de duas companhias — a do Teatro Universitário Candango e a de *Arlequim* —, o artista pensa em registrar as próprias memórias, que devem ser, em parte, as do espectador de Brasília.

EDIÇÕES REFLETEM SOBRE A ARTE DO INTÉRPRETE[1]

O ofício de ator e o treinamento para a profissão acham-se limitados ao "*shopping* das técnicas" ou à simples indigência artística, em tempos nos quais "uma pessoa pode alcançar o *status* de intérprete do dia para a noite", diz o ator e professor paulistano Matteo Bonfitto.

Preocupado em contribuir para que a situação se altere, Bonfitto escreveu *O ator-compositor*: as ações físicas como eixo: de Stanislávski a Barba, livro publicado pela Perspectiva. O volume resulta de dissertação de mestrado e chegou às lojas em março.

O conceito de ação física foi originalmente formulado por Constantin Stanislávski (1863-1938) e viria a ser utilizado de modo pleno durante montagem do *Tartufo*, de Molière, em 1938. A noção firmou-se, portanto, no fecho de atividades iniciadas 40 anos antes com a criação do Teatro de Arte de Moscou.

---

1 Matéria publicada, com cortes, no jornal *Folha de S. Paulo*, caderno Ilustrada (São Paulo, 17 jun. 2002).

Ver *O ator-compositor*: as ações físicas como eixo: de Stanislávski a Barba, de Matteo Bonfitto (São Paulo: Perspectiva, 2002), e *O ator e seus duplos*: máscaras, bonecos e objetos, de Ana Maria Amaral (São Paulo: Senac; Edusp, 2002).

Stanislávski privilegiara, nos primeiros anos do Teatro de Arte, o trabalho sobre a memória. Ele sustentava que o ator devia recorrer à própria bagagem afetiva, dela retirando o necessário para entender e traduzir os sentimentos do personagem. No fim da vida, porém, convencia-se de que memória e emoções são matéria demasiado fluida: "Não me falem de sentimentos, não podemos fixar os sentimentos. Podemos fixar e recordar somente as ações físicas", diria, referindo-se a gestos, inflexões e posturas adensados pelo trabalho sobre as emoções.

Estudiosos anteriores a Stanislávski fazem parte do roteiro percorrido no livro, tendo sido precursores ou inspiradores da noção moderna de ação física. O autor recua a François Delsarte, que abriu seus Cursos de Estética Aplicada em 1839, em Paris. A partir de Stanislávski, Matteo Bonfitto revisita Meierhold e suas técnicas de pré-interpretação, Laban e sua noção de esforço, Artaud e a pantomima, o "ator dilatado" de Decroux, o "gesto social" em Brecht, sumarizando ainda a herança stanislavskiana em Grotóvski e em Barba.

Não se trata, no entanto, de mera compilação do que pensaram os teóricos do teatro ao longo do século xx. Bonfitto aborda as ideias de autores diversos segundo a chave unificadora da ação física, presente, com variações, em todos eles.

As ações exteriores, seja qual for a sua origem, podem ser decompostas em três aspectos. O primeiro é o das "matrizes geradoras", isto é, as fontes: um texto, um episódio real ou a experiência dos intérpretes. Depois, vêm os "elementos de composição" decorrentes dessas fontes e, por fim, os "procedimentos de composição".

O conceito que dá eixo ao livro "ultrapassa Stanislávski", diz Bonfitto, e pode reaparecer sob outros nomes, mantendo seu sentido essencial. Destinada a catalisar as ideias e emoções do intérprete, a ação física é o instrumento para se chegar ao ator-compositor, dono dos próprios recursos técnicos.

A ideia-chave do trabalho liga-se especialmente às tendências da dramaturgia contemporânea que dispensam a imitação do real e que já não se interessam por contar histórias, como em *Silêncio*, de Peter

Handke, e *Descartes*, adaptação feita por Fernando Bonassi, textos interpretados por Bonfitto. "Diante de tais textos, novos caminhos devem ser buscados", escreve ele. Aqui, o ator e seus sortilégios ganham relevo.

PLANO-PILOTO

A palavra "intérprete", dada como sinônimo de ator, é posta em questão já no título do livro *O ator-compositor*. A efemeridade do espetáculo e a própria "matéria volátil" do trabalho do artista de palco, de acordo com o ensaísta, podem explicar por que a ideia de composição ou de obra raramente tem sido associada ao trabalho dos atores.

É verdade, no entanto, que há mais de meio século se fala em "construção do personagem" e em "criação do papel". De todo modo, Bonfitto implicitamente reconhece o quanto a discussão vem de longe ao estruturar o livro a partir de Stanislávski, assinalando precursores e descendentes do mestre russo, lembrando ainda a tradição chinesa e japonesa.

A intenção é a de fornecer chaves para o ofício de ator hoje e, assim, ao final do percurso, Stanislávski será referência remota, ainda que permaneça essencial. No estudo das técnicas de desempenho, Bonfitto confere ao ator, com alguma ênfase, o papel de autor — ou de um dos autores — do espetáculo.

O trabalho acrescenta algo ao acervo sobre o tema, ordenando, com base na ação física, ensinamentos formulados pelos pensadores do teatro no século passado. É útil também quando vai buscar noutras paisagens teóricas a noção de "actante", desdobrando-a em "actante-máscara" (o ator realista), "actante-estado" e "actante-texto", esses últimos menos dependentes da palavra escrita e calçados nos recursos do corpo e da voz.

O livro merece revisão mais minuciosa, que libere o texto de passagens menos claras. Ainda assim bastante legível, *O ator-compositor* aponta caminhos na direção de um ator que não se contente em ser mero veículo das ideias alheias. Nesse sentido, vale como uma espécie de plano-piloto do artista possível.

BONECOS ENIGMÁTICOS

A diretora e professora Ana Maria Amaral, estudiosa das "formas animadas", dedica-se a entender, em *O ator e seus duplos*, a relação entre o intérprete e suas extensões, e faz a resenha de algumas das práticas mais importantes envolvendo máscaras, bonecos e objetos.

A autora volta à Grécia e ao Oriente antigos para lembrar que as máscaras já tiveram sentido ritual. Depois, de acordo com seu uso no teatro moderno, irá reparti-las em neutras e expressivas.

Ana Maria trata ainda de objetos, "importantes por seu poder de criar metáforas". Máscaras e bonecos ligam-se, direta ou remotamente, a personagens, enquanto os objetos promovem a pura sensação plástica. Acessível, o livro deve interessar a artistas e estudiosos.

O JOVEM CENTENÁRIO WOYZECK[1]

Aniversários cercam nos próximos meses o drama *Woyzeck*, do alemão Georg Büchner (1813-1837), convidando a falar sobre a breve e sugestiva peça, que encerra qualidades poéticas e políticas ainda hoje eloquentes. Escrito em 1836, o texto, que permaneceria inconcluso, foi publicado em 1879 e chegou ao palco somente em 1913, em Munique. Os 100 anos desde a primeira montagem de *Woyzeck* se completam em novembro.

Outra data redonda refere-se ao dramaturgo: os 200 anos de nascimento de Büchner ocorrem a 17 de outubro. Ele deixou ainda as peças *A morte de Danton* e *Leonce e Lena*, a novela *Lenz* e o panfleto *O mensageiro de Essen*, pelo qual foi interrogado pela polícia: "A vida dos 'nobres' é um longo domingo", enquanto "a vida do agricultor é um longo dia de trabalho", afirma o panfleto, em tom indignado. Imaginação metafórica e sensibilidade social somam-se em seus textos, dos quais apenas *A morte de Danton* seria impresso ainda em vida do autor, morto aos 23 anos.

---

1 Artigo publicado no jornal *Correio Braziliense*, suplemento Pensar (Brasília, 22 jun. 2013), nos 200 anos de nascimento de Georg Büchner e 100 anos de estreia de *Woyzeck*, e republicado no *site* Teatrojornal (28 fev. 2014).

Para além das efemérides, há outro bom motivo para se abordar a história do soldado raso Franz Woyzeck, na qual Büchner entrega pioneiramente o papel principal a um personagem proletário, perdedor da cabeça aos sapatos — até aquela altura, figuras pobres podiam frequentar as comédias, mas só surgiam nos dramas em papéis laterais. Trata-se da excelente montagem que a companhia paulistana Razões Inversas realiza sob o título de *Anatomia Woyzeck* (em cartaz até 30 de junho no Centro Cultural São Paulo).[2] Lembro algo da trajetória do texto no Brasil, desde a sua estreia no Rio de Janeiro em 1948, encenado pelo inovador Ziembinski.

Haverá pouco ou nada de casual no fato de a peça ter chegado ao país naquele ano, pelas mãos do polonês Ziembinski. O *Woyzeck* de 1948, belo espetáculo que, segundo os testemunhos, não chegou a ser compreendido, participou do movimento de modernização do teatro brasileiro, ainda que efemeramente, tendo ficado em cartaz por apenas 11 dias, a partir de 25 de agosto. A expressão *Lua de sangue* substituía o título original.

O teatro mantivera-se alheio aos ventos da Semana de 1922, demorando a acertar o passo com o que se fazia no mundo — e tardando a propor imagens menos convencionais da sociedade brasileira. Desde fins da década de 1930, porém, buscava-se renovar o repertório e as práticas de palco. O marco das mudanças, como se sabe, virá com *Vestido de noiva*, de Nelson Rodrigues, peça encenada por Ziembinski em dezembro de 1943, com o grupo amador Os Comediantes.

Menos de cinco anos depois, o diretor voltaria a Nelson, pondo de pé o então escandaloso *Anjo negro* que, por motivos estéticos e ideológicos, irritaria os conservadores, furiosos com a metáfora encarnada na dupla de protagonistas Ismael e Virgínia, marido negro e mulher branca que fazem filhos e depois os matam. Naquele mesmo ano, criava-se em São Paulo o Teatro Brasileiro de Comédia, técnica e esteticamente

---

2   *Anatomia Woyzeck* fecha a trilogia de que também fazem parte *Agreste* (2004) e *Anatomia Frozen* (2009).

renovador (embora cauteloso em costumes e política, em seus primeiros tempos). Foi nesse quadro que o impulso e a oportunidade de encenar *Woyzeck* ocorreram a Ziembinski, apoiado pelo produtor Sandro Polloni, que conduzia o Teatro Popular de Arte ao lado da atriz Maria Della Costa. A estrela interpretou a inquieta Maria, namorada de Franz, enquanto o próprio diretor encarregava-se do papel central.

O encenador Ruggero Jacobbi havia sugerido a Sandro a montagem da peça alemã e depõe em 1956:

> O espetáculo foi excelente. Ziembinski resolveu o problema das mudanças de cenário com habilidade e simplicidade. Alguns atores (Maria, Samborsky, Guerreiro) estavam extraordinários. Mas o texto, em sua aspereza, em sua falta de estrutura aparente, em sua pureza sem concessões, ficou inatingível, obscuro, para o grande público. Muita crítica demonstrou a incompreensão mais absoluta. Somente Pompeu de Souza escreveu uma "louvação", que é uma de suas páginas mais vivas. Isto foi em setembro de 1948. Estamos ficando velhos; *Woyzeck* continua jovem, continua a ser "um caso aberto".

Jacobbi apontava a necessidade, para o diretor, de resolver o problema da mudança de cenários, dado que a história salta sem cerimônia de um lugar a outro, valendo-se de estrutura episódica, épica, destinada a dar a ver as circunstâncias que condicionam os personagens, o seu entorno. Büchner não abandona de todo a forma dramática, na qual as cenas se relacionam por causa e efeito, mas em boa medida troca essa estrutura pelo modo aberto, épico de compor, como se antecipasse o cinema.

O tradutor Tércio Redondo, em prefácio a sua versão da peça, resume: "Para trazer um despossuído ao primeiro plano, Büchner trata de revolucionar a forma, construindo cenas curtas, precariamente articuladas, com cortes que se assemelham à técnica cinematográfica dos planos-sequência", quando diversas ações são registradas em série, em plano longo e único.

De 1948 a 2002, verificam-se novas montagens da peça, inclusive a de Bráulio Pedroso, no Rio de Janeiro, em 1971, e a montagem brasiliense dirigida por Tullio Guimarães em 1996. Em 2002, estreia no Rio a adaptação *Woyzeck, o brasileiro*, escrita por Fernando Bonassi e Matheus Nachtergaele, dirigida por Cibele Forjaz. As instalações militares são substituídas por uma olaria, a Alemanha da primeira metade do século XIX transforma-se no Brasil atual.³

O desafio do espaço resolve-se da seguinte maneira, conforme resenha de Mariangela Alves de Lima em 2003: "O espaço circular em que se movimentam os trabalhadores, girando em torno do eixo de

---

3   Em comentário não publicado, escrito quando da estreia de *Woyzeck, o brasileiro* em 2002, eu anotava, falando sobre o que se chama *processo colaborativo*, método de composição então recente: "O texto de teatro já não precede o espetáculo, porém nasce com ele, sendo redigido no decorrer dos ensaios. O modo novo de escrever peças não é, diga-se, absolutamente inédito, mas vem se tornando prática frequente. O sistema consiste em escritor, diretor e atores elaborarem, em coautoria, as falas a serem pronunciadas em cena. Essa maneira de erguer espetáculos foi usada na década de 1970 por grupos como o Asdrúbal Trouxe o Trombone, reaparecendo agora sem a aura da experimentação, apoiada em convicções que a própria passagem dos anos trata de adensar". Prosseguia, buscando esmiuçar um pouco os procedimentos: "A partir dos temas fornecidos pelas 27 cenas curtas que compõem *Woyzeck*, peça famosa e inacabada de Georg Büchner, os 11 atores improvisaram exaustivamente, revezando-se em personagens diversos. O escritor Fernando Bonassi captou as palavras produzidas durante os ensaios, reescrevendo-as e devolvendo-as ao elenco, em quatro meses de encontros dos quais participou, na primeira fase, a tradutora Christine Röhrig, que verteu o texto alemão especialmente para a montagem. Matheus Nachtergaele e Marcélia Cartaxo interpretam o proletário dilacerado e a namorada Maria em ambiente que, do quartel original, se converte na Olaria Brasil". Acrescento que, nos anos 1970, houve antes *criação coletiva*, com as funções distribuídas de maneira menos especializada: todos os participantes interferiam nos diferentes aspectos do espetáculo. Já no processo colaborativo, em voga a partir dos anos 1990, as várias tarefas distribuem-se conforme as aptidões e a experiência dos parceiros, a exemplo do que procurei indicar acima.

preparação da argila, é subordinado aos nichos onde se alojam os dois representantes de uma classe social superior, o Capitão e o Médico. Woyzeck é um servidor em todos esses lugares porque se desdobra em vários ofícios para sustentar sua pequena família". Devido à própria experiência estafante, ele "se torna, na perspectiva deste espetáculo, um protagonista trágico". Como entender a têmpera de herói trágico em personagem desequilibrado e frágil, que delira e mata? "Trata-se de um homem forjando a si mesmo, tentando alçar-se um milímetro acima das condições terríveis em que vive", escreve Mariangela.

Já no texto original, Woyzeck responde com alguma ironia aos que o oprimem. Ele se vê explorado pelo Médico, que o converte em cobaia; humilhado pelo Capitão, que pisa em sua autoestima; vê-se traído pela namorada e espancado pelo rival, o obtuso Tambor-mor. O ato extremo praticado pelo miliciano resulta de uma série de pressões que afinal o enlouquecem.

No espetáculo do grupo Razões Inversas, as matrizes épicas do texto atualizam-se de modo radical. Em cena, estão três atores, que se deslocam sobre solo de material sintético, figurando grama, o que remeteria aos espaços abertos nos quais se desenrolam algumas das situações. Os intérpretes se valem, na abertura e em certos momentos do percurso, de microfones — como na bem-humorada passagem dos artistas de feira, que ridicularizam os desmandos na academia, onde se aprende "a chicotear".

Muito preparados vocal e corporalmente, Clóvis Gonçalves, Paulo Marcello e Washington Luiz, sob a direção de Marcio Aurelio, revezam-se nos vários personagens. Eles mantêm traços que nos permitem identificar, já pela postura, cada uma das figuras — alguém que anda com dificuldade, por exemplo, conserva essa característica independentemente do ator que o interprete.

Ao mesmo tempo, levam à vertigem a convenção épica, pela qual podem entrar e sair dos personagens, alternando narrativa e ações propriamente ditas — sem criar, com isso, maiores dificuldades para o espectador. Liberdade e rigor são absolutos, síncronos. Com tais qualidades — não custa lembrar — será possível representar qualquer história, qualquer grande história como a de Woyzeck, tornando nítidas as circunstâncias que condicionam as atitudes e moldam a subjetividade das criaturas.

Era aproximadamente esse o ideal de Boal e Guarnieri no Teatro de Arena (1953-1971), grupo pioneiro quanto a essa fértil, inteligentíssima bagunça, que incorpora e ultrapassa as lições brechtianas. Atenção, por favor: uma teoria brasileira do épico, de matriz local e vocação universal, pode ser formulada a partir de espetáculos como *Anatomia Woyzeck*.

PELA REINTEGRAÇÃO DE POLÍTICA E TEATRO[1]

A pesquisadora Ivana Bentes falou certa vez em "cosmética da fome" a propósito de filmes que, nos anos 1990 e depois, teriam trocado a "estética da fome" ou "estética da violência" — não necessariamente explícita — propostas por Glauber Rocha em 1965 por outra, em que a miséria surge amena, palatável, integrada à paisagem.

Embora se entendam os motivos para a crítica a obras de arte que, ao pretender denunciar males sociais, terminam por vampirizá-los, seria uma pena que se jogasse fora o bebê com a água do banho. Quer dizer: seria empobrecedor afirmar que a arte produzida por autores de classe média estivesse fadada à inautenticidade ao falar sobre esses males, que continuam a assombrar a sociedade.[2] Assim como se dá

---

1 Artigo publicado no *site* Teatrojornal (11 abr. 2014).

2 O artigo em que Ivana Bentes utiliza a polêmica expressão "cosmética da fome" é de 2001, tendo ela voltado ao tema em 2007. Naquele texto, a pesquisadora apresenta questões ideológicas e estéticas; interroga mais do que propriamente condena os filmes que idealizam a pobreza brasileira (embora possa criticá-los). Trata-se aqui de retomar, nos limites deste texto breve, o tema levantado pela autora, quando diz no artigo publicado no *Jornal do Brasil*: "A questão ética é: como mostrar o sofrimento, como representar os territórios da pobreza, dos deserdados, dos excluídos, sem cair no folclore, no

justamente agora, no Rio de Janeiro, com a "reintegração de posse" de terreno e prédio da empresa Oi, ocupados por famílias que berram por moradia enquanto são atacadas pela polícia.

Escrever uma peça teatral, um roteiro cinematográfico, um poema, uma canção a partir de evento tão dramático quanto esse implicaria, sempre e necessariamente, praticar a tal cosmética da fome? Ou, ao compor e ao comprar obras dessa espécie, estaríamos antes adotando uma ética da fome, solidária com os que sofrem carências de todo tipo — de alimento, moradia, saúde, educação, emprego, salário e liberdade? Sim, há óbvia falta de liberdade também: basta ver como são tratados os moradores dos morros supostamente pacificados, no Rio, ou os moradores de rua, em São Paulo, para constatar que nossos maus costumes políticos permanecem acorrentados ao século xix. Para os governos, pobre que não conhece o seu lugar tem é de apanhar na cara.

Falando em primeira pessoa, lembro que escrevi uma peça, lançada há menos de seis anos em livro e disco, que tem por tema um movimento de gente sem-teto. Um amigo a leu e depois a elogiou em conversa, mas considerou que o texto estaria melhor situado se houvesse sido escrito "nos anos 60". Uma jornalista teatral também o esnobou, por motivos similares — não se fazem mais peças como essa, parecia dizer. Os autores do prefácio e da apresentação a defenderam, como era natural que o fizessem. A prefaciadora lembrou a década de 1960; o autor da orelha invocou Büchner e Brecht.

Pois é: os movimentos por moradia, nas grandes cidades brasileiras, só se multiplicaram nesses seis anos.

> paternalismo ou num humanismo conformista e piegas?". E ainda: "A questão estética é: como criar um novo modo de expressão, compreensão e representação dos fenômenos ligados aos territórios da pobreza, do sertão e da favela, dos seus personagens e dramas? Como levar esteticamente o espectador a 'compreender' e experimentar a radicalidade da fome e dos efeitos da pobreza e da exclusão, dentro ou fora da América Latina?".

Hoje, o teatro — talvez por temer reincidir na tal cosmética, pela qual se estetiza a dor alheia sem minorá-la de fato — parece ter esquecido a possibilidade de elaborar uma ética ou, como queria Glauber Rocha, uma estética da fome (expressão que, ressalve-se, remete também à precariedade dos recursos materiais na produção das obras). O que havia nas décadas de 1960 e 1970 não era apenas a utopia ingênua de uma revolução igualitária e purificadora, mas o projeto legítimo de associação política de classe média e povo, ou da classe média ao povo, às classes trabalhadoras. Esse projeto foi derrotado, mas deixou algo para a nossa maneira de votar; para a redistribuição de renda operada nos últimos anos; para as manifestações de junho ou, ainda, para os prédios incendiados hoje, dia 11 de abril, por ocupantes acuados pela polícia militar, no Rio.

De que maneira se pode pensar em reatar laços ou em criar novos laços políticos entre camadas distintas da sociedade? Camadas diversas, mas que alimentam ideais semelhantes — em resumo, o desejo de estabelecer direitos idênticos para todos. O artista de classe média estará condenado a falar apenas do próprio umbigo, sem ligá-lo às circunstâncias, sem reparar no umbigo alheio?

O que não faz mais nenhum sentido, e isso há tempos, é a ilusão de superioridade intelectual, com o decorrente dirigismo político, que viciou o comportamento das esquerdas nas décadas de 1960 e 1970. Didatismo e dirigismo que, já em 1979, uma peça como O rei de Ramos superava ao denunciar, com sarcasmo, sem qualquer ingenuidade, o capitalismo que hoje se chama global (a palavra "globalização" não circulava nos anos 1970, mas a peça intuiu o seu significado já naquela hora). Sistema que se poderia chamar também de capitalismo de cartel, agora universal.

Uma peça de teatro poderá ser péssima ou nula, mas não o será por falar de gente sem-teto, em confronto com políticos mentirosos. Os que duvidam da pertinência de obras pautadas numa visão solidária é que talvez habitem noutro país, noutro planeta.

O REI DE RAMOS, DE DIAS GOMES. TEATRO JOÃO CAETANO, RIO DE JANEIRO (1979). © CEDOC/FUNARTE.

O TEATRO MUSICAL (E POLÍTICO) NO BRASIL[1]

O teatro musical brasileiro não nasceu ontem, mas há pelo menos 155 anos. Começamos pela revista, uma das espécies do gênero musical. O primeiro espetáculo de revista escrito e encenado no país chamou-se *As surpresas do senhor José da Piedade*, texto de Figueiredo Novaes. A peça ficaria em cartaz por apenas três dias, tendo sido proibida por atentar contra a moralidade das famílias, no Rio imperial de 1859.

Os espetáculos cantados afirmaram-se nas últimas décadas do século XIX, e um de seus sucessos inaugurais foi *O mandarim*, de Arthur Azevedo e Moreira Sampaio, encenado em 1884. Gênero de vigência irregular, o musical tem conhecido períodos produtivos, seguidos por momentos menos ricos. Uma de suas fases férteis foram os anos 1960 e 1970, quando o teatro frequentemente se organizou na forma do espetáculo cantado para responder ao regime autoritário.

Ao encomendar a Dias Gomes a comédia *O rei de Ramos*, o diretor Flávio Rangel, que a encenou em 1979, procurava "retomar a tradição interrompida do musical brasileiro". Em prefácio à peça, Flávio mencionava ainda a "busca permanente" de sua geração (integrada pelo próprio Dias e por Gianfrancesco Guarnieri, Plínio Marcos, Ferreira

---

[1] Artigo publicado no jornal *O Globo*, suplemento Prosa (Rio de Janeiro, 6 dez. 2014).

Gullar, Vianinha, Paulo Pontes): a de estabelecer "uma dramaturgia brasileira e um estilo nacional de interpretação".

A série de musicais engajados, criados sobretudo de 1964 a 1979, começa com o show *Opinião*, em dezembro daquele ano. Escrito por Armando Costa, Oduvaldo Vianna Filho e Paulo Pontes, com direção de Augusto Boal, o espetáculo propunha uma espécie de frente de resistência artística ao estado de coisas e transformava os cantores Nara Leão, Zé Keti e João do Vale em atores. O título do show vinha do segundo disco da intérprete, *Opinião de Nara*, que combinava bossa nova com ritmos tradicionais — samba, capoeira, baião. Os primeiros elepês da cantora e a montagem prefiguram a tendência chamada MPB. Estreita-se a parceria do teatro com a música popular, embalados pelo desejo de participação.

A pré-história do período se inicia em 1958, quando surge *Eles não usam black-tie*, drama realista de Guarnieri que marca o nascimento do teatro político (embora manifestações anteriores já apontassem nesse sentido). No interior da cena política, outra corrente, esta não realista, abre-se com os musicais *Revolução na América do Sul*, de Boal, dirigido por José Renato, e *A mais-valia vai acabar, seu Edgar*, de Vianinha, com direção de Chico de Assis e melodias de Carlos Lyra. Ambos estrearam em 1960, misturando o que se sabia dos alemães Piscator e Brecht à estrutura flexível das revistas.

Em abril de 1965, no Rio de Janeiro, aparece *Liberdade, liberdade*, de Millôr Fernandes e Flávio Rangel, valendo-se da técnica da colagem, utilizada pouco antes em *Opinião*. Dessa vez, em lugar de personagens correspondentes a classes sociais diversas, que simbolizavam a possível aliança política entre classe média e povo, o espetáculo organizava-se conforme o tema do título, versado pelas mais diferentes figuras, de Moreira da Silva a Winston Churchill.

Em maio, em São Paulo, lançava-se *Arena conta Zumbi*, de Boal e Guarnieri, iniciando-se a voga dos temas históricos. *Zumbi* e *Arena conta Tiradentes*, este de 1967, mobilizam modelos procedentes, entre outras fontes, das peças e artigos de Bertolt Brecht, mas conseguem ampliar e aclimatar ao Brasil a liberdade narrativa assimilada em Brecht. Sobretudo em *Zumbi*, os limites brechtianos são alegremente estourados por atores que entram e saem das personagens, revezando-se nos papéis sem cerimônia.

Os modelos nacionais e populares da farsa e da revista foram diligentemente aproveitados naquelas décadas. Em 1966, estreava *Se correr o bicho pega, se ficar o bicho come*, de Vianinha e Gullar, comédia de ambientação nordestina redigida em versos — o texto em verso constitui marca de alguns desses musicais. Já o Teatro Oficina reeditava a revista e ajudava a lançar o tropicalismo com a montagem de *O rei da vela*, texto de Oswald de Andrade transformado em musical em 1967.

Outra peça que recorre a formas criadas pelo povo é *Dr. Getúlio, sua vida e sua glória*, de Dias Gomes e Gullar, encenada em 1968, quatro meses antes da edição do AI-5. A medida atinge as artes com o acirramento da censura e a transformação do artista, pelo regime, em inimigo público. *Dr. Getúlio* incorpora aspectos do enredo carnavalesco (as alegorias, o canto coletivo) para contar a história de Vargas, com ênfase em seus momentos finais.

Nessa fase, há também as peças inspiradas no modelo da comédia musical. Aqui, localizamos *Gota d'água* (1975), de Chico Buarque e Paulo Pontes, *Ópera do malandro* (1978), de Chico, e *O rei de Ramos*. Traços didáticos e apelos ao combate, pelos quais, nos anos 1960, se pretendia converter o espectador em herói político, desaparecem nesses dois últimos textos — sem que se perca o poder crítico. A geração de Flávio Rangel retomava o fio da meada, acrescentando verve mais ácida à tradição que remonta ao ameno (mas genial) Arthur Azevedo. Os musicais engajados oferecem ótimos pontos de partida para que se façam outras peças do gênero, agora.

ZÉ KETI, NARA LEÃO E JOÃO DO VALE EM *OPINIÃO*.
TEATRO DE ARENA, RIO DE JANEIRO (1964). © ACERVO ICONOGRAPHIA.

IMPRESSÕES PORTUGUESAS[1]

Dou a estas impressões o tom pessoal que meras impressões costumam implicar. Falo aqui sobre teatro em Portugal, mas nem de longe considero que as cinco ou seis vezes que fui ao país bastem para ter e transmitir, dos espetáculos e textos que se produzem lá, uma ideia ampla ou assertiva. Posso garantir, no entanto, que são impressões anotadas com interesse genuíno.

Estive em Portugal pela primeira vez em 2005, e me chamou a atenção a qualidade técnica de seus espetáculos. Os lusos têm 800 anos de prática cênica: "O testemunho mais antigo que se conhece de manifestações teatrais na Idade Média portuguesa remonta ao ano de 1193", informa Luiz Francisco Rebello em *História do teatro*. Rebello contesta a noção de que o teatro em Portugal só tenha brotado em 1502, quando se representou o *Auto da visitação*, o primeiro do vasto repertório de Gil Vicente.

Se o domínio de palco me pareceu boníssimo, nem sempre, por outro lado, os aspectos propriamente artísticos e ideológicos coincidiram com as minhas expectativas. Assim, por exemplo, o espetáculo *Amália*, de Filipe La Féria, dramaturgo, compositor e encenador de

---

[1] Artigo publicado no *site* Teatrojornal (23 dez. 2014).

musicais, tratava a diva como o mito que ela de fato se tornou — mas não estamos obrigados a apreciar mitos ou mitificações, certo?

Talvez pese o fato de que, no Brasil, embora adulemos os nossos ídolos, sejamos menos reverentes para com eles. Registrei o que vi à época, há quase uma década, em matérias para jornal. Outro episódio que então me causou estranheza foi o esforço de uma hábil montagem, baseada em autores estrangeiros (Camus e Lorca), em sublinhar de modo estrito a referência a Portugal (mais que a qualquer outro país), ao denunciar as relações de poder entre os sexos. O que se fez vestindo a protagonista com as cores da bandeira lusa.

Em espetáculo pleno de sutilezas (chamava-se *Equerma*, da companhia Karnart), que envolvia palco dotado de mecanismo giratório (pequenos bonecos dispostos sobre mesas rodavam em torno da atriz), a marca demasiado óbvia me pareceu desnecessária. Procuro entendê-la: Portugal viveu a necessidade histórica de singularizar-se, sobretudo frente à Espanha, o que ainda se faz sentir por lá. Essa terá sido a motivação para os portugueses rejeitarem, com escândalo, as modestas mudanças do acordo ortográfico? Há também a memória imperial.

Prometi falar sobre o bom, por vezes ótimo teatro luso e aqui estou a me perder em considerações improvisadas... Avisei que eram impressões! Pois. Quero chegar ao seguinte: o mito Amália, tratado tão literalmente no espetáculo que vi no Porto há nove anos, com direito a erguer-se a intérprete nos ombros de uma dupla de atores, à maneira do que se concede às rainhas e às santas, é abordado de forma bem diversa em outro espetáculo do mesmo La Féria. A montagem de 2014 chama-se *Portugal à gargalhada* e lida com a figura de Amália irreverentemente, mostrando-a num quadro que satiriza a "panteonite nacional", ou seja, a mania dos heróis.

Saídos de túmulos postos à vista do público, os escritores Sophia de Mello Breyner e Almeida Garrett, este vindo do século XIX, a referida Amália Rodrigues e, depois, o jogador de futebol Eusébio saltam das tumbas para conversar animadamente sobre o dia a dia. A cantora então se revela egocêntrica, falastrona, autoritária (Sophia mal pode abrir a boca). Os mitos existem para ser desmontados.

O gênero das revistas está vivo por lá. No início de 2014, pude ver em Lisboa o espetáculo *Tropa-fandanga*, do Teatro Praga, que acha graça (criticamente) de desgraças como a Primeira Guerra Mundial, iniciada há um século, e a guerra colonial portuguesa na África, encerrada com a Revolução dos Cravos em 1974. As revistas *Tropa-fandanga* e *Portugal à gargalhada* acham-se muito bem providas de recursos materiais e de boa técnica para utilizá-los, o que atinge extremos de luxo e virtuosismo em *Portugal à gargalhada* — os figurinos e telões de José Costa Reis impressionam, para não falar do maquinário eletrônico. O espetáculo é conduzido por comediantes experientes, ladeados por jovens igualmente bons. O modelo Broadway, embora somado a fontes musicais lusas, esquematiza ou tipifica a cena, talvez em excesso. Canções e arranjos operam exatos, e há quadros cômicos impagáveis (como o citado), alguns deles escritos em verso.

O mencionado vigor material não constitui a regra. Ao contrário, parece ser a exceção — o que em parte se pode atribuir à crise que maltrata o país há alguns anos. *Tartufo*, texto de Molière adaptado e encenado por Hélder Costa com o elenco de A Barraca, tem o seu apelo no trabalho dos atores, jovens na maioria, acompanhados por grandes veteranos, a exemplo de Maria do Céu Guerra. O saber-fazer português comparece ao espetáculo, mas cenários e figurinos não me animaram, de saída. Em conversa informal, ouço que a montagem contou com apenas 30 por cento dos recursos inicialmente previstos. O jogo dos intérpretes, de todo modo, ganha o público.

Pude comprar dois livros com peças de Hélder Costa, autor de obra extensa. Li uma delas, a dentadas, ainda em Lisboa: chama-se *Um homem é um homem: Damião de Góis* (de 1981). Hélder empresta forma dramática à vida do humanista português Damião de Góis (1502-1574), intelectual prestigioso, de ideias generosas e arejadas, que desafia os conservadores e é preso pela Inquisição — em trajetória representativa da derrota do humanismo frente à intolerância da

Contrarreforma. Outra peça, esta de 2004, intitula-se *Os renascentistas* e transforma Gil Vicente, Góis, o comediógrafo Chiado, o aventureiro Mendes Pinto e Camões em personagens. A Barraca é grupo conhecido no Brasil, onde mostrou espetáculos e obteve boa acolhida nos jornais.

A partilha de dinheiro, público ou privado, parece tão desigual em Portugal quanto neste país. Uma reforma agrária no campo de batalha da cultura seria bem-vinda por aqui, e lá também.

OS MENINOS DA GUERRA
FALAM POR SI MESMOS[1]

Gostaria de caminhar um pouco à volta do teatro político no país, antes de chegar ao comentário do comovente espetáculo *Meninos da guerra*, feito a partir de depoimentos de garotos e garotas em situação de rua ou residentes em abrigos no Distrito Federal. A montagem foi mostrada em Ceilândia, em julho, e em Brasília, nos dias 4 a 6 de agosto.[2] Pode ser?

A tradição de engajamento ou simplesmente de preocupação social, no teatro brasileiro, remonta aos anos 1960, tendo tido episódios importantes já na década de 1950, a exemplo de *Eles não usam black-tie*, de Guarnieri. As peças acidamente políticas de Oswald de Andrade, escritas nos anos 1930, não foram encenadas em seu tempo.

Na comédia *A mais-valia vai acabar, seu Edgar*, Oduvaldo Vianna Filho pretendeu explicar a trabalhadores, em 1960, o modo como o capitalismo os explora. Não chegou a alcançar o público operário que almejava ou, quando o conseguiu, não se fez entender por ele. Mas

---

[1] Comentário publicado no *site* Teatrojornal (17 ago. 2015).
[2] Teatro Sesc Newton Rossi (Ceilândia) e Teatro Sesc Garagem (Brasília).

conquistou largas plateias universitárias. A diversidade de códigos foi sempre um problema (a resolver) para que a aliança política entre remediados e pobres, bacharéis e proletários, se consumasse no teatro.

Para os artistas, tratou-se e se trata ainda de aprendizado. Esse aprendizado passou pela experiência do Centro Popular de Cultura da União Nacional dos Estudantes, que durou de 1961 a 1964, quando a UNE, e com ela o CPC, foi atropelada pelo golpe militar já na madrugada brutal do 1º de abril. As práticas do CPC, arrogantes e ingênuas ao presumir poder ensinar o povo a pensar (em vez de entendê-lo como professor na arte maior de sobreviver), vinham sendo revistas pela própria entidade quando golpistas incendiaram o prédio da UNE.

Eis que o teatro participante reaparece em dezembro de 1964 com o show *Opinião*, no qual as classes trabalhadoras, encarnadas em Zé Keti e João do Vale, e a classe média, representada por Nara Leão, ensaiam uma simbólica aliança contra os ricos e seus gerentes (a luta de classes, ontem como hoje, não comporta excessiva sutileza: como disse Olavo Setúbal, "banco não é namorado"). O espetáculo abriria a série de montagens, frequentemente musicais, com que o teatro respondeu à ditadura, daquele ano até as vésperas das Diretas Já, em 1984. Nesse caminho, pode-se assinalar, como belo exemplo, *O último carro*, de João das Neves, encenado pelo Grupo Opinião no Rio de Janeiro, em 1976.

O título alude a um vagão de trem. Os personagens de repente percebem que o veículo roda sem maquinista e sem governo, metáfora de um Brasil que, àquela altura, não sabia para onde andava — como hoje, de novo, também não sabe. Diga-se que a democracia demoradamente construída não mais parece vulnerável às aventuras autoritárias. Certo?

No eloquente *O último carro*, personagens modestos ou despossuídos, usuários do trem que liga a Zona Norte ao Centro do Rio, exibem-se em cenas isoladas, ligadas umas às outras apenas por ocorrerem naqueles vagões. O autor as relaciona dramaticamente, no entanto, quando a circunstância do trem à solta reúne os passageiros. Autor e atores pertenciam aos setores remediados, mas se esboçou ali uma aproximação menos abstrata. O que se deu, entre outros aspectos, no filme que integrava o espetáculo e exibia cenários reais.

Em meados dos anos 1980, o grupo teatral Nós do Morro, da favela do Vidigal, no Rio, tomou a si a tarefa de falar dos próprios problemas. É a comunidade quem responde por dramaturgia, cena e público. As alianças, de todo modo, continuam a ser possíveis — e agora ainda mais, por termos um país menos imaturo que o das décadas de 1960 e 1970. Sinal dessa esperança é o fato de a experiência do Nós do Morro e de outros grupos haver despertado o interesse da universidade, na forma da tese e do livro.

Não que a universidade valide essa experiência, legítima com ou sem livros e teses. Tento dizer é que existem hoje condições de diálogo entre as classes, possivelmente mais que no passado. O livro citado chama-se *A favela como palco e personagem* e é de Marina Henriques Coutinho, professora da UniRio. Enfim, continuamos próximos de *O último carro* (ou seja, a peça de João das Neves permanece atual), mas felizmente ultrapassamos o dirigismo do CPC (embora o paternalismo sobreviva nas ações salvacionistas da Rede Globo...). Creio tratar-se agora de solidariedade e de interesse genuíno, a envolver parceiros que se equivalem.

Sim, *Meninos da guerra*. Talvez eu tenha feito a volta acima, posando de crítico objetivo, por não ser fácil enfrentar os sentimentos que a peça desperta em nós, do público. Mas vamos lá. Vale notar de saída que o pequeno Teatro Garagem, no extremo sul da cidade, com seus cerca de 200 lugares, achava-se lotado na quinta-feira, dia 6. Produtores, à entrada, reagiam aliviados à notícia de que "o secretário já chegou". Referiam-se, imagino, a Guilherme Reis, secretário de Cultura do DF.

O palco encontra-se praticamente nu. Uma tela ao fundo, ora translúcida (quando atores surgem atrás dessa tela), ora suporte para imagens projetadas, e o palco enxuto compõem o cenário básico para as várias histórias. Esses episódios provêm do repertório vital dos 14 adolescentes que integram o elenco, ao lado de Clarice Cardell, Herculano

Almeida, Jeferson Alves e Lívia Fernandez, bons atores com domínio cênico. A peça foi escrita por Carlos Laredo, que a dirigiu em parceria com Zé Regino.

O problema dos códigos artísticos, diversos conforme a classe que os produz, não se coloca desta vez, porque o caminho aqui é em certa medida o inverso que o de espetáculos que falam dos pobres, mas não são feitos por eles. O fato de as situações partirem de depoimentos dos meninos empresta veracidade a elas. Podemos lembrar Décio de Almeida Prado, que ao escrever sobre *A morte do caixeiro viajante* afirmou que o sofrimento é a mais universal das linguagens.

É principalmente de sofrimento que se fala em cena. O processo dramático foi o da superposição, pelo qual as cenas se acumulam, mantendo-se relativamente isoladas, ligadas apenas (o que não é pouco) mediante a radicalidade das vivências, verdadeiramente infernais. Estupros, roubos, assassinatos (um deles praticado por um dos jovens personagens) se enfileiram à nossa frente, sem se banalizarem. A atenção ao fato humano é talvez o maior mérito de *Meninos da guerra*. Não é um espetáculo feito para os patrocinadores.

Não ocorreu no espetáculo brasiliense, como ocorreu em *O último carro* (que uso como referência pelas similaridades de tema e estrutura), o recurso a um evento patético exterior e, ao mesmo tempo, capaz de atingir a todos (na peça do Opinião, o trem desgovernado). Mas há certo sentido de crescendo e de clímax, dado ao final quando um garoto, preso numa delegacia, é confrontado pela policial de plantão. A moça o conhece desde a infância; conheceu sua mãe, testemunhou a história miserável de sua família. Aqui, temos o Estado representado na agente, ríspida mas com olhos humanos, enquanto a população juvenil, largada à própria sorte e a um passo do crime, aparece na figura do garoto.

As cenas e relatos comovem. Um dos meninos conta que o pai lhe batia com um pedaço de pau — ornado com pregos na ponta. Acrescente-se a isso que o menino tinha seis anos de idade quando as surras aconteceram. Garotas obrigadas a dormir na rua borram de fezes o próprio sexo para não ser estupradas. Alguns adolescentes só dormem de dia, esparramados nas calçadas. Indolência? Não: poderão ser assaltados se dormirem à noite.

Encerro lembrando um aspecto que me intrigou. O espetáculo, a certa altura, mostra de maneira obscura uma cena em que meninos de mãos atadas são forçados a se atirar, de um ponto elevado, nas águas a sua frente. Não está claro se suas mãos se acham amarradas ou algemadas; nem que águas serão aquelas: talvez as do lago Paranoá? Por fim, quem os atira, quem os obriga a saltar? E de onde?

A presença na plateia do secretário Guilherme pareceu mesmo salutar e necessária. Teria sido bom que também o secretário de Segurança e o governador tivessem assistido à montagem. *Meninos da guerra*, mais que evento teatral, é um depoimento emocionado, um apelo por direitos elementares: vida, moradia, escola, refeições limpas. E não produz — agora falo por mim — apenas comoção, mas também indignação, raiva.

Até quando?

A MATÉRIA DOS SONHOS[1]

Composto a partir de textos de William Shakespeare e Fernando Pessoa, combinados a efeitos visuais e a música de gêneros diversos, *O naufrágio* "fala, em última instância, do sonho e da criação", adianta a diretora Silvia Davini (1956-2011) em nota no programa do espetáculo, realizado no Departamento de Artes Cênicas da Universidade de Brasília, em 2010.[2] Buscaremos acompanhar alguns dos fios de sentido que percorrem a montagem, rica em símbolos e avessa a leituras demasiado literais.

A primeira cena da comédia *A tempestade*, de 1611, uma das últimas peças escritas por Shakespeare, reúne-se aqui *O marinheiro* (1913), "drama estático", segundo o chamou Pessoa. O mar e as conotações que o navegam — viagem, risco, descoberta — amparam, desde o título, a composição do espetáculo.

Trata-se de polos opostos, porém: enquanto a cena inaugural da comédia shakespeariana apresenta a luta dos marujos contra a tempestade que, brutal, fará naufragar o navio com o rei de Nápoles e outros nobres, o drama de Pessoa, reproduzido na íntegra, vale-se da conversa

---

1 Comentário publicado no *blog* Cartografias da Voz (jan. 2011).
2 Teatro Helena Barcellos.

de três irmãs que velam o corpo de uma quarta mulher. O evento importante, neste segundo caso, acha-se no passado e é objeto do comentário lírico e desalentado das personagens. Elaborando esses materiais, *O naufrágio* tece a sua rede de significados.

Três figuras femininas sustentam a trama. Primeiro, Marina, que empresta sua voz às falas agônicas de marujos e passageiros do navio — o barco termina por bater numa ilha. Depois, Miranda, filha de Próspero, duque deposto de Milão que vive nessa ilha e que tem a seu serviço Ariel, espírito do ar, capaz de todos os sortilégios, e Calibã, demônio laborioso. Por fim, surge Milagros, que se confunde com uma das irmãs tomadas ao drama de Fernando Pessoa. Essas figuras duplicam-se, espelhadas nas três personagens do poeta português ou, mesmo, em *The three Fates* (*Clotho, Lachesis, Atropos*), As três Parcas, título da moderna, convulsa peça musical do grupo Emerson, Lake & Palmer, que abre os trabalhos.

Próspero promove o temporal, mas salva os náufragos: entre eles, estão os usurpadores do trono de Milão. Ele o faz para vingar-se dos criminosos e para, a seguir, perdoá-los, evidenciando-se aqui um dos temas caros a Shakespeare, o do governo legítimo e justo.

O espetáculo não acompanha o texto inglês além do ponto em que Próspero revela à filha ter evitado, propositadamente, que os viajantes sofressem qualquer dano: "Nenhum. Tudo o que fiz, foi por ti, simplesmente, minha filha, por tua causa, filha idolatrada, que não sabes quem és, nem tens notícia de onde eu teria vindo", diz o homem à menina, em voz *off*.

Pouco adiante, o duque deposto acrescenta: "O espetáculo terrível do naufrágio que em ti fez despertar a própria força da compaixão, por mim foi de tal modo dirigido, com tanta segurança, que, de toda essa gente, cujos gritos ouviste e que à tua vista naufragou, nenhuma alma, nenhuma, nem um fio de cabelo sofreu nenhum prejuízo". Na peça original, ele então narra a sua longa história.

CONCEITOS-SENSAÇÕES

Estamos, portanto, em pleno território dos sonhos. A metáfora em causa, elaborada desde os primeiros momentos do espetáculo e que se vai desdobrar até o final, parece apontar para a capacidade, que todos teríamos, de reinventar presente e passado, e com isso redesenhar o futuro. Capacidade essa que se debate, é claro, contra forças opostas: a eventual traição dos que nos são próximos, a exemplo da que sofreu Próspero; nossos próprios medos, nosso pendor à corrupção; os acidentes materiais de toda sorte.

O espetáculo encenado por Silvia Davini tem as principais personagens interpretadas, com vigor e sensibilidade, por Sulian Vieira (o elenco também traz Sara Mariano, Cesar Lignelli e a própria diretora). A montagem movimenta variado arsenal de técnicas modernas e contemporâneas. Uma caixa retangular de madeira, chamada "caixa mágica" nas rubricas do roteiro, pode ser leito para Miranda, que dorme e sonha, assim como pode ser túmulo (ecoando a personagem morta do drama de Pessoa), e de suas gavetas surgem objetos utilizados no palco. Entre outras aparições, vale citar as miniaturas que aludem a mar, navio, praia, naufrágio, coisas que repentinamente mudam de dimensão diante de nossos olhos. Ventos e ondas revoltas tornam-se agora algo quase pueril, suave.

Mais importantes, pela presença extensa no espetáculo, são as telas onde se projetam imagens da mesma atriz, representando, no entanto, o trio de mulheres de O marinheiro. O ambiente condensa, de maneira simultaneamente estranha e familiar, o teatro em seus traços distintivos, tradicionais, e as práticas cênicas contemporâneas, com telas e atrizes coexistindo como que de modo natural. Iluminação e trilha sonora — na qual aparecem, por exemplo, trecho sinfônico de Mahler e canção jazzística gravada por Silvia — mostram-se poeticamente eficazes. Os espaços da sala são mobilizados em réplicas dadas a partir de um segundo piso, lançadas à Segunda Veladora, que permanece no centro da cena, à nossa frente, a narrar o que recorda de seu marinheiro imaginário.

A narração desse sonho — no qual a moça visualiza o marinheiro que, por sua vez, sonha também — traduz o núcleo dos conceitos-sensações a se adensarem no espetáculo. A Segunda Veladora, ou Milagros, conta: "Um dia, que chovera muito, e o horizonte estava mais incerto, o marinheiro cansou-se de sonhar... Quis então recordar a sua pátria verdadeira... mas viu que não se lembrava de nada, que ela não existia para ele...". Logo acrescenta: "Toda a sua vida tinha sido a sua vida que sonhara... E ele viu que não podia ser que outra vida tivesse existido...".

Somos o que sonhamos ser, e nisso reside a nossa liberdade. Aí está um dos motes desse belo e fértil *Naufrágio*.

SULIAN VIEIRA EM *O NAUFRÁGIO*. TEATRO HELENA BARCELLOS, BRASÍLIA (2010). © CARTOGRAFIAS DA VOZ.

ESTE LIVRO FOI EDITADO PELA AUTÊNTICA EDITORA E PELA SIGLAVIVA, COM TIRAGEM DE 700 EXEMPLARES. SUA IMPRESSÃO, EM PAPEL PÓLEN SOFT 80 G/M², E SEU ACABAMENTO FORAM FEITOS NA GRÁFICA PAULINELLI, BELO HORIZONTE/MG, EM AGOSTO DE 2016. AS FAMÍLIAS TIPOGRÁFICAS UTILIZADAS, MINION E UNB PRO, FORAM PROJETADAS RESPECTIVAMENTE POR ROBERT SLIMBACH, EM 1990, E GUSTAVO FERREIRA, EM 2008.